KB100139

# 비주얼 미디어로 보는 만주국

포스터·그림엽서·우표

**지은이**

**기시 도시히코**(貴志俊彦, Kishi Toshihiko)

1959년 효고현에서 태어났다. 히로시마대학 대학원 문학연구과 동양사학전공 박사후기과정을 수료했으며, 현재 교토대학 동남아시아지역연구연구소 교수로 재직하고 있다. 주요 공・편저서로는 『戰爭・ラジオ・記憶』(勉誠出版, 2006), 『資料で讀む世界の8月15日』(山川出版社, 2008), 『模索する近代日中關係－對話と競存の時代』(東京大學出版社, 2009), 『文化冷戰の時代－アメリカとアジア』(國際書院, 2009), 『中國・朝鮮における租界の歷史と建築遺産』(御茶の水書房, 2010) 등이 있다.

**옮긴이**

**전경선**(全京先, Jeon Kyoungsun)

부산대학교 사학과를 졸업하고 동 대학원에서 석・박사학위를 취득했다. 현재 부산대학교, 신라대학교에서 동아시아 역사와 문화 관련 강의를 하고 있다. 주요 연구로는 「태평양전쟁기 만주국의 선전정책」(『中國史研究』 82, 2013), 「전시체제하 만주국의 국병법 선전」(『만주연구』 23, 2017) 등 만주국 프로파간다 관련 다수의 논문이 있다.

비주얼 미디어로 보는 만주국 포스터・그림엽서・우표

**초판인쇄** 2019년 3월 20일 **초판발행** 2019년 3월 30일

**지은이** 기시 도시히코 **옮긴이** 전경선 **펴낸이** 박성모 **펴낸곳** 소명출판 **출판등록** 제13-522호

**주소** 서울시 서초구 서초중앙로6길 15, 1층

**전화** 02-585-7840 **팩스** 02-585-7848 **전자우편** somyungbooks@daum.net **홈페이지** www.somyong.co.kr

값 21,000원

ISBN 979-11-5905-392-4 93910

〈화보 1〉 즉위대전 기념 포스터 〈대만주제국 만세〉

즉위대전 중앙위원회 제작, 가와구치(川口)인쇄소 신징(新京)공창(工廠) 인쇄, 1934년 3월 1일.

〈화보 2〉 만주사변 기념 포스터 〈9월 18일을 상기하자〉

만주제국 협화회(協和會) 제작, 1932년 9월 18일.

**건국의 역사와 축제**

만주사변 발발(화보 2) 5개월 후인 1932년 3월 1일, 만주국은 〈공화국〉으로 성립하며, 얼마 후 이 날을 '건국기념일'로 삼았다(화보 4). 그 반년 후, 일본 정부가 처음으로 이 나라의 '건국'을 승인했다(화보 3). 만주국이 '제국'으로 체제를 전환한 것은 두 번째 '건국기념일'로, 푸이(溥儀)가 황제에 즉위한 날이다(화보 1, 화보 5). 다음해 4월, 중국의 '황제'로서 역사상 처음으로 푸이는 일본을 방문했다(화보 6). 수도(國都)의 건설 작업은 건국 5년 째에 겨우 마무리됐다(화보 7). 만주국에서는 특히 건국 초기에 비주얼 미디어가 많이 제작되었다(이 책 제3장~제5장).

〈화보 3〉 만주국 승인 기념 포스터 〈경축 9·15승인기념, 동덕동심 공존공영〉

만주제국 협화회 제작, 1933년 9월 15일.

〈화보 4〉 만주국 건국 1주년 기념 포스터 〈국운비등 대동2년 3월1일 경축 건국주년 기념〉

펑톈(奉天)성공서 제작, 펑톈성공서인쇄국 인쇄, 1933년 3월 1일.

〈화보 5〉 즉위대전 기념 포스터 〈대만주제국 만세 / 왕도(王道)의 빛이 전 지구를 널리 비추다〉

만주국 군정부 제작, 고바야시 마타시치(小林又七)상점 다롄(大連) 지점 인쇄, 1934년 3월 1일.

〈화보 6〉 방일선조 기념 포스터 〈방일선조 기념 5월 2일〉

만주제국 협화회 중앙본부 제작, 1935년 5월 2일.



〈화보 7〉 국도건설 기념 포스터 〈하늘이 열리고 땅이 열린다, 오라!! 국도 대신징으로〉

만주국 정부 국무원 국도건설국 제작, 신징세계당 인쇄, 1937년.

〈화보 8〉 오족협화 포스터 〈오색이찬란한 만주국기아래서 오족이공존공영하자〉

만주국 협화회 제작, 평톈성공서인쇄국 인쇄.

### 만주국의 프로파간다

'오족협화(五族協和)'(화보 8, 화보 9)와 '일만친선(日滿親善)'(화보 10~12)은 중화민국과 소련에 대항하기 위해 내건 만주국의 이데올로기이다. 그러나 '오족'이 가리키는 민족구성에는 "변동"이 보이기도 하고, 다민족국가로서의 사회 실태를 보장하는 제도도 없었다. 또 '일만친선'이라는 표어와 모순되게 일본은 만주의 자원을 수탈하고 만주국은 일본에 의존한 국가체제와 사회시스템을 통해 기능하고 운영되었다(본서 제1장 에필로그).

〈화보 9〉 오족협화 포스터 〈보갑사회 오족공영〉

만주국 치안부 경무사 제작, 1933년 12월.

〈화보 10〉 일만친선 포스터 〈일만동심합력 유지 동아화평〉

지린(吉林)성 경비사령부 제작, 1934년 3월 1일.

〈화보 11〉 일만친선 포스터 〈귀여운 아이들아, 만주국의 착한 아이들아, 자 와요. 함께 손을 잡아요. 손잡고 노래하며 놀아요. 낙토의 만주국이여〉

〈화보 12〉 일만친선 포스터 〈일본과 만주국이 서로 협력하니 모든 백성이 기쁘고 즐겁다〉

### 만철(滿鐵)과 만주여행

만주국과 일본은 한반도와 동해를 사이에 두고 배와 철도와 항공기, 그리고 통신망으로 연결되어 있었다. 만철(화보 13)과 그 부속기관이었던 선만안내소(화보 14)는 만주국과 한반도를 연결한 권역을 순회하는 여행에 일본인과 '중국인(滿人)'을 유치하였다. 동시에 구미의 많은 관광객들도 만철, 선만안내소, 재팬 투어리스트 뷰로(JTB)를 이용했다(본서 제2장).

〈화보 13〉 만철 포스터 〈남만주철도주식회사〉

이토 준조(伊藤順三) 작, 남만주철도주식회사 제작, 돗판(凸版)인쇄주식회사(도쿄) 인쇄.

〈화보 14〉 선만안내소 포스터 〈개방되는 대륙, 선만의 여행〉

선만안내소 제작, 돗판인쇄주식회사(도쿄) 인쇄.

Visualizing Manchurian Empire

# 비주얼 미디어로 보는 만주국

## 포스터 · 그림엽서 · 우표

기시 도시히코 지음 | 전경선 옮김

소명출판

## 한국어판 서문

졸저가 한국어로 번역되어 한국 독자 여러분의 눈에 띌 기회를 가지게 된 것은 나에게는 참으로 명예로운 일이다. 번역의 수고를 맡아 주신 부산대학교 인문대학 전경선 선생, 그리고 출판을 맡아 주신 소명출판에 진심으로 감사의 말씀을 전하고 싶다.

아울러 한국어판 출판은 한국 만주학회와의 인연을 빼고는 말할 수 없다. 소중한 인연은 프레신지트 두아라 교수Prasenjit Duara(당시 시카고대학, 현 듀크대학)를 통해 맺었다. 2005년 12월 두아라 교수가 연구 방문 차 일본을 찾았을 때 동행한 사람이 동아대학교 한석정韓錫政 총장이었다. 우리 세 사람은 규슈대학 한국연구센터의 초청으로 '만주국 연구의 전망'이라는 컨퍼런스 보고 이후 만주사 연구를 통해 한국 연구자와의 인연이 깊어졌다.

이 책은 포스터, 그림엽서, 우표, 사진, 영상, 만화 등 비주얼 미디어를 통해서 만주국사의 새로운 상을 조명하는 것을 목표로 하고 있으며, 2010년 6월 출판 당시로서는 상당히 도전적인 시도였다. 이미 1980년대 헤이본샤平凡社가 이미지 리딩 총서를 출판한 이후 도상자료의 활용이라는 새로운 연구가 주목받고 있었지만, 이 책이 간행된 시점에는 만주사 연구에서 이런 시도는 없었다. 새로 복각된 만주국 관계 자료에서도 도움을 받았는데 이 책 간행에 수년간 시행착오를 겪었다.

다행스런 일은 이 책 집필과 거의 같은 시기에 교토대학 쓰치야 유카土屋由香 교수 등과 『문화냉전의 시대－미국과 아시아文化冷戦の時代－アメリカとアジア』(國際書院; 김려실 역, 『문화냉전과 아시아－냉전 연구를 탈중심화하기』, 소명출판, 2012)의 간행을 준비하고 있었기 때문에 이 책의 기본축은 홍보선전정책을 중심에 두는 것으로 가닥을 잡았다. 동아시아 각 지역의 홍보선전정책은 제2차 세계대전기와 냉전기를 겪은 소시민의 마음에 지나칠 수 없는 영향을 끼쳤기 때문에 만주국 연구에서도 그 점을 검증할 필요가 있다는 문제의식이 첨예화되고 있었다.

이렇게 이 책이 간행되었음에도 일본 국내에서는 선행연구를 중시하지 않고 역사학적 방법을 벗어나 있다는 질타를 받게 되었다. 한편 해외에서는 'Association for Asian Studies'에 소개되고 구미 주요 대학 도서관에 소장되는 등 만주국 비주얼 미디어에 대한 관심을 불러 일으켰다. 그 때문에 구미 연구자들이 일부러 교토까지 필자를 만나러 오는 등, 교류의 폭이 국제적으로도 넓어졌다. 예를 들면 독일 본대학에서 2014년도 여름학기 공개 릴레이 강좌 '만주의 과거와 현재Die Mandschurei in Vergangenheit und Gegenwart'를 개최하여 이 책을 바탕으로 한 강의를 의뢰하였기에 흔쾌히 수락하였다.

게다가 이 책 간행을 계기로 요시카와코분칸吉川弘文館은 근현대 만주에 관한 역사사전의 편찬 기획을 제시해 왔다. 만주국을 경험한 사람들이 세상을 떠났거나 만주 관련 친목단체가 차츰 해산되어 가는 가운데, 전후 선배들이 축적한 연구 성과를 근거로 한 사전을 출판하는 일의 의의를 통감하면서 '책임은 무겁고 갈 길은 멀다'는 기분을 떨쳐낼 수가 없었다. 다만 지금까지의 학술활동의 성과라고도 해야 할지, 105명의 집필자의 협력을 얻을 수 있었고, 출판 기획이 시작된 지 불과 2년 만에 총 840쪽에 이르는 『20세기만주역사사전』이 간행되었다. 이 사전을 재빨리 평가해주었던 것도 한국의 만주학회 회원 여러분이었다. 더욱이 2014년 3월 한석정 총장이 근무하는 동아대학에서 '『20세기만주역사사전』 한일 합동 서평 국제대회'를 개최해 주시기까지 했다. 이 국제회의에서 한국의 연구자와 진솔한 학술교류를 실현할 수 있었던 때의 감동을 지금도 잊을 수 없다. 그 후에도 이 사전의 유용성은 전문가들에게 인정받아 2016년 3월 하버드대학 옌칭도서관에서 개최된 국제 워크샵 'Harvard Yenching Library New Holdings in Manchukuo History : Needs and Opportunities', 같은 해 10월 본대학에서 개최된 'Northeast-Asia from the 19th Century to the Present'로 이어졌다.

'저자 후기'에도 있듯이, 이 책의 집필 동기는 2004년 돗토리현 유세이 만남의 집에 소장된 방대한 만주 관련 포스터 자료와의 조우였다. 그 자료들을 이용해 '만주국 포스터 데이터 베이스Manchukuo Propaganda Posters & Bills'(http://app.cias.kyoto-u.ac.jp/infolib/meta_pub/G0000021MAN)를 공개한 후, 졸저 간행, 『20세기만주역사사전』 편찬으로 결실을 맺었고 이상에서 서술한 바와 같이 만주사 관련 국제 학술활동에 참여할 기회를 얻게 되었다. 끝으로 이 책이 한국어판으로 출판됨에 따라 새로운 연구대상과 문제의식, 방법론으로 신기축에 도전하는 중요성을 한국의 젊은 세대에게도 전달하는 계기가 되기를 바란다.

2019년 3월 교토에서

기시 도시히코

본문 속 '자료 생략기호'의 내용은 다음과 같다.

자료① 『滿洲年鑑』(『植民地年鑑』), 全11卷, 滿洲文化協會, 日本圖書センター復刻
자료② 『滿洲國現勢』 建國—康德10年, 滿洲國通信社, クレス出版復刻
자료③ 『朝日新聞』 外地版(滿洲版) 1935年～1940年, ゆまに書房復刻
자료④ 『滿洲日日新聞』 マイクロフィルム(國會圖書館所藏)
자료⑤ 『盛京時報』, 奉天・盛京時報社, 影印本
자료⑥ 『宣撫月報』(『十五年戰爭極秘資料集』), 全7卷, 不二出版復刻
자료⑦ 『協和運動』(『日本植民地文化運動資料』), 全20卷, 別卷 1卷, 滿洲帝國協和會, 綠陰書房復刻
자료⑧ 『滿洲グラフ』, 全12卷, ゆまに書房復刻
자료⑨ 『藝文』(滿洲國藝文聯盟機關報), ゆまに書房
자료⑩ 『切手趣味』(1941년 7월에 『切手文化』로 개칭), 切手趣味社
JACAR : アジア歷史資料センター(http://www.jacar.go.jp/index.html)
富士倉庫寫眞 「朝日新聞歷史寫眞アーカイブ」 聞藏IIビジュアル for Library (http://database.asahi.com/library2)
滿洲DVD 『滿鐵記錄映畵集』, 全12卷; 『滿洲ニュース映畵』, 全10卷; 『滿映作品望鄕編』, 全5卷; 『滿映映畵編』, 全1卷, カムテック株式會社

본문의 각주는 모두 역자주임을 밝혀둔다.

# 차례

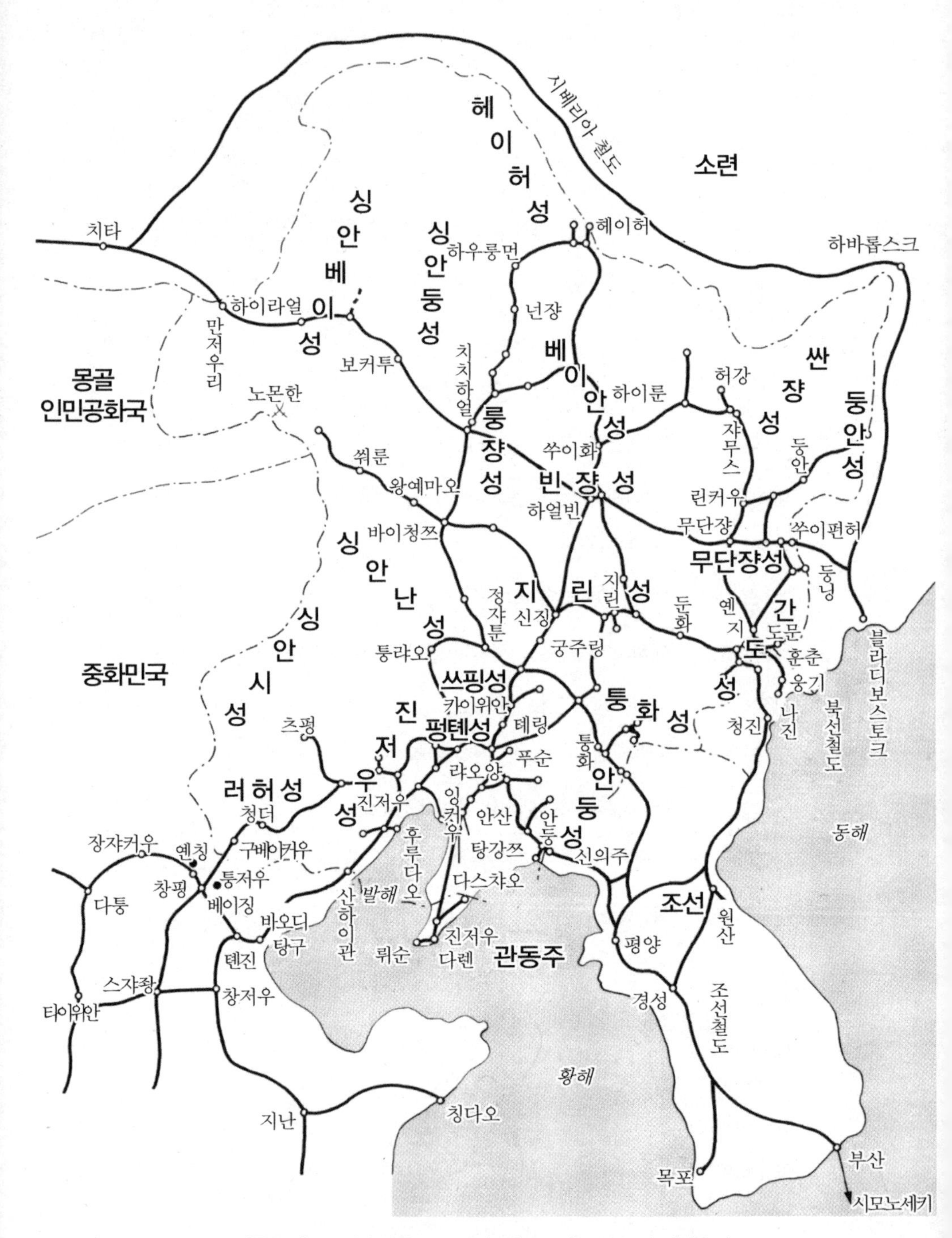


**만주국 지도** 성의 명칭은 1942년, 철도 노선은 1945년 당시의 것.

## 프롤로그

# 만주국의 미디어 전략과 홍보弘報

## 만주국은 '괴뢰국가'?

1967년 10월 17일, 만주 정황기인正黃旗人 가계의 아이신기오로 푸이愛新覺羅溥儀(1906~1967)가 베이징의 병원에서 사망했다. 향년 62세였다. 사인은 신장암이었다고 한다. 푸이는 2세부터 6세까지는 청조의 선통황제宣統皇帝로, 28세부터 39세까지는 만주국의 강덕황제康德皇帝로, 53세부터 사망할 때까지는 중화인민공화국의 한 인민으로 살았다. 2007년 중국 췬중출판사群衆出版社에서 푸이 자신이 53세까지의 인생을 기록했다고 하는 『나의 반평생我的前半生』 전문(〈그림 1〉)이 간행되었다.

실은 『나의 반평생』은 1964년 같은 출판사에서 같은 제목으로 출판한 적이 있고 일본어판도 있다. 2007년판은 1964년판에는 실리지 않았던 원고(2004년 3월에 발견) 15만여 자를 보완해서 출판한 것이다. 어느 판본이든 원고

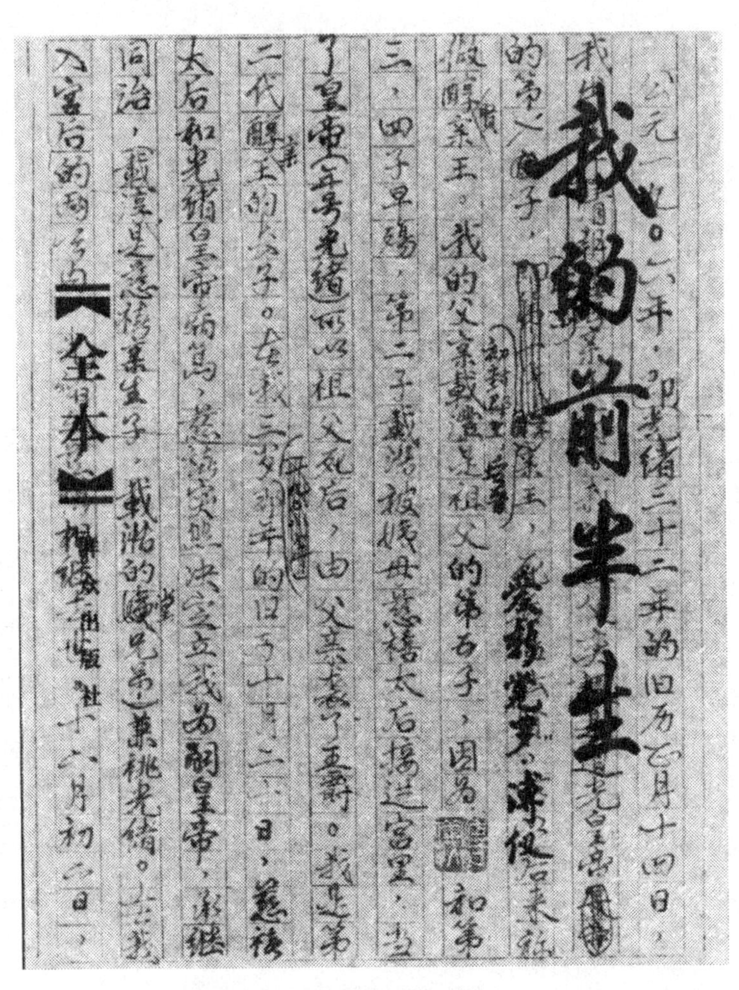


〈그림 1〉 『나의 반평생』 표지(2007)

는 푸이가 푸순撫順전범관리소에서 쓴 자기비판서를 기초로, 리원다李文達 등 췬중출판사 편집자 네 사람이 고쳐 썼다. 게다가 약 1년에 걸쳐 중국 정치협상회의, 중국공산당 중앙선전부, 중앙통일전선공작부, 최고인민법원, 최고인민검찰원, 각계 지식인의 심사를 통과한 후에야 간행될 수가 있었다. 이 때문에 푸이가 직접 쓰지 않은 말이 삽입되었을 가능성도 부정할 수는 없다. 어쨌든, 2007년판으로 '부활'한 15만여 자의 원고에는 「극동국제군사법정」(제7장 제4절)이란 글이 포함되어 있다.

푸이는 극동국제군사재판이 열린 당시, 하바롭스크의 수용소에 수감되어 있었고, 소련의 요청으로 연합국 쪽 증인으로 출석하여 1945년 8월 16일부터 여덟 차례 심문을 받았다. 새롭게 실린 구절에 의하면 일본의 전범 피의자가 곧 만주 침략자이며 푸이는 그들의 괴뢰에 지나지 않았다는 점을 입증하고자 한 것은 사실은 수석검사였던 J. 키난Joseph Berry Keenan 등이었다. 한편, 육군대장 우메즈 요시지로梅津美治郎(1882~1949),[1] 피고의 변호를 담당했던 점령군 장교 B. B. 블래키니Ben Bruce Blakeney는 푸이가 관동군 장교 이타가키 세이시로板垣征四郎(1885~1948)와[2] 만나기 전에 그에게 보냈던 편지, 노스 차이나 데일리 뉴스 기자인 H. G. 완데스포드Henry George Wandesforde에게 말했던 집정執政에 취임한 이유, 그리고 푸이가 육군대신이었던 미나미 지로南次郎(1874~1955)에게[3] 보냈던 자필 편지 등을 증거로 푸이 스스로 황제가 되고자 했다고

1 일본 육군대장. 1911년 육군대학교 졸업. 관동군 총사령관과 참모총장을 역임했다. 지나주둔군 사령관 시절에는 우메즈-허잉친(何應欽) 협정을 체결(1935), 화북의 국민당 항일운동을 진압하려 하였다. 극동국제군사재판에서 종신형에 처해져 복역 중 사망했다.

2 일본 육군대장. 1929년 관동군 고급 참모로 취임한 후 1931년 이시하라 간지와 함께 만주사변을 계획하고 만주국 건립을 주도하였다. 만주국 성립 이후 군정부 최고고문, 관동군 참모장 등을 역임했고 화북분리공작, 내몽군정부 조직에도 깊이 관여하였다. 극동국제군사재판에서 A급 전범으로 사형에 처해졌다.

증언할 것을 요구하였다. 이들 증거에 흔들린 푸이는 특히 중국 본토에서 법정에 서는 것을 두려워한 나머지, 의도적으로 피해자임을 연기하여 이들 증거가 모두 위조라고 주장하였다. 계속되는 법정에서 푸이는 끝까지 "모른다", "기억나지 않는다"고 일관되게 증언했다. 결국 그의 발언은 검찰단, 변호단 양측으로부터 증언으로 채택되지 않았다. 새로 실린 이 구절은 푸이가 재판에서 위증했다는 것을 스스로 밝히고 반성하고 있다는 것을 명확히 함과 동시에, 만주국이 건국될 때 그가 소극적으로 협력했다는 것을 증명해 준다.

푸이 개인의 생각은 그랬다고 치더라도, 만주국은 중국이나 일본, 그리고 한국의 전후戰後 재건을 고려해 볼 때, 여전히 고증해야 할 부분이 많은 대상의 하나이다. 만주국은 스스로를 나라의 안팎에 어떠한 존재로 인지시키고자 했는가? 이 책은 만주국의 기획과 홍보정책에 깊이 관여한 일본인이 그렸거나 / 그리고자 했던 만주, 혹은 만주국의 이미지를 통해 이와 같은 점을 검증하고자 한다.

---

3 일본 군인, 정치가. 만주국 일본대사 겸 관동군 사령관 역임. 1936년 예편 이후 제7대 조선총독(1936~1942)으로 부임하여 내선일체화를 제창하며 창씨개명 등 조선인의 일본제국 신민화 정책을 추진했다. 극동국제군사재판에서 A급 전범으로 지목, 종신형에 처해졌으나 건강이 악화되어 1954년 가석방되었다.

## 만주 이미지의 형성

1930년대 이후 만주 이미지는 1906년에 일본의 조차지가 된 관동주關東州와 1932년에 '건국'된 만주국, 그리고 중동철도부속지中東鐵道附屬地, 만철부속지滿鐵附屬地를 더한 네 개의 영역 공간에서 만들어졌다. 그러나 이 네 개의 공간은 행정기구로 볼 때는 다른 영역이지만, 군정은 직간접적으로 관동군關東軍이나 관동헌병대가 담당하였기 때문에 차츰 단일한 공간으로 받아들여지게 되었다. 확실히 일본 내지로부터 관동주나 만주국으로 가는 데 여권은 필요하지 않았고 화폐를 포함하여 일본 국내와 동일한 방법으로 여행할 수 있었다(다만 조선·관동주·만주국으로 들어갈 때에는 선박이나 열차 안, 역 등에서 세관검사는 있었다). 일본인에게 만주국, 관동주라는 조차지, 조선이나 대만이라는 식민지, 그리고 중국의 일본 조계租界는 정치적 실태는 달라도 하나의 연속하는 공간으로 받아들여지고 있었다.

반면 만주국의 주민이 일본으로 갈 때는 공무원이라면 소속 관공서에서 발행하는 '직(봉)급신분증職(俸)級身分證', 유학생이라면 민정부民政部가 발행하는 '유학인가증', 혹은 유학처의 '일본체류학생증명서', 그리고 일반인이라면 거주지 경찰서장이 발급하는 '부일赴日신분증명서'가 필요했다(동아여행사 만주지부, 1942). 게다가 1920년대 이후 무국적인으로 취급된 러시아제국 신민, 식민지 조선에서 입경한 조선인, 국적이 확실하지 않은 몽골인, 디아스포라로 간주된 유대인이나 타타르인에 대한 출입국의 관리는 각각 달랐다. 만주국에서는 1932년 3월부터 '인권보장법'을 시행하였는데, 이 법률에서 말하는 '만주국인민'은 도대체 누구를 가리키는가. '국적법'을 만들지 않은 허구의 국가에서 현지 주민의 법률 문제는 복잡한 것이었다.

만주국은 민족, 신분에 따른 복잡한 정치적, 사회적 문제를 안고 있었지만, 일본인이 가진 만주의 이미지는 극히 간단했다. 인구가 희박하고 황량한 대지, 마적, 붉은 석양, 아카시아 꽃, 수수밭, 아시아호, 야마토호텔 등으로 그려졌다. 이런 이미지가 만들어진 근저에는 청일전쟁, 러일전쟁 후의 '전승붐', '대륙붐'이 있었다. 만주 자체의 정치적 위치는 1910년대 청조의 붕괴, 제1차 세계대전과 러시아혁명, 연이은 시베리아 출병, 20년대는 장쭤린張作霖 폭살사건,[4] 30년대는 만주사변과 중일전쟁, 40년대는 태평양전쟁의 발발과 패전, 이런 끊임없는 전쟁과 동란 속에서 변화했지만, 일본인의 만주 이미지는 그다지 변하지 않았다. 그것은 만주의 '전적戰跡'을 기초로, 군, 정부, 미디어, 기업, 학교 등이 계속 언급해온 '전승戰勝신화'가 '전쟁열戰爭熱'을 동반한 호전적 애국주의를 떠받치고(ヤング, 2001), 만주에 대해 독선적 이상주의와 같은 지역 이미지를 만들어냈기 때문이다.

만주국에서는 관, 민, 군 각각의 의도하에 대규모 도시계획에 따라 수도 신징新京을 건설하였고 도시 내의 교통통신망을 정비하였다. 또한 산업개발을 진행하고 대량의 미디어를 발행하였는데, 동시에 각종 통제와 검열을 진행하였다. 이리하여 만주국은 국가로서의 허구성을 가진 채 만들어져 갔고, 푸이 등 일부 만주 기인旗人, 한인(漢民族과 거의 동의어) 관료, 새로 도래한 일본인은

4 장쭤린(1875~1928)은 일본의 지원을 받으면서 중국 동북지역을 지배하던 군벌이다. 1926년 장제스가 이끄는 국민혁명군이 북벌을 시작하자, 장쭤린은 여러 파벌을 결집하여 이에 대항하였으나 연전연패를 거듭했다. 한편 전화가 동북지역으로 미칠 것을 우려한 일본 측은 장쭤린이 동삼성으로 철수하도록 압박하였고 장은 마지못해 철수를 결정하였다. 그러나 1928년 6월 고모토 다이사쿠(河本大作) 지휘하의 관동군은 베이징에서 펑톈으로 돌아가는 장쭤린이 탄 열차를 폭파하여 사망하게 하였다. 관동군은 이 폭파사건을 만주를 둘러싼 여러 문제를 타개하기 위한 국면 전환용으로 이용하려 했던 것이다.

자신들을 만주국이라는 '극장'에 선 축제의 주인공이라 생각하고 의도적 혹은 잠재적으로 자신을 모종의 메시아로서 묘사하였다. 키메라와 같은 만주(山室, 2004)를 다시금 해부하여 그 실상에 다가가기 위해서는 정책론과 더불어 시대의 붐과 미디어, 이벤트에 눈을 돌려, 만주국이 홍보정책을 통해서 묘사해 온 만주 이미지를 검토할 필요가 있다.

## '무기 없는 전쟁'

본서는 특히 홍보라는 측면에서 만주국이 수립된 1932년 3월 1일을 시작으로 푸이가 퇴위하는 1945년 8월 18일까지, 사라져 버린 13년간 역사의 발자취를 살펴보고자 한다. 홍보라는 말은 자주 첩보나 모략 등 인텔리전스(군사상의 비밀 정보)라는 강요된 이미지로 이해해 왔다. 그러나 홍보는 지금은 '광보廣報'라는 한자를 사용하도록 권장하지만, 그 본래적인 기능에서 보면, 발신자가 수신자에게 정보나 이미지를 정착시키는 것을 목적으로 한다. 때로는 정치와, 때로는 경제나 사회와 관계가 있지만, 본래는 하나의 커뮤니케이션 수단이라고 할 수 있다.

일본에서 홍보라는 말이 등장한 것은 1880년대인데, 지금의 PR이라는 용어와는 다르다. 1880년대 이후에는 프로파간다와 인텔리전스라는 뉘앙스가 자주 덧붙여졌다. 만주의 경우, 1907년 남만주철도주식회사(만철)에 설치된 조사부의 역할이나 1910년대 말 대소련정책 중에 등장한 특무기관의 존재가 홍보에 대해 그와 같은 분위기를 만든 원인의 하나가 되었다. 실제, 1923년 만철 사장실에 홍보계弘報係를 설치하자고 제안한 사람은 한 해 전 만철촉탁(이사대우)이었던 다카야나기 야스타로高柳保太郎[5] 육군중장(1869~1951)이었다.

다카야나기는 오랫동안 대소련 첩보활동에 종사한 이른바 인텔리전스 전문가였다. 특무기관이라는 명칭을 제안한 사람도 다카야나기였다고 한다. 이런 인물이 만철 홍보계의 초대 계장을 거쳐, 만주국 시기에는 만주홍보협회滿洲弘報協會의[6] 회장이 되어 만주국 홍보전략의 기초를 놓았다.

만주국 성립 이전, 만철은 관동군의 보도부와 신문반, 일본 외무성의 재외공관과 함께 만주의 유력한 홍보기관이었다. 만철의 홍보 부문은 1923년에 사장실 홍보계를 발족한 후, 1925년에 사장실 문서과, 1927년에 사장실 정보과로 소관을 바꾸고, 1930년에는 총무부 서무과 홍보계로 개편하였다. 이 무렵부터 홍보활동이 활발해지고 후술하는 것처럼 선만안내소鮮滿案內所가 생겼다.

그후 총무부의 조사과나 자료과가 홍보업무를 담당하고, 1936년 10월 총재실에 홍보과를 신설하면서 점차 만철의 홍보업무가 정착되었다고 할 수 있다. 홍보과는 구 총무부 자료과의 일부였던 정보계와 국제홍보위원회의 업무에다 총무부 서무과가 관장하던 홍보업무, 지방부 상공과가 관장하던 박람회

---

5 다카야나기 야스타로는 이미 1918년 시베리아 출병(1918) 때, 파견군 내에 '홍보반'이라는 명칭의 조직을 만들어 육군성 정보계와 제휴해서 현지에서 선무활동을 전개했던 것으로 알려져 있다. 이후 사소한 사건으로 예비역으로 전역하게 되었다가, 1921년 만철 이사였던 마쓰오카 요스케(松岡洋右)의 제안을 받고 이사대우 촉탁으로 만철에 근무하게 되었다. 이후 만주홍보협회의 초대 이사장직을 역임하였다.

6 만주홍보협회(1936~1940)는 만주국 정부가 고도의 언론통제를 목적으로 설립한 지주회사이다. 본 협회는 만주의 각 신문사를 협회의 회원으로 가맹시키고, 이들 가맹 신문사에 대한 투자를 통해 과반수 이상의 주식을 가진 대주주로서 그 권한을 확보함으로써 업무와 경영을 지배하였다. 홍보협회의 각 가맹 신문사에 대한 통제는 뉴스, 업무, 경영 등 다방면에 걸쳐 있었다.

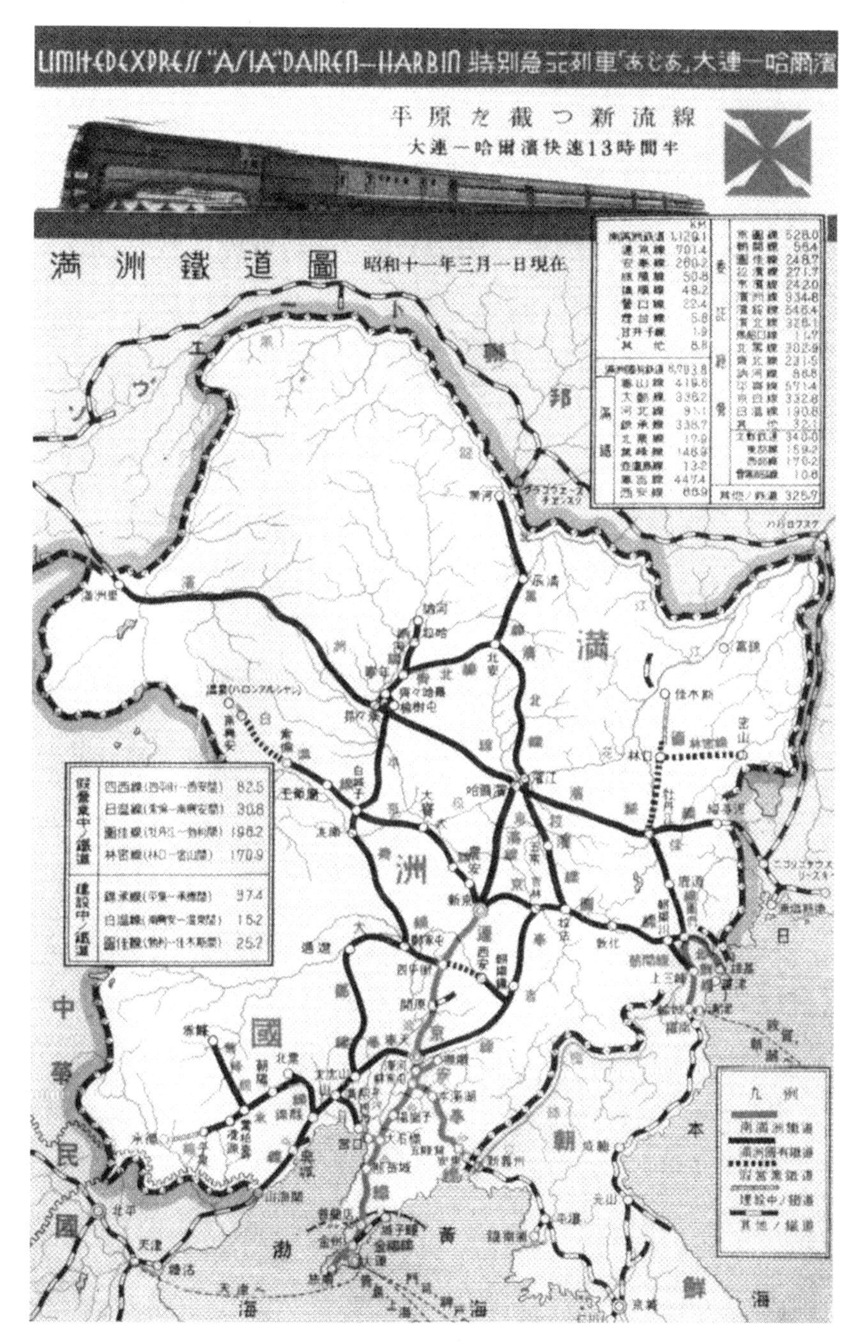


〈그림 2〉 만철 그림엽서 〈만주철도도 쇼와(昭和)11년 3월 1일 현재〉(1936)

〈표 1〉 국무원 총무청 홍보처가 제정한 법규 일람

| 명칭 | 제정 연월일 |
|---|---|
| 출판법 | 1932년 12월 24일 교령 제103호,<br>개정 1934년 3월 칙령 제11호 제388호 |
| 주식회사 만주영화협회법 | 1937년 8월 14일 칙령<br>제248호 제388호,<br>개정 1938년 12월 칙령 제387호 |
| 영화법시행령 | 1937년 10월 7일 원령 제23호 |
| 만주국통신사법 | 1941년 8월 25일 칙령 제197호 |
| 신문사법 | 1941년 8월 25일 칙령 제198호 |
| 기자법 | 1941년 8월 25일 칙령 제199호 |
| 외국인 기자에 관한 건 | 1941년 8월 25일 칙령 제200호 |
| 외국의 통신사 또는 신문사의 지사 및 기자에 관한 건 | 1941년 8월 25일 칙령 제201호 |
| 기자등록 등 등록규칙 | 1941년 9월 9일 원령 제33호 |
| 외국인기자등록 등 등록규칙 | 1941년 9월 9일 원령 제34호 |
| 외국통신사 및 등록부 및 외국신문사기자등록 등 등록규칙 | 1941년 9월 9일 원령 제35호 |
| 기자고시령 | 1941년 10월 27일 원령 제39호 |
| 기자의 자격인정에 관한 건 | - |
| 기자증서교부규칙 | - |
| 기자징계의 수속에 관한 건 | - |
| 전기통신법(발췌) | 1936년 10월 8일 칙령 제154호 |
| 방송군용명령서 | 국무총리대신·교통부대신합동명령,<br>1941년 1월 1일 국무원 훈령 제54호,<br>교통부 훈령 제24호 |

출전 : 국무원 총무청 홍보처 편, 『홍보관계법규집』(1941)에 의거. 연호는 모두 서력으로 변경함.

관계 등, 그 당시까지 여기저기 흩어져 있던 만철 내부의 홍보 담당 부문을 일원화한 조직이었다. 홍보과의 중추기관인 홍보 제1계는 회사 사업과 아울러 만주, 몽고 사정을 국내에 선전하고, 여기에 필요한 사진이나 영화 제작 계획과 배급, 박람회, 전람회의 개최 등을 담당하였다. 홍보 제2계는 구미歐美 등에 대한 국제 선전과 선전기관 간의 연락 통제를, 그리고 정보 제1계는 정보의 수집, 통보, 공표를, 정보 제2계는 정보기관 간의 연락과 통제, 입수정보의 정리, 편찬을 각각 담당하였다(남만주철도주식회사, 1938; 磯村, 1988). 또 1936년 홍보과에는 과장 3명, 서무계 20명, 홍보 제1계 32명, 홍보 제2계 9명, 정보 제1계 24명, 정보 제2계 6명, 총 94명(그 중에 상근 직원은 38명)의 담당자가 있었다고 한다(天野, 2009). 이처럼 만철의 홍보계 혹은 홍보과는 조사부나 정보계와 미묘한 관계를 유지했지만, 업무면에서는 분명하게 선을 긋고 있었다.

그런 가운데, 1931년 9월 만주사변이 발발한 지 겨우 반년 만인 1932년 3월 1일 만주국이 성립하였다. 만주국 정부가 행정기구를 정비하면서 만주국의 홍보정책은 만철이라는 특수회사에 의존했을 뿐만 아니라, 행정시스템의 가장 중요한 정책으로 자리잡았다. 예를 들면, 정부 내에는 국무원 총무청 정보처(이후 홍보처), 외교부 선전과, 치안부 참모사 조사과, 교양과, 민정부 사회사, 후생사가 홍보기능을 담당했고 만철 외에도 만주홍보협회, 만주국통신사滿洲國通信社(국통),[7] 만주전신전화주식회사滿洲電信電話株式會社(만주전전),[8] 만주항공주식회사滿洲航空株式會社(만항), 만주일일신문사滿洲日日新聞社, 만주출판협회滿洲出版協會 등의 특수회사가 차례차례 성립하여 각각 홍보활동을 전개하였다. 또한 교화단체였던 협화회協和會도[9] 홍보업무에 중요한 역할을 하였다. 만주국의 홍보와 선전은 점차 생활 전반에 관련된 다양한 형태를 취하게 되었다. 바로 이 때문에 홍보 정책은 만철뿐만 아니라 만주국 전체를 고려해야 할

7 만주국 1국 1통신사의 기본방침에 따라 기존 통신사를 모두 강제 폐관시키고 1932년 설립한 만주국 유일의 국책통신사이다. 대내통신의 통제, 대외통신의 통제, 만주국 홍보업무, 광고업무의 통제를 주요 업무로 하였다. 국통은 만주국에서 독점적 지위에 있었고 건립 후 만주국 전체 신문보도망을 독점하였다.

8 1933년 일본과 만주국이 보다 전문적으로 라디오방송 및 무선 통신 전반을 관리한다는 목적하에 양국 정부가 합작으로 설립한 특수회사이다.

9 1932년 관동군 주도로 조직된 민중동원단체이자 교화단체이다. 재만 각 민족의 만주국 건국에 대한 적극적인 참여와 국가의식의 통일을 위해 행정기관이 아닌 사상적 교화적 국민조직이 필요하다는 관동군의 인식하에 조직되었다. 만주국 정부의 대민선전공작에서 시종 중요한 역할을 수행하였다.

필요가 있는 것이다.

그후의 상황은 본문에서 다루겠지만, 1937년 7월 중일전쟁의 발발과 함께 전시체제에 준한 행정개혁을 단행하자, 관동군으로부터 '내면지도內面指導'를 받으면서도 국무원 총무청 정보처(이후 홍보처)가 산업계와 관계官界의 홍보기능을 일원화했다. 홍보처에서 출판한 〈표 1〉의 『홍보관계법규집』에는 출판법, 영화법, 신문사법, 전기통신법 등 10건의 기자 관계 법규가 예로 제시되어 있다(貴志, 2010). 그러나 태평양전쟁이 발발하고 만주국이 일본의 정세에 보조를 맞춰 총동원체제를 강화해가면서 홍보처는 본래 갖고 있던 선전 기능에 더하여 인텔리전스와 검열 등의 역할도 추가로 맡게 되어, 홍보 본연의 모습을 변질시켰다.

## 이페머럴 미디어ephemeral media라는 것

본서에서 연구 소재로 삼은 미디어는 만주국에서 개최한 기념 행사나 축제 때 발행, 배포 또는 게시한 포스터나 전단(선전 삐라) 그리고 중일전쟁 발발 이후 홍보활동에 효과적으로 이용할 수 있다고 인식한 기념 우표나 기념 그림엽서, 우편소인特殊通信日附消印 등이다. 현재도 국제 경매에서 거래되는 만주 관련 비주얼 미디어는 일본 국내에서 인쇄된 것이나 만주에 있던 일본계 기업 혹은 만주국 정부의 행정기관이 발행한 것이 대부분이다. 이와 같은 미디어를 통해 객관적인 만주 이미지를 묘사하는 것이 쉽지 않은 일이다. 그렇기 때문에 본서와 같이 일본인의 만주 이미지를 검증한다는 콘셉트를 취하지 않을 수 없다.

컬러로 인쇄多色刷된 이들 미디어는 하나같이 보존 관리가 필요한 예술작품이라기보다는 복제된 일시적인(이페머럴한) 매체였다. 쓰치야 레이코土屋礼子에 따르면 어원이 그리스어인 '이페머럴'이라는 것은 "잠깐 동안 사용할 의도로 만들어지고, 사용된 후에는 대부분 바로 버려지며 보존되지도 않고 덧없이 사라져 버리는 인쇄물의 총칭"이라고 한다(土屋, 2008). 본서에서 다룰 포스터, 그림엽서, 전단 등 (종이) 한 장짜리 인쇄물을 말하는데, 이런 것들을 이페머럴 미디어라고 부르기로 한다.

간단하게 인쇄라고 해도 용지와 잉크 등의 조달, 디자인의 기획, 원화의 작성, 제판, 인쇄 그리고 판매와 게시 등 복잡한 과정을 거친다. 모든 작업 공정에서 만주와 일본의 관계는 아주 밀접하였다. 예를 들면, 인쇄지와 잉크는 일본에서 수입한 것에 의존했다. 만주에서 그라비어Gravure 인쇄[10]가 가능하게 된 것은 1939년 펑톈奉天에 흥아興亞인쇄주식회사가 그라비어 인쇄용 인쇄기를 갖추게 된 이후였다. 그때까지는 그리고 그 이후에도 오목판凹版 인쇄는 일본의 인쇄회사에 위탁했다. 특히 일본의 내각인쇄국內閣印刷局과 돗판凸版인쇄주식회사에 대한 신뢰가 대단히 컸다. 오목판 인쇄는 선이 가늘고 날카로워서 아름답게 보일 뿐만 아니라 도드라진 잉크 때문에 복제, 위조가 곤란하다는 것이 장점이었다. 한편, 만주에서는 오프셋offset 인쇄[11]가 중심이었고, 일

10 오목판 인쇄방식 중에서도 사진제판에 의한 방법을 말한다. 둥근 형태의 판상 표면을 오목하게 조각하여 잉크를 채운 다음, 종이를 끼워 강한 압력을 가하여 찍어내는 방식이다. 제판 공정이 길고 시간이 많이 걸리나 대량 인쇄에 적합하다.

11 평판 인쇄기법으로, 잉크가 찍히는 부분과 찍히지 않는 부분이 같은 평면 위에 있는 형식으로 물과 기름의 반발작용을 이용해 인쇄하는 방식이다.

본 초기 우표에 사용된 볼록판凸版 인쇄나 일본의 그림엽서계에서 유행한 산분撒粉 그라비어 인쇄[12] 등은 없었다. HB식 제판製版[13]으로 인쇄한 그림엽서도 대부분 일본 국내에서 제작한 것이다. 일본과 만주국의 관계를 생각해 보면, 이와 같은 이페머럴 미디어의 발주자, 수주자, 제작자 그리고 판매자, 배포자 각각의 입장과 의식 그리고 그것을 지탱하는 기술이야말로 본서에서 중시하는 점이다.

이런 비주얼한 미디어는 당시 만주의 문화 수준을 고려한다면 지극히 효과적인 홍보수단으로 인식되었다. 예를 들어 만주국 건국부터 중일전쟁이 발발한 다음 해까지의 통계를 보면, 국무원 총무청 정보처(이후 홍보처) 외에 펑톈성공서가 미디어・이벤트 개최 때에 그림과 사진圖畫像을 사용한 미디어를 대량으로 인쇄하여 배포하였다.

다만 1934년부터 주요 홍보 수단으로서 신문, 라디오, 영화 이 세 가지 미디어가 중시되었으나, 도시 지역을 중심으로 유통된 이들 미디어는 식자율, 라디오 보급률, 전기 공급률 등으로 인한 한계점도 여러 차례 지적되었다. 예를 들어 1939년 10월의 조사에 의하면, 만주의 한인, 만주인의 인구 총수에 대해 중국어 신문 일일 발행 부수를 할당하면 인구 292명당 신문 1부라는 비율이 나온다. 해당 지역의 일본인 총 인구 수 대 신문 발행 부수의 비율은 인구 8명당 신문 1부였기 때문에 보급률의 차이는 분명했다(田中, 1940).

12 사진 오목판 제작 방법의 초기 것이다. 인쇄 판면의 화상을 구성하는 각 부분이 극히 미세한(1/5~1/10㎜) 오목점(잉크셀)으로 구성되며, 각 점들의 깊이에 따라서 잉크의 농담이 표현되는 인쇄방식이다.

13 컬러 사진 제판의 방법이다. 미국의 휴브너(Huebner W. C.)와 브라이슈타인(Bleistein)이 개발한 컬러 평판 제판법이다. 발명자 두 사람의 이니셜을 따서 'HB 프로세스'라고 명명하였다.

그런 까닭에, 홍보정책의 중심이 라디오나 영화로 옮겨간 후에도 도시 배후지에 산재해 있는 농촌, 산촌지대에 대해서는 여전히 강연이나 음악, 춤 등이 포함된 이벤트 그리고 이페머럴 미디어가 계속해서 중요한 홍보수단이었다.

## 러일전쟁과 그림엽서 붐

일본 내지에서 그림엽서 붐이 인 계기가 된 것은 러일전쟁이었다. 체신성遞信省은 1904년 9월부터 러일전쟁 기념 그림엽서와 전쟁 기념 위문 그림엽서 시리즈를 잇달아 발행하였다. 이들 그림엽서 모두는 도쿄인쇄주식회사의 콜로타이프collotype 방식으로[14] 인쇄한 컬러 인쇄기법에 의한 것이었다. 체신성이 한 가지 주제로 대량의 기념 그림엽서를 발행하는 패턴은 타이완, 사할린, 조선 등 '외지'에서 '시정주년始政周年'을 알리는 시리즈 이외에는 없다. 러일전쟁 기념 그림엽서는 1906년 5월에 시리즈 최종판이 판매될 때까지 전부 49종을 발행하였고(島田・友岡, 2009) 일본의 기념 그림엽서 중에서도 특수한 것이었다.

지금 남아 있는 많은 그림엽서는 민간에서 발행한 것이 대부분이며 관제엽서보다 그 양이 압도적으로 많다. 이러한 사제 그림엽서의 제작이 허용된 것은 1900년 10월부터인데, 러일전쟁 직후와 관동대지진 후에는 특히 대량

14 평판 인쇄의 한 방법이다. 두꺼운 유리판을 약물 등으로 처리하여 지방성 잉크를 사용해서 인쇄하는 기법이다.

으로 나돌았다. 신문 지면에 처음으로 실린 러일전쟁 관련 보도사진은 1904년 3월 19일, 뤼순커우旅順口 부근의 해전에서 전투를 벌인 구축함에 관한 것이었다. 당시 신문의 사진 인쇄기술이 조잡하고 게재된 사진도 선명도가 떨어졌기 때문에 시차는 있다고 해도 시사뉴스를 전달하는 미디어로서는 그림엽서가 훨씬 현실감이 있었다. 그중 최고의 그림엽서는 1923년 관동대지진에 관한 사진 그림엽서였다. 그러나 1940년대 초반에 이르러 종이와 잉크가 심각하게 부족하게 되고 또 우편물의 검열이 실시되자, 그림엽서 붐도 급속히 시들어버렸다.

본서에서 중시하는 것은 기념 이벤트 때에 발행된 그림엽서와 우표이다. 보통우편에 사용된 것은 아니다. 포스터도 상업용의 광고 포스터가 아니라 홍보용으로 제작했던 포스터가 중심이 된다.

덧붙이면 보통우표를 포함해서 만주국 시대 13년 동안 발행된 우표는 정쇄正刷 31종, 잠작暫作(다른 우표 위에 스탬프 인쇄하는 것) 10종, 표어 삽입 2종(표어는 36종류), 합계 43종이었다고 알려져 있다. 또 만주국의 관제 그림엽서는 47종, 관동주 것 42종으로, 일본에서 발행한 만주에 관한 관제 그림엽서는 러일전쟁 기념 그림엽서를 포함하면 51종인데, 일본에서 발행한 그림엽서가 많았다는 점에 주목하고자 한다. 사제 엽서는 양이 방대해서 실제 숫자를 파악할 수 없다. 또 포스터의 경우는 필자가 현재 실물을 직접 볼 수 있는 것이 252종, 전단은 185종인데 일본에는 공개되지 않은 것을 포함해서 아직 많이 남아 있는 것이 확실하다.

## 기념일과 미디어 · 이벤트

일본의 우편 미디어에 '기념紀念'이라는 두 글자가 인쇄된 것은 1905년 7월 발행한 〈일한 통신업무 합동 기념 우표日韓通信業務合同紀念切手〉가 최초이다. 조선에서는 그보다 일찍 1902년에 대한제국에서 발행한 '대황제 폐하 즉위 40년 경축大皇帝陛下御極四十季慶祝'을 기념한 우표가 최초라고 한다. 만주국에서는 1933년 건국 1주년 기념 때 발행한 우표와 그림엽서가 처음이고 이때 '기념記念'이라는 글자를 사용하였다. 만주국에서 '기념紀念'이라는 글자가 사용된 것은 1934년 푸이가 만주국 황제에 즉위했을 때 발행한 우표와 그림엽서가 최초이다. 좁은 식견 탓으로 타이완에는 '기념紀念'을 붙인 우표가 있는지 어떤지는 모른다. 당시 '기념紀念'과 '기념記念'이 혼재해 있고 일종의 논쟁으로까지 번진 경우도 있는데, 본서에서는 자료 용어로 인용하는 곳에서만 '기념紀念'을 사용하기로 한다.

러일전쟁 직후의 '만주 붐'은 1906년 9월 관동주 및 만철부속지에 민정을 실시하고 뤼순旅順에 관동도독부關東都督府를 설치하여 육군 대장 오시마 요시마사大島義昌(1850~1926)가 장관으로 취임한 무렵 절정에 이른다. 다음 해 9월에 관동도독부 우편체신국에서 '시정 일주년 기념'으로 두 장이 한 세트인 그림엽서를 발행했다. 〈그림 3〉이 그중 한 장인데 콜로타이프 인쇄와 석판 컬러 인쇄 방식으로 도쿄인쇄주식회사에서 인쇄했다. 디자인은 아침 해와 벚나무, 거기에 관동주 전도全圖가 붉게 표현되어 있고 그 아래에 다롄 부두와 뤼순커우의 사진이 배치돼 있다. 더욱이 관동도독부는 1919년에 관동청關東廳과 관동군 사령부로 분리되고 만주국 건국 후 1934년에는 재만在滿대사관 내

〈그림 3〉 관동주 그림엽서 〈시정 일주년 기념(始政一周年記念)〉(1907)

에 관동국關東局이 설치됨에 따라 관동청은 폐지되었다.

〈표 2〉에 정리한 것처럼, 만주 미디어가 활용된 것은 각종 기념 행사나 미디어・이벤트 때였다. 홍보정책에 의거해 제작한 방대한 미디어를 각종 이벤트를 통해서 배포, 게시한 것이다. 쓰가네사와 도시히로津金澤聰廣와 아리야마 데루오有山輝雄가 밝히고 있듯이 전시하의 미디어・이벤트는 만주국에서도 매우 중요한 역할을 했던 것이다(津金澤・有山 1998). 예를 들면, 홍보처 지방반은 「의식(제전)과 선전」(1939)이라는 글에서 다음과 같이 지적하고 있다.(자료⑥ 4-11)

식전(式典) 혹은 의식(儀式)은…… 특히 많은 사람이 한 자리에 모이면 군중심리가 지배하여 문서 선전, 기타의 방법으로는 도저히 따라갈 수 없는 효과를 발휘할 수 있다. 그중에서도 조직적 집단을 형성하는 식전 혹은 식전 후 자주 거행되는 퍼레이드 등은 많은 사람들의 조직적 행동, 장중한 구연(口演), 음악 등의 작용으로 식전 참가자는 물론, 구경꾼들에게 엄숙감, 권위감 등을 파급, 전염시키고, 참가자에게는 더욱더 식전의 취지인 일정한 목적을 추구하도록 감정을 고조시키고, 구경꾼에게는 거기에 공감하게 만든다.

홍보정책으로서 각종 대회나 기념 행사 등의 이벤트를 반복함으로써 주민의 군중심리를 이용하여 만주국에 대한 정체성identity을 강화하려 했다는 점은 본문을 읽으면 이해할 것이라 생각한다. 그러나 중일전쟁 발발 후 전시 동원이 불가결하게 되자 이벤트의 실태도 달라졌다는 점을 간과해서는 안 된다. 만주국은 일본 문화의 전사轉寫, 모방 혹은 수입이라는 단계로부터, 1941년 3월의 '예문요강藝文要綱' 발표를 계기로 예술과 문화를 국가에 종속시켰고 그런 가운데 '만주다움'을 의식한 홍보를 이용하는 방향으로 전환해 갔다.

그해 말, 태평양전쟁이 발발하자 만주국과 일본 간의 물자 왕래가 자유롭지 못하게 되었다. 그 결과 일본 내 물자 부족이 즉각 영향을 미쳐 양국 간의 교류 시스템 또한 단절되었고 만주국 내부는 물자 부족과 물가 급변에 직면하게 되었다. 이미 1939년 이후 이페머럴 미디어의 재료 중 하나인 종이 부족이 결정타가 되어 일본에서 종이 통제를 실시하자, 만주국의 홍보활동도 심각한 타격을 받았다.

한편 본서에서는 '지나支那', '선만鮮滿' 등의 표현도 볼 수 있는데, 당시의 시대상황을 반영하기 위해 그대로 사용한 부분이 있다. 이 점 독자의 이해를 바란다.

〈표 2〉 만주국의 공식 행사

| 실시월일 | 국가행사명 |
|---|---|
| 1월 1일 | 원단(집단 신년 하례 의식, 年禮團拜) |
| 2월 6일 | 황제 탄신 봉축(만수절) |
| 2월 11일 | *기원절 |
| 2월 26일 | 건국 정신 작흥 주간(~3월 4일) |
| 3월 1일 | 건국 기념일, 건강 체조의 날 |
| 3월 7일 | 건국 초혼제 |
| 3월 8일 | 건국 위령제 |
| 3월 10일 | *육군 기념일 |
| 3월 23일 | 북철(北鐵) 접수 기념일 |
| 4월 4일 | 기념 흥국 체육의 날 |
| 4월 29일 | *천장절 |
| 4월 30일 | 충령탑 춘계 위령제 |
| 5월 2일 | 방일 선조 기념일, 건국 체조의 날 |
| 5월 15일 | 국민경축대회 |
| 5월 16일 | 작고(物故) 건국 공로자 합동 위령제 |
| 5월 27일 | *해군 기념일 |
| 5월 31일 | 건국 충령묘제 |
| 7월 1일 | 사법 기념일 |
| 7월 7일 | 흥아 기념일, *성전 기념일 |
| 7월 15일 | 원신제(元神祭) |
| 7월 20일 | 바다 기념일 |
| 7월 25일 | 협화회 창립 기념일 |
| 9월 14일 | 건국 충령묘 추제 |
| 9월 15일 | 우방 승인 기념일, 신경 신사 추계 대제 |
| 9월 16일 | 국도 건설 기념일(~17일), 동아 적십자 대회 |
| 9월 18일 | 만주사변 기념일, 건강 체조의 날 |
| 9월 19일 | 충령탑 추계 위령제 |
| 9월 20일 | 항공의 날 |
| 10월 1일 | 협화회 전국 연합 협의회, 만주 적십자 창립 기념일 |
| 10월 17일 | 오곡 헌상 |

출전 : 『선무월보』 제59호(1942)에 의거.
* 표시가 있는 행사는 일본의 행사와 연동된 것임.

제1장

# '오족협화五族協和'와 국가의 상징

## 다민족국가로서의 만주국

여기서 인구 지도 하나를 보기로 하자. 〈그림 4〉의 〈현기시청별 연족별 인구분포도縣旗市廳別緣族別人口分布圖〉는 중일전쟁이 발발하고 난 다음 해인 1938년, 만주건국대학의 학생이었던 미야카와 젠조宮川善造(그는 전후戰後 일본 지리교육을 주도하는 사람 중 하나가 된다)가 당시 만주국의 민족 분포를 나타낸 것이다(宮川善造, 『인구통계로 본 만주국 연족 복합상태人口統計より見たる滿洲國の緣族複合狀態』, 滿洲建國大學硏究所, 1940). 가는 선으로 된 사각형이 '한몽족', 굵은 선으로 된 사각형이 '일본족', 흰색 동그라미(○)가 '몽고족', 검은색 동그라미(●)가 '조선족'으로, 각각 사각형과 동그라미의 크기로 인구 수의 대소를 나타내고 있다. 이 그림과 미야카와 자신의 분석에 기초하면 당시 만주국에 대해 다음과 같은 개요를 파악할 수 있다.

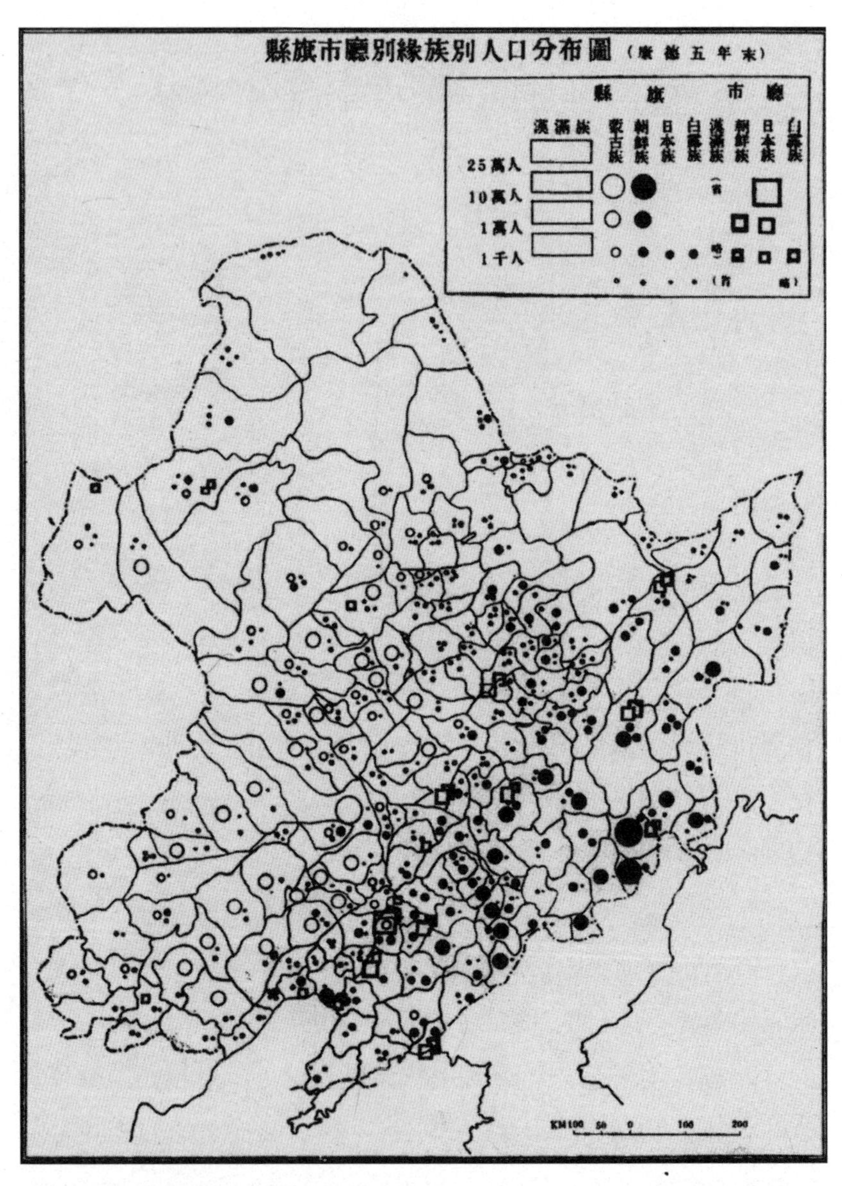


〈그림 4〉 **〈현기시청별 연족별 인구분포도〉**(宮川善造, 『人口統計より見たる滿洲國の緣族複合狀態』, 1940에 의거)

1938년 시점의 만주국 인구는 약 3,862만으로 전 인구의 88%가 남부에 집중 거주하고 있고 특히 펑톈성의 960만 명이 눈에 띈다.

미야카와가 사용한 '연족緣族'별(에스닉 그룹의 개념에 가깝다)로 보면 '만한족滿漢族'이 총 인구의 93%이고 그중에 9할이 남부에 살고 있었다. 미야카와가 사용한 '만한족'은 당시 '만인滿人'으로 표현되어 있어 만주인과 한인과의 차이를 명확하게 구분하지 않았다. 왜냐하면, 만주의 주민 중에 한족 인구가 압도적으로 많다는 것을 드러내는 것은 만주국의 정통성 그 자체를 뒤흔들어 버리기 때문이다. 아마 '만한족' 가운데 만주인은 1% 미만이었을 것이다.

'조선족' 인구는 105만 6천 명(전 인구의 2.7%)으로, 1932년 건국 때보다도 약 49만 명이 증가했다. 그중 약 절반이 간도間島성에 거주하고 있었는데(성 인구의 70% 여), 전체의 94%가 국토의 동부에 치우쳐 있었다. 한편 국토의 서부에 치우쳐 살고 있던 '몽고족'의 인구 총수는 약 102만 명이므로(전체 인구의 2.6%), 건국 때보다도 약 15만 명이 증가했고, 전체 4할이 안 되는 숫자가 싱안興安성에 거주하고 있었다.

새로 온 '일본족'은 52만 2천 명(전 인구의 1.4%)에 지나지 않았으나, 러일전쟁 이전 재만 일본인 수 2천 명과 비교하면 급증한 것으로, 건국 때와 비교해도 38만 명이 증가하였다. 재만 일본인 인구의 약 4할에 해당하는 21만 5천 명이 펑톈성에 거주했는데, 특히 만철구부속지滿鐵舊附屬地에 밀집해 있었다. 한편 북동부의 인구 증가도 간과할 수 없다. 헤이허黑河성의 인구 증가는 770배, 빈장濱江성은 45배, 무단장牡丹江성은 36배, 싼장三江, 룽장龍江, 퉁화通化는 약 20배로 증가하였다. 개척지와 광공업지구의 인구가 급증하였다는 것을 알 수 있다.

미야카와는 다루지 않았으나 만주에서 '백계 러시아인'으로 통칭되는 사람들은 구 러시아제국 신민을 가리킨다. 그중에는 러시아인 이외에, 폴란드인, 유대인, 아르메니아인, 그루지야인 등이 포함되는 경우도 있었다. 본서에서는 민족 개념을 혼란스럽게 하지 않기 위해서 이들을 당시 사용된 '이주자emigrant'라는 단어로 표기하고자 한다. 이주자라는 말은 이민을 의미하는 단어지만 당시 만주국에서는 특수하게 사용되었다. 특히 하얼빈을 중심으로 한 이주자의 커뮤니티는 중화 세계와 다른 경관의 일부가 되어 미디어의 피사체로서 적절한 재료가 되었다. 예를 들면, 〈그림 5〉는 〈하얼빈구경〉이라는 그림엽서 세트 중 한 장인데 '볼가, 바이칼'이라는 신발가게의 쇼윈도를 들여다보고 있는 이주자들의 모습을 촬영한 것이다. 그들 이외에도 만주 북부에는 미디어에 자주 등장하는 오로촌Orochon 그리고 에벤키Evenki, 다우르Daur, 호젠Hezhen 등 수렵・채집생활을 하는 사람들도 있었다. 특히 만철은 비주얼 미디어를 통해서 이들의 '희귀성'을 강조하여 주요 관광자원으로 활용하고자 했다. 그 관점은 하얼빈 일대에 사는 이민자에 대해서도 마찬가지였다.

〈그림 5〉 그림엽서 세트 〈하얼빈 구경〉 중 한 장

## 두 개의 국가

만주국의 국가國歌를 모르는 사람이라도 1905년 발표된 "여기는 조국에서 수백 리 떨어진 먼 만주의……"로 시작되는 〈전우〉(마시모 히센眞下飛泉 작사, 미요시 가즈오키三善和氣 작곡)는 잘 알고 있다. 그러나 이 노래가 〈학교 및 가정용 언문일치 서사창가〉 시리즈의 하나로, 아이들에게 언문일치로 노래를 부르게 하기 위한 창가였다는 것은 그다지 알려져 있지 않다.

또 〈하염없이 기다려요〉와 〈페치카〉(기타하라 하쿠슈北原白秋 작사, 야마다 고사쿠山田耕筰 작곡) 등의 동요를 모르는 사람은 없을 것이다. 그런데 이런 노래가 1923년 만주교육회가 만주의 아이들을 위해 제작을 의뢰했던 〈만주창가〉의 하나였다는 것은 아시는지? 기타하라 하쿠슈와 야마다 고사쿠도 만주와 중국 대륙의 '창가' 제작에 적극적인 역할을 했다.

이렇게 만주를 주제로 한 유행가와 동요는 현재 우리가 알고 있는 것보다 훨씬 많이 만들어졌고 녹음된 SP판은 조선이나 타이완, 상하이에도 보내졌다. 설사 만주국의 국가를 몰라도 만주에 대한 관심은 귀에 익은 유행가와 더불어 정착되었다.

그런데, 널리 알려진 일이지만 막 수립된 만주국은 1932년 로스앤젤레스 올림픽에 참가하는 것이 허용되지 않았고, 이때 준비한 〈국가〉(정샤오쉬鄭孝胥[1] 작사, 야마다 고사쿠 작곡)는 쓰지 못하게 되었다. 이 〈국가〉와는 별도로 만주

1 1860~1938. 청조 유신(遺臣)이자 푸이의 측근으로 푸이의 황제 복귀를 지지했던 복벽파였다. 만주국 건국에 협력한 공을 인정받아 만주국 초대 국무총리 겸 육군대신, 문교부 총장이 된다.

국에는 두 개의 국가가 있었다. 첫 번째는 다음 해 1933년 만주국 건국 1주년을 기념하기 위해 만들어진 국가(정샤오쉬 작사, 소노야마 민페이園山民平 작곡)이다. 일본어 가사는 없지만 재만 일본인에게 곧잘 불렸다고 한다. 이 국가를 인쇄한 일본 독립수비대 사령부가 제작한 리플릿이 〈그림 6 ①〉이다. 두 번째는 1942년 건국 10주년 때에 만들어진 국가(신국가기초위원회 합동 작사, 야마다 고사쿠 작곡)로, 그 가사는 이 때 배포된 〈그림 6 ②〉의 리플릿에 인쇄되어 있다.

이 두 개의 국가를 만들게 된 경위는 국무원 총무청 홍보처장이었던 무토 도미오武藤富男(1904~1998, 제7대 메이지학원 원장)가[2] 전쟁 후에 기록한 『나와 만주국私と滿洲國』에 상세하게 나오기 때문에 생략한다. 1932년판 국가는 일본어 가사가 없어도 애창되었으나, 1942년판 국가는 일본풍의 가사와 한시풍의 가사를 갖다 붙이는 바람에 이해하기가 어려워 친근감을 주지 못했다. 1942년판은 인구의 9할을 점하는 중국인의 종교관과 당시의 문화수준을 무시하고 인구 1할 남짓에 지나지 않는 새로 온 일본인이 가진 신도神道 종교관과 문화적 가치를 강조한 것이었다. 때문에 이런 노래가 침투할 것이라 생각한 것이 애당초 무리였다.

2 1904~1998. 일본 법관 출신. 만주국 사법부 형사과장, 국무원 총무청 홍보처장, 만주국 협화회 선전과장을 역임했다. 특히 1939년 중일전쟁이 확대됨에 따라 만주국 전시 체제가 강화되고 선전의 중요성이 더해지는 상황에서 홍보처의 책임자로서 만주국 선전정책을 총괄하였다.

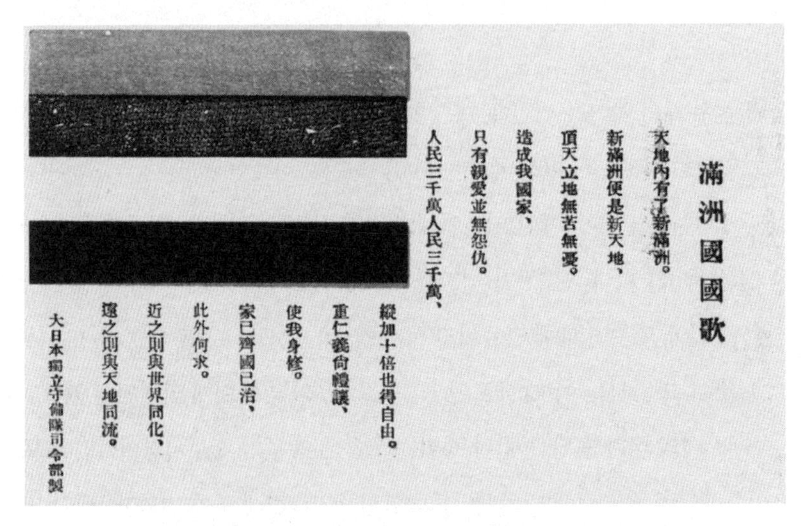

滿洲國國歌

天地內有了新滿洲。
新滿洲便是新天地、
頂天立地無苦無憂。
造成我國家、
只有親愛並無怨仇。
人民三千萬人民三千萬、
縱加十倍也得自由。
重仁義尙禮讓、
使我身修。
家已齊國已治、
此外何求。
近之則與世界同化、
遠之則與天地同流。

大日本獨立守備隊司令部製

〈그림 6 ①〉 대일본독립수비대 사령부가 제작한 리플릿에 실린 〈만주국 국가(國歌)〉

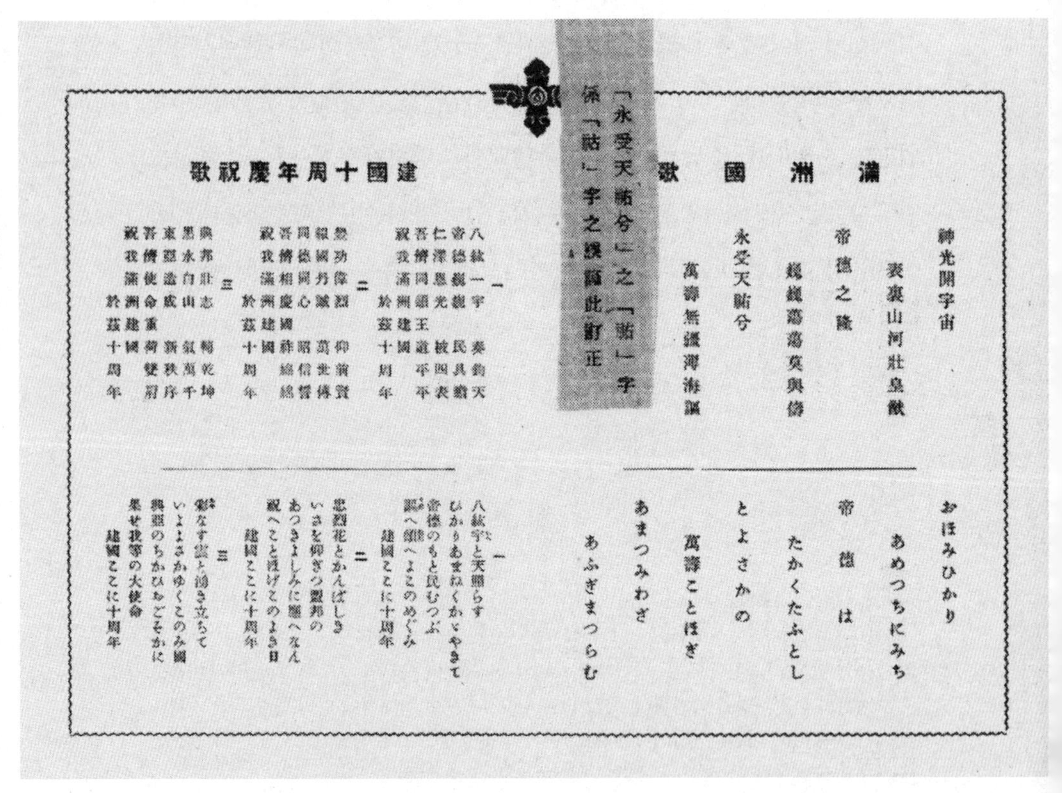

滿洲國歌

神光開宇宙
表裏山河壯皇猷
帝德之隆
巍巍蕩蕩莫與儔
永受天祜兮
萬壽無疆薄海謳

おほみひかり
あめつちにみち
帝德は
たかくたふとし
とよさかの
萬壽ことほぎ
あまつみわざ
あふぎまつらむ

「永受天祐兮」之「祐」字
係「祜」字之誤爲此訂正

建國十周年慶祝歌

一
八紘一宇奏鈞天
帝德巍巍民具瞻
仁澤恩光被四表
吾儕同顯王道平平
祝我滿洲建國
於茲十周年

二
懋功偉烈仰[illegible][illegible]
報國丹誠萬世傳
同德同心昭信誓
吾儕相慶國祚綿綿
祝我滿洲建國
於茲十周年

三
興邦壯志轉乾坤
黑水白山[illegible]萬千
東亞造成新秩序
吾儕使命重荷雙肩
祝我滿洲建國
於茲十周年

一
八紘宇と天照らす
ひかりあまねくかゞやきて
帝德のもと民むつぶ
國へ繼へよこのめぐみ
建國ここに十周年

二
忠烈花とかんばしき
いさを仰ぎつ盟邦の
あつきよしみに應へなん
祝へことほげこのよき日
建國ここに十周年

三
彩なす雲と湧き立ちて
いよよさかゆくこのみ國
興亜のちかひおごそかに
果せ我等の大使命
建國ここに十周年

〈그림 6 ②〉 만주국 건국 10주년 기념식 당시 배포한 리플릿에 실린 〈만주국 국가(國歌)〉, 〈건국 10주년 경축가〉(1942)

## 국기의 제정

만주국 기념 이벤트에 국가國歌와 함께 게양된 국기도 국가를 나타내는 상징이었지만 현지인들에게 좀처럼 침투되지 못했다.

1932년 2월 동북행정위원회東北行政委員會가 발표한 「신국가통전新國家通電」에서는 국기를 '신오색기'로 하고, 이 외에도 국가 체제는 '입헌공화제', 국명은 '만주국', 연호는 '대동大同'으로 한다는 것을 명확히 밝히고 있다.

〈그림 7〉의 포스터는 후술할 1933년 러허熱河작전 때 제작된 것이다. 만주국 국기 위에 "이것이 우리 만주국의 국기입니다. 이것을 목표로 왕도낙토王道樂土를 건설합시다!"라는 문구가 인쇄돼 있어서 현지 주민에게 국기를 통해 만주국을 인지시키려는 의도를 알 수 있다.

만주국 국무원 총무청 정보처가 기록한 「만주국국기고滿洲國國旗考」에 의하면, "국기의 의미를 국민에게 철저히 이해시키는 것은 국가 관념을 양성하는 데 가장 중요한 일임과 동시에, 국기를 존중하고 경례하는 것을 가르치는 일은 그 국가에 대한 존경의 뜻을 표시하게 하는 것이다"라고 하고, 국기의 오색에 대해서는 다음과 같이 해설하고 있다(국무원 총무청 정보처, 1935).

> 바탕의 누런색은 중앙의 땅으로, 만물을 화육(化育)하고, 사방을 통어(統御)하는 왕자(王者)의 인덕(仁德)을 표현하고, 융화, 박애, 대동, 친선을 의미하는 것으로 봐야 하고 (…중략…) 맨 위의 붉은색은 불이며 남쪽으로 성실진체(誠實眞摯), 열정 등의 여러 가지 덕을 나타내고, 파란색은 나무이며 동쪽으로 청춘, 신성(神聖) 등을 나타내고, 흰색은 금이며 서쪽으로 평화, 순진공의(純眞公義) 등을 가져오고,

〈그림 7〉 만주국 국기를 어필하는 포스터 〈이것이 우리 만주국의 국기입니다! 이것을 목표로 왕도낙토를 건설합시다!〉(1933)

맨 아래 검은색은 물이며 북방으로 견인(堅忍), 불발(不拔)의 여러 가지 덕을 상징한다.

이것은 명확히 음양오행의 원리에 기초한 중화적 우주관이며 또 인간이 가져야 할 윤리와 도덕을 표현한 것이다. 이들 다섯 가지 색에서 노란색은 만주인, 붉은색은 중국인, 남색은 몽골인…… 이라고 생각하는 것은 쑨원孫文(1866~1925)이 생각한 오색기五色旗와 혼동한 것이다. 만주국 국기에는 그런 색과 민족의 상관관계는 없다. 다만 오색은 방위를 가리키기 때문에, 만주를 중심이라 한다면, 주변에 있는 민족을 가리키고 있다는 해석도 생각해 볼 여지가 있고 이것을 속설이라고 일축하지 못할 만큼의 설득력은 있다. 다만, 그렇다면 만주국의 북방 = 검은색은 러시아인을 가리켜야 할 것이다. 색과 민족의 관계에 대한 오해는 그런 견해가 설득력이 강하기 때문에 오족이 가리키는 민족 자체도 자주 혼란스럽게 사용되었다. 예를 들면, 만주국 건국 1주년 무렵에 사용된 〈화보 4〉의 포스터에는 '오족협화'에 포함되지 않았던 이민자가 그려져 있다.

어쨌든, 1930년대 초반 만주에 살았던, 국가 개념조차 희박했던 다양한 민족에게 국가와 국기를 정착시키는 일은 만주국 정부와 관동군이 막대한 경비를 들여 행한 홍보정책으로도 결코 쉽지는 않았다는 것을 추측할 수 있다(塚瀨, 1998). 1942년판 국가, 대륙에 만들어진 많은 신사, 전쟁으로 사망한 장병을 모시는 위령탑, 러일전쟁 때의 전적戰跡, 그 모든 것들이 일본인을 대상으로 한 기억을 종합화한 상징일 수밖에 없었다는 점에 비추어보면, 만주국의 홍보정책에 따라 제작된 대부분의 이페머럴 미디어는 만주국에 거주하는 1% 정도의 일본인을 위한 것이며, 비용 대비 효과는 극히 낮았다고 하지 않을 수 없다.

# 제2장
# '커다란 부의 원천'과 '관광 만주'의 틈새에서

## '개발'의 근원

청일전쟁이 발발하기 전 1892년, 사할린, 극동 러시아, 조선, 만주, 중국을 여행한 상인 하라다 도이치로原田藤一郎는 현지 기록에 기초하여 『아시아 대륙 여행일지 겸 청・한・로 삼국 평론亞細亞大陸旅行日誌幷清韓露三國評論』(東京・青木崇山堂, 1894年 3月)을 출간하였다. 1년 8개월에 이르는 긴 여행 끝에 하라다는 다음과 같은 결론에 이르렀다(150쪽).

> 우리나라 기업이 시베리아를 대상으로 하는 사업에서 장차 과오가 없기를 희망하는 바, 시베리아에서의 사업은 그 실상을 간파하여 현지에서 민첩하게 응용했으면 하고 바랄 뿐이다.

하라다의 설명은 현지에서 체험한 것을 근거로 일본이 개발의 목표 지점을 미개발지인 시베리아에 주력해야 한다는 주장이었는데, 하라다의 책이 출판되고 3개월 후에 조선의 종주권 문제를 둘러싸고 청일전쟁이 시작되면서 청일 양국 관심의 초점은 한반도와 랴오둥遼東반도에 집중되었다. 어쨌건, 청일전쟁 발발 전에 이미 대륙 개발을 바라며 일종의 초조함을 느꼈던 것은 하라다 한 사람만이 아니었다는 것을 밝혀 두고 싶다. 하라다의 저작에 게재된 아오키스잔도青木嵩山堂의 책 광고에는 다음과 같은 선전문구가 쓰여 있다. "어찌하여 일본인은 동아東亞의 넘쳐나는 이득을 손에 넣지 않는가? 어찌하여 나라의 광영을 발휘하지 않는가? 세계의 대세는 질풍의 기세로 동쪽으로 이동한다." 여론에 등장하기 시작한 대륙 개발에 대한 초조함이야말로 청일전쟁의 배경이었다. 히야마 유키오檜山幸夫는 이 전쟁을 통해 일본의 민중이 국가와 천황을 인식하고 군대를 용인하고 그리고 '일본인'이라는 것을 자각하기에 이르렀다는 것을 지적하고 있다(檜山, 1997). 일본의 국가 정체성 형성이 대륙 개발에 대한 초조감과 동시에 나타났다는 것이 그후 일본의 명운을 결정짓게 되었다.

만주가 '대륙의 중심樞軸'이라는 이미지가 싹텄던 것은 1903년 중동철도中東鐵道의[1] 완성이 계기였다고 오타니 고타로大谷幸太郎는 말한다. 오타니는 러일전쟁 전후에는 만주 이미지에 '커다란 부의 근원', '커다란 보고'라는 얼굴이

1 하얼빈을 중심으로 만저우리(滿洲里)와 수이펀허(水分河), 다롄을 잇는 철도노선이다. 청일전쟁 후 러시아는 일본이 청에게 요동반도를 반환하게 만든 대가로 청 정부로부터 본 철도의 부설권을 얻었다. 그러나 러일전쟁에서 러시아가 일본에 패배하고 맺은 포츠머스 조약에 따라 남부지선의 반, 즉 콴청쯔(寬城子)에서 다롄에 이르는 철도와 부속된 이권을 일본에 이양했다. 처음에는 동청(東淸)철도로 불리다가, 신해혁명으로 청조가 붕괴되고 중화민국이 성립된 이후에는 중동철도라 불렸다.

씌워져 있었다고 지적하기도 한다(大谷, 1995). 오타니의 지적에서 중요한 점은 1906년 만철이[2] 설립되기 이전, 이미 일본에는 개발지로서 만주를 인식하는 여론이 영향력을 가졌다는 데에 있다.

당시의 일본인은 만주라는 낯선 세계에 대한 호기심뿐만 아니라, 그곳에서 일확천금을 꿈꾸는 실리적인 꿈도 찾고 있었다. 만철은 그 꿈을 실현해 줄 상징적인 기업이었다. 1906년에 만철이 민간 주식 10만 주를 모집했는데, 10월 5일 마감날까지 응모해온 신청 주식 수는 1억 664만 3418주, 총 신청인 수는 1만 467명이나 되었다. 실제로 필요한 주식 수보다 1천 66배나 신청했다는 뜻이며, 당시 일본인이 얼마나 만철을 통해 대륙투자를 꿈꾸고 있었는지를 알 수 있다(자료⑧ 5-4, 1937). '다른 나라에 뒤지지 말고 재빨리 일본의 손으로 개발을!', 이것이 군과 정부를 떠밀었던 여론이었다. 만철은 그런 여론을 배경으로 성립된 국책 특수회사였다. 성립 당시 만철은 〈그림 8〉의 그림엽서에도 나타나 있듯이 철도와 관광 업무뿐만 아니라 일본을 위한 만주산업개발, 특히 석탄과 오일 셰일(석유를 함유한 퇴적암), 철 등의 자원 개발이 사운을 건 중요 과제였다. 이런 개발 과제는 1937년에 '만주 산업 개발 5개년 계획'의 수행기관으로 만주중공업개발 주식회사가 만들어질 때까지 계속되었다.

또 많은 일본인의 눈에 만주는 광활한 대지에 인구는 희박한 장소로밖에 비쳐지지 않았고 거기에 농업 개발의 이상향이라는 이미지가 억지로 덧붙여졌다. 예를 들면, 『만주그래프』 4권 12호(1936. 12)의 속표지에 있는 다음과 같은 문구가 그것을 대표하고 있다.

2 러일전쟁 결과 맺어진 포츠머스조약(1905)에 의거하여 일본이 러시아로부터 양도받은 이권을 관리 혹은 경영하기 위해 설립된 국책회사이다. 단순히 남만주철도만을 관리하는 회사가 아니라 광산, 항만, 제철 등 만주의 주요 산업을 지배하고 철도 인접 지역의 '부속지'까지 경영함으로써 국가기관의 성격을 농후하게 지녔다.

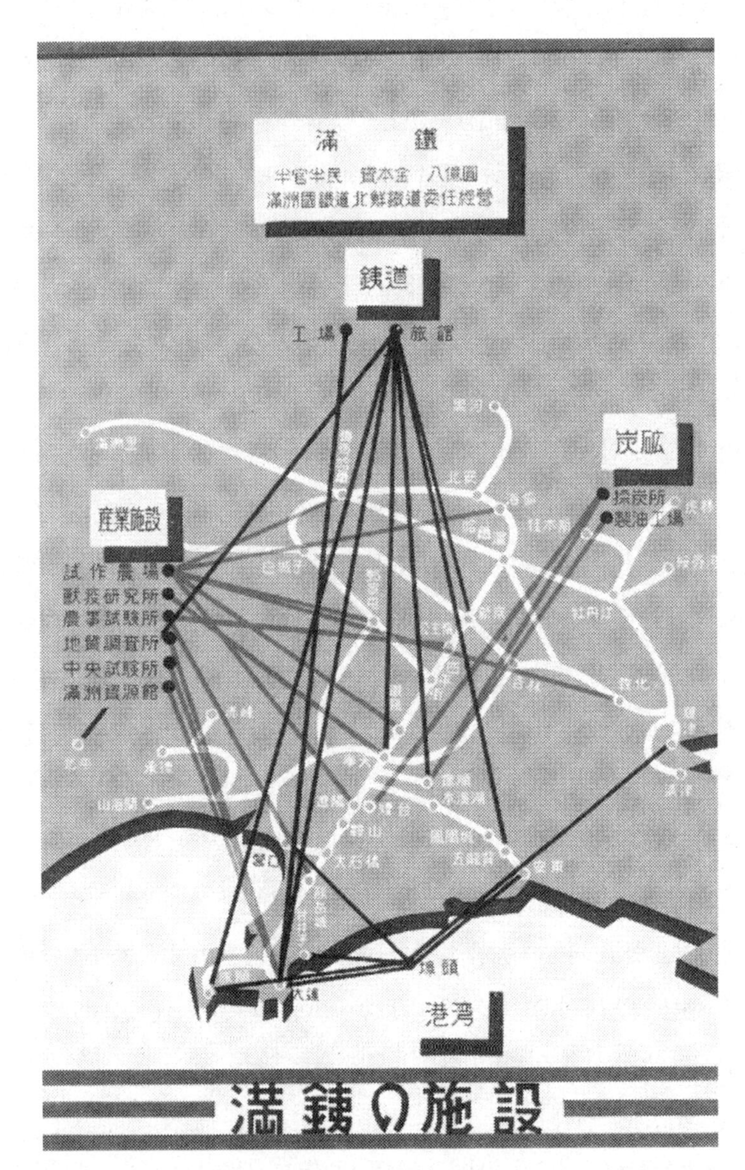


〈그림 8〉 만철 그림엽서 〈만철의 시설〉

만주의 면적은 일본의 약 두 배이고, 게다가 인구는 우리나라의 3분의 1에 지나지 않는다. 일본 전국의 경지가 600만 정보(町步)인 것에 비해 만주에는 여섯 배 남짓한 가경지가 있고 아직 5분의 2도 개간되지 않았다.

일본인의 이민지로 할당된 지역은 5개년간 비료 없이도 작물이 산출되고 이주 10년 후에는 1호당 10정보(町步)의 자작농으로 독립할 수 있다는 것이 과거 5개년간의 실적에 근거하여 명백해졌다.

만주는 결코 주인 없는 땅이 아니었음에도 불구하고, 가난과 민법상의 상속권 문제 등으로 고민하던 농가의 차남, 삼남들이 이런 감언과 국책이라는 명분의 개발 이민정책에 속아 새로 운명을 개척한다는 마음으로 만주 개척에 응모하게 되었던 것이다.

## 만주자원관

지역의 자원을 바로 이해하기 위해서는 상품진열소나 물산전시관 등에 가면 된다. 만주에는 1906년 테링군정시鐵嶺軍政署가 설치한 상품진열관(1924년에 해산), 1916년 진저우錦州에 설치된 민영 상품진열관이 있었는데 규모는 크지 않았고 영리상점이기도 했다. 한편, 만철이 1916년에 설치한 창춘長春상품진열소와 1926년에 일반 개방한 다롄의 만몽물자참고관滿蒙物資參考館은 상품과 물산의 전시 이외에 경제조사, 무역의 보조, 만주사정의 소개라는 역할도 더해져 많은 사람들을 불러 모았다(滿鐵, 1974).

만몽물자참고관은 1928년 11월에 만몽자원관滿蒙資源館으로 개칭되고 1932년 12월에 다시 만주자원관으로 바뀌었다. 〈그림 9〉는 만주자원관의 팸플릿 표지이다. 이 자원관은 만주에서 생산되는 광산, 농산, 임산, 축산, 수산 등의 기초자원을 개괄 분류하고 이들 자원의 가공품까지도 일반 전시하고 있었다. 그곳에서는 다음에 열거하는 다섯 개의 진열실과 세 개의 참고자료실이 있었다.

| | |
|---|---|
| 광산진열실 제1실 | 금, 사금, 동, 연, 망간, 유화철(硫化鐵), |
| 제2, 3실 | 석탄(푸순(撫順)), 오일, 셰일, |
| 제4실 | 철(번시후(本溪湖), 안산(鞍山)), |
| 제5실 | 마그네사이트, 돌로마이트, |
| 제6실 | 자수정, |
| 지질학표본실 | 화석, |
| 광산참고품실 | 일본, 조선, 구미의 광물, |
| 석재진열실 | 화강암, 편마암, 석탄암 |
| 농산품진열실 제1실 | 콩, |
| 제2, 3실 | 수수, 옥수수, 밀, 물벼(水稻), 밭벼(陸稻), |
| 제4실 | 마, 면화, 케나프 |
| 제5실 | 누에, |
| 제6실 | 집누에, 홉, 사탕무, 담배, |
| 제7실 | 과실, 한방약진열실 |

그 밖에 '축산진열실', '임산진열실', '수산진열실'이 있었다. 콩을 제외하면

〈그림 9〉 만주자원관의 팸플릿 『만주자원관요람(滿洲資源館要覽)』 표지

일본이 주목했던 것은 역시 광물자원이었다. 자원관을 찾은 사람 수는 만몽물자참고관이 발족한 1926년에 8천여 명에 지나지 않았으나, 만몽자원관으로 개칭된 1932년에는 3만 7천 명 가까이 증가하고 1935년에는 약 6만 8천 명에 달하였다. 1928년 10월에 다카마쓰노미야 노부히토高松宮宣仁 친왕親王이 참관한 이후, 만주를 방문하는 황족은 이 자원관에도 들렀다(立川, 1939). 또한 일본 국내에는 도쿄 도라노몽虎ノ門의 만철 도쿄지사 1층에 만주자원관의 미니어처 격인 만주자원진열소가 있었다(滿鐵, 1937).

만주자원관처럼 만주의 물산과 자원을 소개하는 시설은 여러 박람회에도 설치되었다. 특히 1933년 7월 23일부터 다롄시 주최로 개최된 만주대박람회가 유명한데, 당시의 포스터가 〈그림 10〉이다. 이 포스터는 상금을 내걸고 공모했는데, 2등상을 받았던 오사카大阪시의 다니구치 야스히로谷口安弘의 디자인에 고토後藤 화백이 가필하여 고바야시 마타시치 상점 다롄지점에서 인쇄한 것이다. 이 포스터의 일본용 분량은 오사카의 선만안내소鮮滿案內所를 통해서 각 부현府縣, 시역소市役所, 출품협회出品協會, 상공회의소에 배포되고 중국용은 만철, 재팬 투어리스트 뷰로Japan Tourist Bureau, 거류민회, 상공회의소가 배포했다(大連市役所, 1934).

또 일본 각지에서 개최된 지방박람회에 설치된 만주관滿洲館이라는 특수 파빌리온pavilion도 같은 역할을 다하였다. 이런 파빌리온에는 만주국 정부, 관동국關東局, 만철, 재일만주기관이 적극 협력했다. 예를 들면 만주관이 설치된 박람회는 1936년에는 축항기념박람회築港記念博覽會(후쿠오카福岡), 약진일본대박람회躍進日本大博覽會(기후岐阜), 욧카이치시대박람회四日市大博覽會, 일만산업박람회日滿産業博覽會(도야마富山), 일만산업박람회日滿産業博覽會(미야자키宮崎), 다음 해 1937년에는 나고야범태평양평화박람회名古屋汎太平洋平和博覽會(아이치愛

〈그림 10〉 만주대박람회 기념 포스터 〈만주대박람회 다롄시 개최〉(1933)

知), 벳푸국제온천박람회別府國際溫泉博覽會(오이타大分), 미나미쿠니토사박람회南國土佐博覽會(고치高知)가 있었다. 이들 만주관에서는 입체모형diorama이나 전시품, 음성 안내를 통해서 만주의 자원, 물산, 문화, 풍속과 현지사정을 소개함과 동시에 일본과 만주국 양국 관계를 강화하고 만주에 대한 인식을 바로잡으며 만주 이민을 장려하고자 하였다(자료③ 1935.12.11, 자료⑥ 2-2).

## 일본과 만주의 교통 루트

만철이 설립되기 한 해 전인 1905년 뤼순 개방과 동시에 오사카상선이 오사카-다롄 간 일만항로를 개설하고 1909년 4월부터 만철과의 사이에서 여객, 수하물의 연락을 원활히 하는 협의를 진행하였다. 이것이 만철 루트이다. 마찬가지로 1905년 시모노세키下關-부산 간에 관부연락선이 취항하게 되고 이 항로가 산요山陽철도와 한반도의 경부선(경성-부산)을 연결시켰고, 1908년에 경의선(경성-신의주)이 개통되자 한반도를 남북으로 종단하는 철도가 완성되었다. 한국을 병합한 다음 해에는 만철의 안펑선(안둥安東-펑톈)이 표준궤로 개량되고 안둥과 경의선의 종점인 신의주 사이를 흐르는 압록강에 다리가 설치됨으로써 조선철도와 만철이 연결되었다. 이것이 조선철도 루트이다. 이렇듯 1910년대는 바다를 건너 다롄항에서 만철에 승차하는 만철 루트와 한반도를 종단하여 만주로 들어가는 조선철도 루트, 이 두 가지가 일본과 만주 사이의 주요 교통 루트였다.

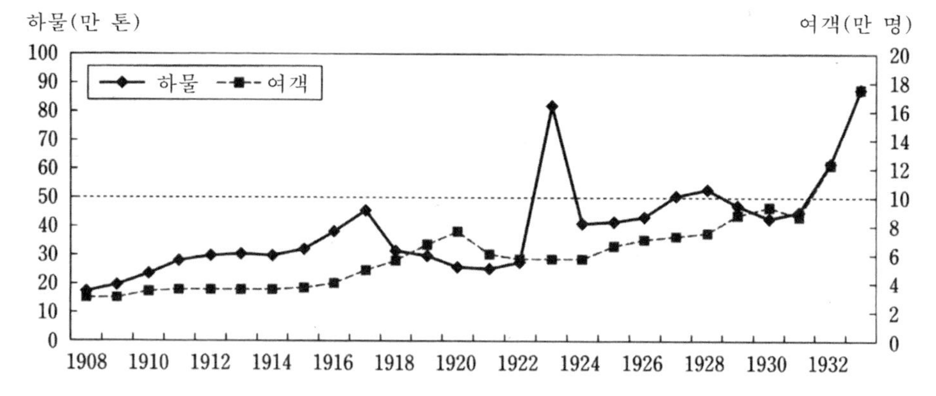


〈그림 11〉 **오사카상선의 만주항로 이용 여객 수, 하물수송료 연차별 변화**
(출전) 오사카상선주식회사 편 『오사카상선주식회사오십년사(大阪商船株式會社五十年史)』(1934)에 의거.

〈그림 11〉은 1908년부터 33년까지 만주항로상에서 오사카상선의 하물 수송량, 여객 수의 추이를 나타낸 것이다. 이 그래프에서 볼 수 있듯이 여객 수는 1916년을 계기로 증가하기 시작해 1932년부터는 폭발적으로 증가하고 있다(大阪商船株式會社, 1934). 1932년은 만주국이 막 건국된 해이고 동시에 펑톈－부산 간의 급행인 '히카리'의 운행구간이 신징까지 연장되었고 유명한 특급 '아시아'가 다롄－신징 간 주행을 개시한 해였다. 이렇게 이동시간을 단축시킨 것도 여행 붐이 일어난 중요 요인이었다(平山, 2006).

## 재팬 투어리스트 뷰로JAPAN TOURIST BUREAU

1910년대에 증가한 여행객은 일본인뿐만이 아니었다. 구미에서 오는 극동 여행에 만주관광이 여행 코스로 포함되었고, 일본, 조선, 만주, 중화민국을 두루 둘러보는 외국인이 증가하였다.

이런 외국인의 관광여행을 지원하고 만주와 조선으로의 여행에 문호를 연 것은 일본과 만주국 양국의 관광사업기관이었다. 1936년 만주국의 '관광 국책'이 공표되고 1937년부터 1941년까지 많은 관광협회가 설립되었다. 그 이전 해까지 만들어진 것은 다롄, 뤼순, 펑톈 세 개 도시의 관광협회뿐이었다(東亞旅行社滿洲支部, 1941).

이런 관광사업기관 가운데 최초로 설립된 일본계 회사가 재팬 투어리스트 뷰로(이하 JTB로 줄임, 현재의 일본교통공사(JTB)의 전신)이며 1912년 11월에 다롄지부가 설치되었다. JTB의 기본 목적은 "외국에 우리나라의 풍경과 사물을 소개하고 또 외국인에게 여행에 필요한 각종 정보를 받아보도록 편의를 제공하는 것"으로, 외국인 여행객을 일본 관광에 유치하는 데에 있었다. 그러나 이 "우리나라"의 개념이 중요하다. JTB가 발족할 때 일본의 철도원鐵道院을 중심으로 조선총독부, 대만총독부, 오사카시, 만철, 닛폰우선日本郵船, 오사카상선大阪商船, 동양기선東洋汽船, 제국호텔, 미쓰코시포목점三越吳服店의 관계자가 발기인이 되었다. "우리나라"는 일본 내지뿐만 아니라, 명확히 식민지 조선과 타이완, 만주가 포함돼 있었던 것을 간과해서는 안 된다.

JTB는 1914년에 다롄 야마토호텔, 뤼순역, 펑톈 야마토호텔, 창춘 야마토호텔에 촉탁안내소를 설치하고 재만 일본인뿐만 아니라 만주를 방문한 구미

THE VIEW OF THE NANIWA STREET LOOKING
FROM THE FRONT OF MUKDEN STATION.
(奉天) 驛前廣場より浪速通を望む

〈그림 12〉 그림엽서 〈(펑톈) 역전광장에서 랑쑤퉁(浪速通)을 바라보다〉

의 외국인에게도 여행 알선을 시작하였다. 〈그림 12〉의 그림엽서에는 펑톈 역 앞의 JTB가 찍혀 있다. 빌딩이 모여 있는 우측 모퉁이에서 두 번째 건물에는 세로 간판에 "일본국제관광국日本國際觀光局", 지붕 간판에 "JAPAN TOURIST BUREAU", 그 아래의 옆 간판에는 "만국수표萬國售票(세계각국의 티켓을 취급합니다)"가 보인다. 그 왼쪽 옆 건물은 환전소로, 중국어, 러시아어 간판이 있다. 길 건너편에는 '여관' 안내소가 있고 그 앞에 인력거가 수십 대 정차해 있다. 바로 그 앞에는 마차가 꽤 많이 있고 도로에는 자동차와 지나가는 사람들이 여기저기 보인다.

〈그림 11〉에도 보이는 것처럼 여행객은 1931년 만주사변 이후 증가했지만, 중일전쟁 발발 이후에는 더욱 급증하였다. JTB는 이들 여행객을 위해 만철 연선에 안내소를 늘려갔다. 1930년대에는 다롄에 일곱 곳, 펑톈에 두 곳, 신징에 네 곳, 하얼빈에 세 곳, 그 외에 안산, 지린吉林, 퉁화, 잉커우營口, 푸순, 안둥, 무단커우牡丹口, 자무쓰佳木斯, 치치하얼, 만저우리滿洲里, 진센錦縣, 청더承德에 각각 한 곳이 설치되었다. 또 일본 국내에는 도쿄, 오사카, 모지門司에 있던 만철의 선만안내소 내에도 JTB 안내소를 설치하고 일본을 방문한 구미의 외국인 여행객을 대상으로 외지와 만주 여행 업무를 추진했다. 그러한 상황에서 JTB와 제휴하고 때로는 경쟁관계에 있었던 여행안내소는 중국여행사, 하얼빈 왜건 리사Wagons-Lits社, 런던에 본점을 둔 토머스 쿡사Thomas Cook社, 뉴욕을 거점으로 한 아메리칸 익스프레스 컴퍼니American Express Company였다(日本交通公社, 1982).

이런 여행안내소는 만철, JTB뿐만 아니라 1934년 5월에 펑톈의 만멍滿蒙백화점 내에 신설된 항공여객용 '하늘 여행 안내소'가 있었다. 1937년에 설립된 만주관광연맹도 같은 역할을 하였다. 구미의 외국인 여행자는 일본에서 출발해 만주, 그리고 중화민국으로 가는 루트를 선택하든지(혹은 역 루트), 시베리아철도를 경유해서 극동을 방문하거나 둘 중 하나였다.

이들 외국인 관광객을 극동으로 유인한 것은 앞서 언급한 토머스 쿡사, 아메리칸 익스프레스 컴퍼니 등의 여행회사, 구미의 증기선회사 이외에 뉴욕, 로스앤젤레스, 파리에 있었던 JTB의 해외출장소와 파리, 뉴욕에 있던 만철의 해외사무소였다. 만철의 해외사무소에서는 만철에서 제작한 최초의 국책 영화 〈신흥 만주국의 전모新興滿洲國の全貌〉 등이 상영되었고 또 현지 단체와 공동 주최로 문화활동도 하였다. 예를 들면, 파리사무소는 영어, 불어 두 언어로 잡지 『프랑스・재팬』을 발행하기도 하고 일불日佛동지회 파리지국에서 주최하는 '만주국 관광 포스터' 공모 행사를 후원하기도 하였다. 또 1937년 2월에는 만철 총무부 홍보과가 소장한 80여 점의 사진을 가지고, 일간지 『랭트랑지장L'Intransigeant』과 일불동지회가 주최하고 파리사무소가 후원하는 사진전 '오늘의 만주'를 개최하여 좋은 평가를 받았다.

구미에서 온 여행객은 매년 7월 초부터 8월 중순에 집중되었다. 예를 들면 1936년 7월에는 만철의 철로총국鐵路總局에 의뢰한 것만도 아홉 곳, 인원은 300명에 가까웠다고 한다. 『오사카 아사히朝日 신문』의 만주판에는 다음과 같은 기사가 게재되었다. 1936년 7월, 북미 브라우넬 여행사Brownell Travel, USA 주최 여행단 A팀 15명 펑톈 도착, 오덴 킹스 여행단Oden Kings Tour 21명 하얼빈 경유, 만저우리 출발, 아메리칸 익스프레스 컴퍼니 주선 시베리아 경유 여행단 23명 산하이관山海關에서 펑톈으로 출발, 텍사스주 와코Waco시 암스트롱사 주최 여행단 다쓰다마루龍田丸 팀 경성에서 펑톈, 베이핑北平으로 출발, 같은 A팀 36명 경성에서 펑톈, 하얼빈으로 출발, 같은 해 8월 로스앤젤레스 레이먼 증기선 대리점 주최 여행단 16명 산하이관에서 펑톈으로 출발, 앵글로 아메리칸 여행단 10명 베이핑에서 펑톈, 그리고 경성으로 출발했다 등이다(자료③1936.7.9). 그 해 만주를 방문한 외국인은 1만 2천 명 정도인데, 인원 수로 따지면 미국인, 영국인, 독일인, 체코슬로바키아인, 프랑스인 순으로 많았다. 체재일수는 10일에서 15일까지로 여행객 대부분은 신징, 하얼빈을 방문했다고 한다.

이렇게 증가한 유럽과 미국인 관광객을 위해, 다음 해 1938년에 하얼빈관광협회가 발족했다. 또 1940년에 개최가 예정된 도쿄올림픽을 위해서 철도총국은 준비위원회를 발족시키고 '여행객 유치 3개년 계획'을 확정하고 해외 홍보전을 개시하였다. 1938년은 3개년 계획의 첫 해로 포스터, 봉함엽서, 여행자회화, 『스포츠 만주』, 올림픽 뉴스 등의 발행을 계획하였다(자료③ 1937.7.28).

## 만철 선만안내소

여기서 만철의 선만안내소鮮滿案內所에 대해서도 언급해 두고 싶다. 만철은 1923년에 도쿄지사 경리과에서 조선, 만주의 안내 사무를 취급하게 하였다. 1925년에는 이 업무를 서무과로 이관시켰고 도쿄 마루노우치 빌딩, 오사카 사카이스지堺筋, 시모노세키 역 앞 세 곳에 선만안내소를 설치했다(1936년에는 모지 세관 내에도 설치). 1927년 운수과가 부활하면서 선만안내소는 이곳 관할하에 두어지고 안내 사무 외에 물산 판매도 맡게 되었다(滿鐵, 1974).

1931년 만주사변이 발발하자, 각지의 선만안내소는 사후 대응에 분주하였다. 도쿄 선만안내소는 만주사변 관련 강연회에 강사를 파견하거나 만주 사정을 소개하기 위해 19만 4565부의 간행물을 배포하기도 하고 만주의 지방 상황 등에 관한 질문표 10만 8973부에 답하는 등 몹시 바쁘게 움직였다. 또 기록필름의 대여, 육군성 신문반 등과 제휴한 영사회의 상영 등은 총 256회에 이르렀다. 이외에 신문사, 통신사, 출판사에 사진과 기사를 제공하였다. 또 오사카 선만안내소와 시모노세키 선만안내소도 만주사변 후의 시국강연이나 기록필름 상영, 팸플릿 작성 등을 하였다(滿鐵 總務部 資料課, 1934).

시국이 안정되자 선만안내소도 일상 업무로 돌아갔는데, 여행 상담과 티켓 확보, 여관 예약, 자동차 예약 등은 주로 안내소 내 JTB가 담당하였다. 만주와 조선의 숙박시설은 만철 연선의 야마토호텔이나 조선호텔 등의 서구식 호텔이 알려져 있었지만, 실제로는 두 지역 모두 주요 도시에는 일본식 여관이 반드시 있었다. 단체 여행객은 대체로 그런 일본식 여관에서 숙박하였다. 언어도 일본어였을 뿐만 아니라 일본엔으로 지불도 가능했기 때문이다. 당시 동아시아 관광을 생각할 경우, 이런 여관 네트워크의 존재가 한층 주목받는다. 입 소문을 통해 얻은 현지 관광정보는 이런 일본식 여관을 통해서 주고받았기 때문이다.

선만안내소의 업무 상황은 만철이 제작한 소개 필름 〈만주 여행－내지편〉에서 볼 수 있다(滿洲DVD). 〈그림 13〉은 그 한 장면으로 입구 상부에는 만철의 M과 레일의 단면이 조화를 이룬 만철의 로고가 보인다.

여기서 오른쪽 벽에 붙은 두 장의 포스터에 주목해 주기 바란다. 위의 선만안내소 포스터는 위쪽 반이 잘려져 있는데, 1937년에 종군 화가 고지마 마쓰노스케古島松之助가 그린 '보라! 낙토 신만주'라는 제목의 포스터이다(〈그림 14〉). 고지마는 러일전쟁을 테마로 한 〈일본해 해전日本海海戰〉, 〈개선관함식

凱旋觀艦式〉 등의 작품과 군사우편 그림엽서에 중국대륙, 타이완의 풍경과 장병의 모습을 많이 그렸다. 이 포스터의 구도는 1936년 12월 만주 중앙은행인쇄소의 디자이너였던 오야 히로조大矢博三가 만주국 교통부가 발행한 보통우표(6분分, 2각角, 5각짜리)에 사용하고 있다. 덧붙여 말하면 만주국의 법정통화는 만주국엔으로 1원元은 10각, 1각은 10분으로 환전되었다.

그 아래의 만철 포스터(화보 13)는 이토 준조伊藤順三(1890~1939)가 몽골인 기인旗人의 정장을 바탕으로 디자인한 것이다. 포스터의 이면에는 "이 그림은 몽고 부랴트족 부인의 정장인데 쓰고 있는 모자와 귀 양쪽의 부채모양의 장식은 기혼 여성이라는 표시입니다. 배경의 노란색 꽃은 북만주에서 많이 보이는 쿠릴열도 개양귀비를 도안화한 것입니다. 5매"라는 메모가 있다. 이토는 만철과 관계가 깊었다. 이토는 도쿄미술학교 일본화과 본과에서 유키 소메이結城素明(1875~1957)에 가르침을 받았고, 졸업 후 고쥬샤行樹社, 핫피샤八火社를 창립하고 자유전람회를 주최해서 반문전파反文展派의 선봉으로 활동했으나, 1916년부터 미쓰코시포목점의 도안부 촉탁으로 일했고 1920년 미래파未來派 미술협회의 결성에도 관여하였다. 이 협회를 탈퇴한 후 1923년에 만주로 건너가 만주일보사滿洲日報社 미술 담당기자로 재직하였다. 다음 해 1월부터 만철 공보계公報係 주임으로 자리를 옮겼고 1925년에는 촉탁으로 정보과 공보계에서 근무하였다. 만철시대인 1920년대 후반부터 1930년대 전반에 걸쳐 이토는 만철 포스터를 많이 그렸다. 철도사가鐵道史家 나카무라 슌이치로中村俊一郎에 따르면 이토가 만철을 위해 그린 포스터 작품은 오사카 아사히신문사와 도쿄 아사히신문사가 공동 간행한 영문판 일본 소개 그래프지 『PRESENT-DAY JAPAN』의 1927~1935년 발행 호號와 오사카 마이니치신문사가 간행한 영문판 일본 소개 그래프지 『JAPAN TODAY & TOMORROW』의 1929~1933년 발

〈그림 13〉 **민칠, 신만안내소의 모습**(만철 제작 소개 필름 〈만주여행-내지편〉에서, 책 첫머리의 〈화보 13〉, 〈화보 14〉 참조)

見よ!
樂土新滿洲

鮮滿案内所
東京丸ビル・大阪堺筋・門司税関前・下関駅前

〈그림 14〉 선만안내소 포스터 〈보라! 낙토 신만주〉(1937)

행 호의 속표지에 있는 만철 광고에도 이용되었다.

〈그림 14〉와 〈화보 13〉의 포스터는 모두 돗판인쇄주식회사에서 당시로서는 신개념이었던 HB식 제판의 컬러 인쇄로 제작되었고 극히 정교한 포스터로 완성되었다. 당시 만주에서는 HB식 제판 인쇄기를 갖출 만큼 규모가 큰 인쇄업자가 없었기 때문에, 이런 종류의 컬러 인쇄는 모두 일본 국내에서 인쇄되어 만주나 일본 국내로 운반되었다. 1920년대부터 1930년대까지 만철의 컬러 인쇄 포스터가 하코다테函館시 중앙도서관을 비롯해 일본 각지에 남아 있는 것도 그런 사정 때문이다. 여담이지만, 만주에서 HB식 제판 인쇄가 가능하게 되었던 것은 1939년 3월, 돗판인쇄와 교도共同인쇄가 합동출자한 신대륙新大陸인쇄주식회사를 설립하고 난 다음이다.

선만안내소는 여행 안내뿐만 아니라 여행도 주최하였다. 예를 들면 시모노세키 선만안내소는 1929년 9월 처음으로 '제1회 선만시찰단' 투어를 주최했는데, 여기에 참가한 여행객의 사진앨범이 남아 있다(여행자의 성명은 불명). 이 앨범의 소유자는 시모노세키에서 관부關釜연락선을 타고 부산에 도착한 후, 조선철도로 경성으로 향했다. 경성에서는 당시 개최 중이던 조선박람회를 관광하고 이어서 평양에서는 상품진열관, 기생학교를 구경한 후 만철선을 타고 다스챠오大石橋를 경유해 발해만을 크게 우회해서 다롄에 도착하였다. 다롄에서 뤼순으로 이동해서 당시 주요 관광코스였던 전적戰跡 참배 투어를 하였다. 다시 만철선을 타고 다롄을 경유해 북상하여 푸순의 노천굴을 견학한 후 펑톈에서 충령탑—동선당同善堂—북릉北陵 견학이라는 필수 관광 루트를 따라서 관광하였다. 당시는 아직 만주국이 수립되기 이전이었기 때문에, 펑톈에서 유턴해서 압록강을 철도로 건너 조선으로 이동했고 귀국 루트는 쇼케이마루昌慶丸를 타고 돌아왔다. 이것이 만주국 수립 이전 매우 일반적인 투어 내용이

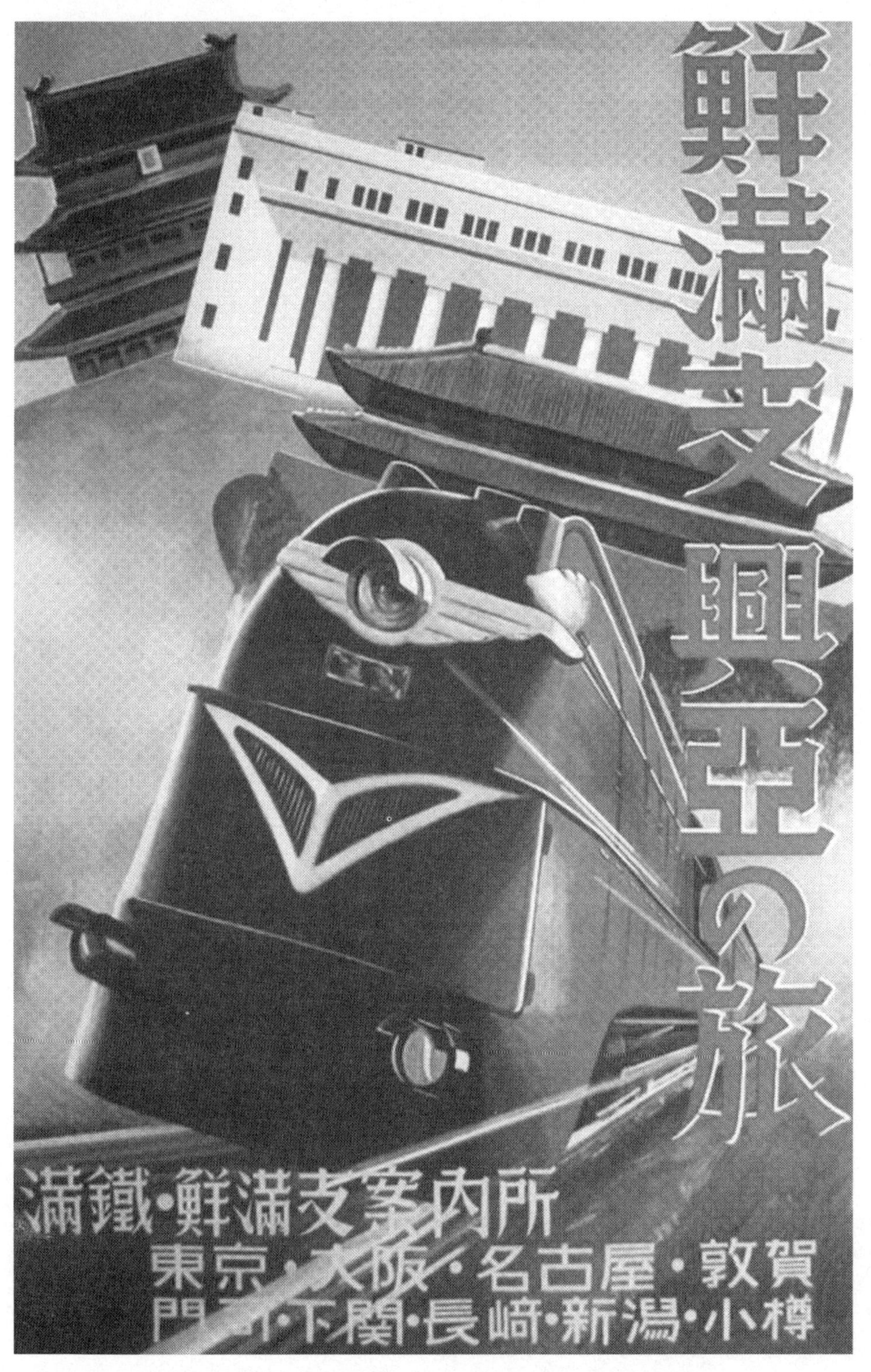


〈그림 15〉 만철, 선만지안내소 포스터 〈선만지흥아(鮮滿支興亞)의 여행〉

라고 할 수 있다. 이런 관광객을 유치하기 위해 만철은 1920년대에 많은 자사 포스터와 그림엽서를 제작해서 홍보활동에 이용했다.

1939년 중화민국도 안내 범위에 넣게 되면서부터, 만철의 조직이 개정되고 선만안내소는 선만지鮮滿支안내소로 개편되었다. 이들 안내소의 설치 장소는 도쿄, 오사카, 모지 이외에, 니가타新潟와 오타루小樽가 추가되었다. 그리고 1944년 격상된 사무소는 도쿄, 히로시마, 후쿠오카, 마쓰야마松山, 니가타, 센다이仙台, 삿포로札幌에 설치되었다. 이렇게 개편된 이후의 포스터가 〈그림 15〉이다. 이들 사무소가 총재실 홍보과의 재외지사로서 여행자와 시찰단을 위한 홍보 업무를 담당하였다(磯村, 1988).

## 만주사정안내소

만주국 건국 후에는 만철 이외 '관광 국책'을 담당하는 기관이 설치되었다. 만주경제사정안내소는 1933년 1월에 관동군 특무부의 특수 지령에 기초해 신징기념회관 내에 설치된 것이다. 설립에 즈음하여 관동군, 만주국 정부, 주만일본대사관, 만철이 지원하였다. 안내소는 산업 5개년 계획 및 국책 이민의 수행을 중심으로 한 만주 개발을 지원하는 상공회의소와 유사한 역할과 도서관, 관광협회, 관광안내소 등의 업무를 겸비한 조직이었다. 1934년 1월에는 관동청, 주만해군부駐滿海軍部 등의 후원이 더해지고 사업부문은 확대되어 만주사정안내소로 개칭해서 같은 해 3월 설립한 만주시찰위원회의 실무담당기관도 겸하게 되었다.

1936년 9월 설립된 특수회사 만주홍보협회가 신문사와 통신사의 정리 통합에 착수하자 만주사정안내소도 여기에 흡수되었는데 1938년 1월에 정부 특설 외곽기관으로서 다시 독립했다. 만주사정안내소는 여행자를 일반 관광을 주로 하는 여행자와 업무 상의 조사 등을 주로 하는 여행자로 구분하여 전자는 JTB와 관광협회에서, 후자는 상공회에서 각각 담당하게 했다. 그 밖에 행정시찰과 실지시찰은 만주사정안내소가 담당하였다. 일본인 단체 관광객의 여행과 시찰도 현지에서는 이런 기능 분담 상태에서 이루어졌다. 1934년에 만주사정안내소가 알선한 시찰은 75단체, 총인원 3천 1백 명, 다음 해 1935년에는 조금 감소해서 48단체, 1,472명이었다고 한다(자료⑥ 3-10, 4-2).

만주사정안내소는 1933년 발족부터 1943년까지 일본인을 대상으로 많은 출판물을 간행해서 만주국에 대한 이해를 도왔다. 확인 가능한 것만으로도 보고서는 111호에 이르렀다. 만주국의 일반 사정뿐만 아니라, 자연지리, 지역사정, 산업, 물산, 금융, 교통, 풍속, 습관, 종교, 민족, 문화 등 모든 분야를 망라하고 그 밖에 만주고적고물명승천연기념물보존협회滿洲古蹟古物名勝天然記念物保存協會의 조사서도 발행하였다. 더욱이 1939년에 일어난 노몬한사건 전후에는 『외몽고사정外蒙古事情』(1936), 『만소지변경사정滿蘇支邊境事情』(1936), 『소련외몽자료집성蘇聯外蒙資料集成』(1940), 『러시아의 동아정책과 만주露國の東亞政策と滿洲』(1942) 등 몽골인민공화국과 소련의 사정을 소개했고, 그 밖에도 남진정책이 표방되자 여기에 호응해서 『만주와 남양滿洲と南洋』(1943)이라는 보고서도 간행하여 당국에 정보를 제공하는 역할도 하였다.

최근에도 만주사정안내소의 책은 다이이치쇼보第一書房가 『만상초패고滿商招牌考』, 『만주지명고滿洲地名考』(1982), 지큐칸슛반地久館出版이 『만주문헌목록

집滿洲文獻目錄集』(1985), 게이분샤慧文社가 『만주국의 습속滿洲國の習俗』, 『만주의 전설과 민요滿洲の傳說と民謠』, 『만주지명고滿洲地名考』(2007), 『만주낭랑고滿洲娘娘考』(2008), 오조라샤大空社가 『만주의 농촌생활滿洲の農村生活』(2009)을 복각해서 만주에 대한 이해를 돕는 1차 자료가 되고 있다.

## 제3장

# '건국'과 '승인'을 둘러싼 미디어·이벤트

## 만주독립운동

1931년 9월 18일 "만몽滿蒙은 일본의 생명선"이라 규정짓고 있던 관동군은 펑톈 교외의 류탸오후柳條湖에서 모략 사건을 일으켜 만철 연선 일대를 일거에 점령하였다.

이 사건을 계기로 만주는 현지 유력자에 의해 군웅할거 상태에 빠졌다. 또 만철 직원이었다가 관동군 사령부 촉탁이 된 야마구치 쥬지山口重次(1892~?)와 오자와 가이사쿠小澤開作(1898~1970, 지휘자 오자와 세이지小澤征爾의 아버지) 등 만주청년연맹滿洲青年聯盟과 가사기 요시아키笠木良明(1892~1955)를 회장으로 하는 웅봉회雄峯會라는 일본계 사상단체가 민족협화 및 자치 획득을 목적으로 한 이상주의를 내걸고 현지 사회와 동떨어진 독립운동을 전개하였다(자료② 강덕 10년).

〈그림 16〉 **사진엽서 〈만주국 건국식 광경〉**(1932)

1932년 1월 장징후이張景惠(1871~1959)를[1] 위원장으로 한 동북행정위원회가 발족하였다. 본 위원회 설립에는 관동군 고급 참모 이타가키 세이시로 대좌大佐의 의향이 강하게 반영되었다고 한다. 〈그림 16〉의 사진엽서는 1932년 3월 9일 건국기념식의 모습을 촬영한 것인데, 여기에 독립운동의 주요 멤버들이 건국의 영웅으로 찍혀 있다. 오른쪽으로부터 장징후이, 지린성 시챠熙洽(1884~1956), 펑톈성 짱스이臧式毅(1884~1956), 펑톈시장 겸 고등법원장인 자오친보趙欽伯(1887~?), 마잔산馬占山(1885~1950)과 위안진카이袁金鎧(1870~1947), 위충한于冲漢(1871~1931)이다. 그들은 각각 독립을 선언하고 성 정부를 조직하였다. 동북행정위원회는 그들의 움직임을 조정할 목적으로 발족한 것이었다. 위원회에서는 '만몽신국가독립선언滿蒙新國家獨立宣言'을 발포했고, 이것이 만주국의 기초가 되었다(자료① 쇼와 8년).

만주사변 직후부터 아사히신문사의 기자는 이런 만주의 동정을 꼼꼼하게 취재했다. 사변 후 2주간 촬영된 사진에는 일본군이 점거한 펑톈 시내의 모습이 자세히 찍혀 있다. 그때 펑톈성의 성벽과 관동군 사령부의 벽에는 관동군 사령관 혼죠 시게루本庄繁(1876~1945)의 포고, 육군 제2사단장 다몬 지로多門二郎(1878~1934) 중장의 유고諭告, 헌병대의 치안유지에 관한 포고 등이 연달아 게시되고 "일본의 정의는 최후의 승리" 등 점령의 정당성을 주장하는 삐라가

1 봉천파 군인, 만주국 제2대 국무총리대신. 동부 군벌 장쭤린 휘하에 있었던 장징후이는 장쭤린 사후 그 뒤를 이은 아들 장쉐량에 의해 동북정무위원회 위원, 동성특별행정구 장관에 임명되었다. 장쉐량이 역치 선언과 함께 남경국민정부에 협력하면서 장징후이 역시 남경국민정부 군사참의원 원장 등에 임명되었다. 그러나 만주사변 발발 후 관동군 장교 이타가키 세이시로의 회유를 받고 남경정부를 이탈하여 동성특별구의 독립을 선언하였다. 이후 만주국 건국에 적극 협력하였으며 정샤오쉬를 이어 만주국 제2대 국무총리대신(1935~1945)이 되었다. 일본 패전 후 소련군에 체포, 중화인민공화국으로 이송되어 푸순전범관리소에 수감되었다. 1959년 수감 중에 사망하였다.

시내에 나붙었다. 또 같은 해 11월 10일에 발족한 자치지도부自治指導部는 일본어로 작성한 「동북사성東北四省 3천만 민중에게 고하는 글」을 게시하고 스스로의 역할과 지향해야 할 정신을 밝혔다.

> 자치지도부의 참정신은 태양 아래 과거의 모든 가혹한 정치, 오해, 분규 등을 다 소탕하고 온 힘을 다해 극락토(極樂土)의 건립을 지향하는 데에 있다…… 이 대승상응(大乘相應)의 땅에 역사상 아직 보지 못한 이상향(理想境)을 창건하는 데에 전력(全力)을 기울인 즉 흥아(興亞)의 큰 물결을 이루어 인종적 편견을 시정하고 안팎으로 어긋난 세계 정의의 확립을 목표로 한다.

이것은 '극락', '대승' 등 불교사상의 영향을 받아서 반인종차별주의를 제창하는 슬로건처럼 보인다. 이 관점은 후에 협화회 중앙본부 총무부장이 되는 사카타 슈이치坂田修一(1906~?)가 지적한 것처럼 "자치지도부의 이상은 메이지 천황의 의도를 받들어 참으로 일본이 세계를 짊어져야 할 큰 사명의 첫걸음을 이 인상 깊은 만몽滿蒙의 땅에 내디디려 하는 데에 있고"(『滿洲公論』 3-7), 그들의 선전은 만주와 몽골에 대한 천황제의 이식 혹은 영향을 행사하고자 의도했던 것이다.

자치지도부는 1931년 펑톈의 만주일일신문사 인쇄소에 동일한 디자인으로 여러 종류의 컬러 포스터 제작을 의뢰했다. 이들 포스터는 펑톈 시내에서 현지 주민의 시선을 끌었을 뿐만 아니라, 일본을 비롯하여 해외에도 발송되어 많은 시민이 봤다고 한다. 그중의 한 장이 〈그림 17〉의 〈동북 동포와 동아 민족이 일치 연락해 새로운 정치를 내걸고 각국의 문화를 받아들여 세계와 협화한다〉이다. 이 포스터에는 전단을 뿌리는 비행기가 그려져 있다. 비

17〉 자치지도부의 포스터 〈동북 동포와 동아 민족이 일치 연락
로운 정치를 내걸고 각국의 문화를 받아들여 세계와 협화한
931)

〈그림 18〉 자치지도부의 포스터 〈동북 민중의 낙원을 만들자〉
(1931)

행기에서 전단을 뿌리는 선전방법은 일본 국내에서는 박람회 개최 때 흔히 사용되었는데, 그것을 모방한 선전수단이었다. 1930년대 이후 만주 포스터에는 현지의 '근대성'을 과장하기 위해 비행기, 철도, 선박, 빌딩, 공장 등이 자주 등장한다.

또한 '평화'와 '협조'도 강조되는 테마의 하나였는데 그것을 표현하는 포스터가 〈그림 18〉의 〈동북 민중의 낙원을 만들자〉이다. 태양이 눈부시게 비치는 녹색 대지 위를 여러 민족이 손을 맞잡고 원을 그리며 춤추고 있는 구도이며 평화를 상징하는 비둘기도 그려져 있다. 아사히신문의 후지富士창고 사진을 통해 이들 포스터가 1932년 3월 1일 만주건국일 전후로 도쿄에서도 게시되었다는 것을 알 수 있다. 일본과 만주국 양국에서 홍보가 공시성共時性을 띠고 있다고 생각할 수 있는 현상의 하나이다.

또한 아사히신문 후지창고 사진이란 전쟁 전 이 신문의 특파원이나 기자가 아시아 각지에서 촬영한 사진 7만여 장의 컬렉션을 말한다. 종전 후 이 사진 컬렉션이 덴리天理도서관 등 각지를 전전하다가 마지막으로 후지운송주식회사의 창고에 보관되었기 때문에 이런 이름이 붙게 되었다. 최근 이 방대한 사진 컬렉션이 아사히신문 오사카 본사로 옮겨져 정리되었고 현재는 그중 1만 점을 도서관용 데이터베이스 『聞藏II비주얼』의 '아사히신문 역사사진 아카이브'로 열람할 수 있다(朝日新聞社「寫眞が語る戰爭」取材班, 2009年).

전단은 펑톈의 일본인 단체를 통해서도 만들어졌다. 만주사변 2개월 후, 펑톈의 일본인 단체가 관동군의 점령을 환영하는 '전만동포시위행진全滿邦人示威行列'을 진행하고 "정의의 출병"이나 "양민의 보호"라는 현수막을 내걸고 자동차 부대를 동원해 수많은 전단을 여기저기 뿌렸던 것을 신문연합사新聞聯合社의 사진으로 확인할 수 있다.

1932년 2월 자치지도부는 펑톈 시내에서 신국가건설촉진운동新國家建設促進運動을 진행하고 각 시설에서 건국촉진전만대회建國促進全滿大會를 개최하였는데, 그 당시에도 시내 각지에 많은 중국어 전단이 내걸렸다. 예를 들면, "왕도정치는 우리의 광명이다", "우리들의 이상향은 신국가"라는 정치적인 것, "자원개발은 행복의 개발", "이자가 낮으면 신용이 높다", "가래와 괭이를 사용해서 잠자는 (농)경지를 일깨우자"라는 경제적인 것, "개발 부의 원천은 우선 과학교육으로부터"라는 교육적인 것 등 그 내용은 실로 여러 가지였다.

한편, 상하이 등 대도시에서는 반만反滿, 반일본제국주의를 호소하는 중국 신문이 게시되면서 시민들에게 애국주의 감정을 불러일으켰다. 〈그림 19〉는 1929년 1월에 제작된 것으로, 신문의 '반일 특별호'로 배포된 전단의 사본이다. 일본의 대중국정책에 대해서 "전국민은 일치단결해서 일어나라! 정부 외교의 후원이 되라!"고 선동하고 있다. 이 도안은 일장기와 무기를 가진 일본군이 게다를 신고 일장기(?)를 옷 위에 걸친 사람을 호위하면서 "중국"이라 쓰인 문에 들어가려고 하는 모습을 그리고 있다. 아주 흥미로운 점은 수레에 실린 짐인데, "백환白丸", "금단金丹"(둘 다 마약중독 치료약), "하이룽잉海龍英"(헤로인), "마페이嗎啡"(모르핀), "열화劣貨"(불량품)라는 글자가 보인다는 것이다. 일본인이 중국에 반입하려 한 것이 약물이나 불량품이라는 것에 주의를 기울여야 한다. 이렇듯 일본, 중국, 만주국 각 나라의 포스터와 전단을 보면 거기에 '무기武力 없는 사상전'이 전개되고 있음이 여실히 드러난다.

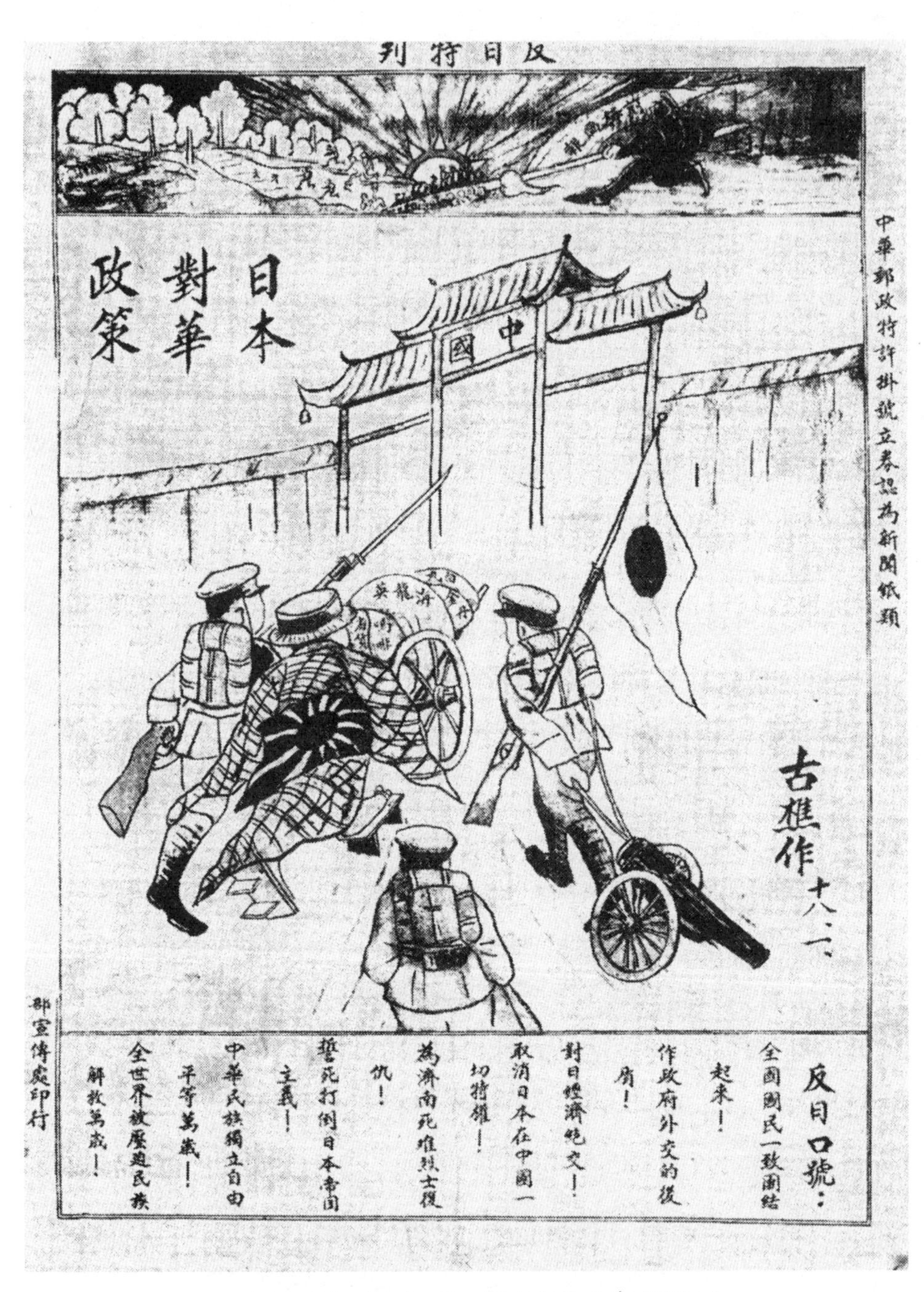


〈그림 19〉 반일(反日)을 호소하는 전단 〈일본의 대중국정책〉(복사)

## 리튼조사단

1932년 1월 국제연맹 이사회에서는 전년 9월 18일의 일본의 군사행동이 정당한 자위조치였는가를 검증하기 위해 국제연맹 일화분쟁 조사위원회國際聯盟日華紛爭調査委員會(통칭 리튼조사단)를 파견하기로 결정하였다. 단장인 영국인 리튼Victor A. Lytton이 2월에 일본을 방문하고 3월부터 2개월간은 중국에서, 4월부터 3개월간은 만주국에서 조사를 진행하였다. 만주국에서는 자정국資政局 홍법처弘法處를[2] 중심으로 리튼조사단을 환영하는 분위기가 연출되었다.

만철은 만주국에서 리튼조사단의 움직임을 꼼꼼하게 촬영하였다. 그 기록 뉴스인 〈만주의 리튼조사단〉의 한 장면에는(〈그림 20〉), 벽에 붙은 전단이 비춰진다. 기기에는 영어로 "동양으로부터의 여명, 제네바(국제연맹 본부 소재지)로부터의 평화", 중국어로 "평화의 사자使者 국제연맹조사단國連調査團을 환영합니다"라는 환영을 나타내는 영상이 지나가는데, 주의 깊게 보면 반일포스터를 떼어내는 장면도 찍혀 있다.

조사단이 만주를 방문하기 한 달 전인 3월 1일에 푸이를 집정으로 한 '입헌공화제立憲共和制'의 국가인 만주국이 성립했다(이 날은 '건국 기념일'로 정해졌다). 조사단이 도착했을 때는 예를 들면 창춘공안국長春公安局의 게시판이라고 했던 공식 게시판은 물론이고, 길가에도 환영을 나타내는 포스터와 전단이 나붙었다. 그중 한 장이 〈그림 21〉인데, 조사단이 펑톈에서 숙소로 이용했던 야

2 만주국 건국 초기 선전행정을 담당하기 위해 설치된 초보적인 선전기관이다. 홍법처에서는 왕도낙토, 오족협화로 대표되는 만주국 건국정신을 널리 보급하고 민심 안정에 주력하였다. 홍법처는 행정 개혁에 따라 자정국이 폐지되면서 해산되었다.

〈그림 20〉 벽에 붙은 리튼조사단을 환영하는 전단(만철 제작 기록뉴스 〈만주의 리튼조사단〉에서)

〈그림 21〉 리튼조사단 환영 포스터 〈만주국은 위원 여러분들께 감사하며 더 나은 지원을 바랍니다〉(1932)

마토호텔 입구 계단 아래에 붙어 있던 것이다. 이 포스터에는 만주국 깃발을 든 중국인이 "만주국은 위원 여러분께 감사하며 더 나은 지원을 바랍니다"라고 쓰여 있다. 앞의 기록뉴스에는 이 포스터 옆에 "만주국을 기억해 주세요"와 "갓 탄생한 신생국가가 성장해서 국제사회에서 승인받도록 도와주세요"라는 대형 영문 포스터가 붙어 있는 장면이 비춰진다. 이 포스터를 제작한 사람은 자정국 홍법처 직원이라고 추측할 수 있다.

리튼 일행의 조사는 약 5개월에 걸쳐 이루어졌는데, 조사활동 중에 관동군, 만주국 정부, 만철 조사과로부터 극진한 접대를 받았다. 10월 2일 조사단이 국제연맹에 제출한 상세한 보고서는 일본의 권리를 가능한 범위에서 존중하려 한 의도가 보인다. 그렇다고 하더라도 영국과 중국 등의 국제적인 여론을 무시할 수가 없어 보고서에는 만주국의 성립은 인정하지 않는다고 명기하였다. 주지하듯이, 1933년 2월에 이 보고서의 채택을 둘러싸고 개최된 국제연맹 총회에서 일본은 유일한 반대표를 던졌다. 전권대표인 마쓰오카 요스케松岡洋右(1880~1946)는[3] 총회에서 퇴장하고 그 3일 후에 국제연맹을 탈퇴한다는 일본의 통고가 연맹사무국에 제출되었다. 세계로부터 고립된 일본은 식민지 조선과 타이완, 조차지租借地 관동주關東州 등과 아울러 만주국과의 연대를 강화하지 않을 수 없는 상황에 내몰렸다.

〈그림 22〉는 관동군 사령관 무토 노부요시武藤信義(1866~1933)의[4] 명의로,

3 일본 외교관, 정치가. 만철 부총재를 역임했으며 일본의 국제연맹 탈퇴, 일독이 삼국동맹 체결, 일소중립조약 체결 등 제2차 세계대전 무렵 일본 외교 분야에서 중요한 역할을 하였다.

4 일본 군인. 만주국 건국 후 8월 관동군 사령관에 취임하여 만주국주재특명전권대사와 관동장관을 겸직하였다. 9월 일본이 만주국을 정식 승인하는 '일만의정서'에 만주국 국무총리대신 정샤오쉬와 함께 조인하였다. 이후 만주국 건국 초기 국내 치안 유지에 역할을 하였다.

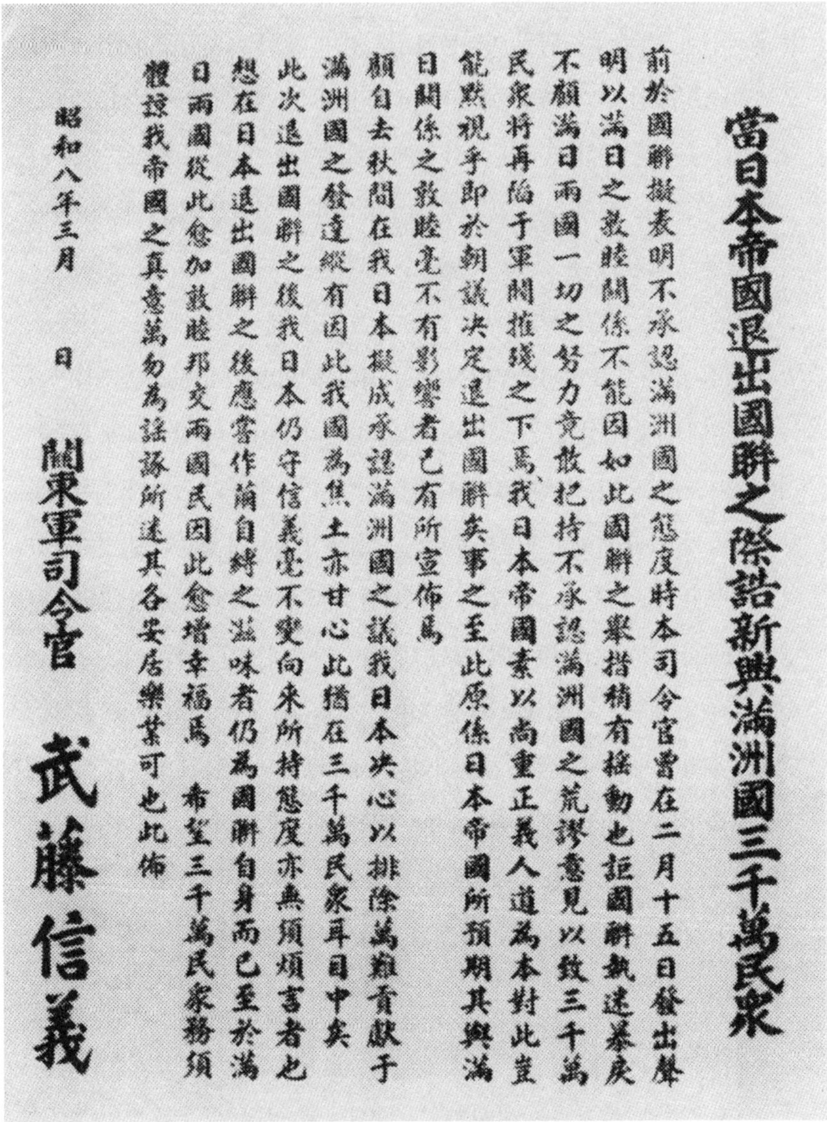

# 當日本帝國退出國聯之際誥新興滿洲國三千萬民衆

前於國聯擬表明不承認滿洲國之態度時本司令官曾在二月十五日發出聲明以滿日之敦睦關係不能因如此國聯之舉措稍有搖動也詎國聯執迷暴戾不顧滿日兩國一切之努力竟敢把持不承認滿洲國之荒謬意見以致三千萬民衆將再陷于軍閥摧殘之下焉我日本帝國素以尚重正義人道為本對此豈能默視乎即於朝議決定退出國聯矣事之至此原係日本帝國所預期其與滿日關係之敦睦毫不有影響者已有所宣佈焉

顧自去秋間在我日本擬成承認滿洲國之議我日本決心以排除萬難貢獻于滿洲國之發達縱有因此我國為焦土亦甘心此猶在三千萬民衆耳目中矣

此次退出國聯之後我日本仍守信義毫不變向來所持態度亦無須煩言者也

想在日本退出國聯之後應當作崩自縛之滋味者仍為國聯自身而已至於滿日兩國從此愈加敦睦邦交兩國民因此愈增幸福焉　希望三千萬民衆務須體諒我帝國之真意萬勿為謠言所惑其各安居樂業可也此佈

昭和八年三月　日

關東軍司令官　武藤信義

〈그림 22〉 무토 노부요시 명의의 통고(通告) 「일본 제국 국제연맹 탈퇴에 즈음하여 신흥 만주국 3천만 민중에게 고함(當日本帝國退出國聯之際誥新興滿洲國三千萬民衆)」

일본이 국제연맹을 탈퇴한 것을 만주국 3천만 민중에게 보고하는 고시로서 게시된 것이다.

여기에는 일본의 국제연맹 탈퇴는 만주국과의 관계를 보다 중시했기 때문이며 연맹을 탈퇴해도 지금까지의 만주와의 관계에 하등의 영향을 미치지 않으므로 '유언비어'에 속지 말고 안심하고 생활하기를 바란다고 쓰여 있다. 이후 일본과 만주국 양국 정부는 여러 가지 홍보와 선전을 이용해 만주국내 질서 회복에 매진하는 한편, 대외적으로는 만주국이 승인받을 수 있도록 노력하였다. 홍보의 역할은 국내외에 아주 중요한 의의를 가지는 일로 이해되었고, 여기에 많은 경비와 인력이 투입되었던 것이다.

## 건국 기념 이벤트

만주국 건국 선언 후, 3월 9일에 건국식과 푸이의 집정 취임식이 아울러 개최되었다. 집정이라 함은 행정의 수반이라는 의미로, 황제와는 근본적으로 달라 푸이는 이 지위가 마음에 들지 않았다.

당시 러허熱河작전 중이었기 때문에, 진신의 장병들을 배려해서 건국 기념식은 가능한 한 화려하지 않게 주의해서 진행되었다. 다음날 10일에는 만주국 정부 요인이 취임하고 창춘長春이 수도로 결정되었다(14일에 '신징'으로 개칭). 이 날부터 3일간이 건국 축하일로 정해졌다. 기념식은 문서, 그림을 활용한 선전, 단체선전, 기념선전, 오락선전, 특수선전 등의 방법으로 꾸며졌다. 〈그

〈그림 23〉 집정(執政)선언 기념 포스터 〈대만주국만세〉(1933)

림 23〉의 포스터에는 집정 푸이의 초상 아래에 '왕도입국王道立國'을 선언하는 '집정선언執政宣言'이 배치되었다. 이 포스터는 펑톈성공서奉天省公署 인쇄국에서 인쇄된 것인데, 실제 집정선언 때 게시된 것은 아니고 후술하는 1933년 2월 러허작전 때에 이용되었다는 것을 후지창고 사진을 통해 알 수 있다. 어떻든 3월 11일에는 만주국의 기본법인 '정부조직법政府組織法', '국무원관제國務院官制', '성공서관제省公署官制', '인권보장법人權保障法' 등이 발포되고 성省과 현縣에는 행정기구가 갖추어지고 16일에는 국도건설국國都建設局이 설치되었다(다음 해 봄에 제1기 공사 개시). 만주국 건국을 축하하고 / 축하하도록 하기 위해, 역시 많은 포스터와 전단이 제작, 게시되었다.

이리하여 만주국 중앙정부의 형태가 드러나기 시작했으나, 지역통치의 방식을 둘러싸고는 여전히 오리무중 상태였다. 이로 인해 현공서縣公署(현의 정부)와 자치지도부 사이에 분쟁이 일어났기 때문에 민간조직이었던 자치지도부는 해산 압박을 받았다. 그러나 자치지도부의 대웅봉회 계열 사람들은 국무원에 직속하는 자정국을 설치했고, 국장에 가사기 요시아키笠木良明, 총무처장에 사카타 슈이치, 홍법처장에 야기누마 다케오八木沼丈夫(1895~1944)가 취임했다. 그중에 홍법처가 '건국 및 시정施政 정신의 선전', '민력자양民力滋養 및 민심선도民心善導', '자치사상의 보급' 등의 홍보행정을 담당하였다. 이런 업무를 담당한 부서를 '홍법처', 즉 법을 널리 펼치는 곳으로 명명한 것은 종교인이 법을 선포한다는 의미를 고상하게 하려는 의도를 담은 가사기의 정신주의의 표현이었다(滿洲國史編纂刊行會, 1971). 야기누마는 후술하는 것처럼 그후 만철 직원이 되었다. 〈그림 24〉는 당시 자정국이 발행한 포스터인데, 이 도안은 그후 반복적으로 다양한 미디어 매체로 이용되었다. 예를 들면 팸플릿 『경축승인주년기념대회록慶祝承認周年紀念大會錄』의 표지와 그림엽서 등이다.

〈그림 24〉 만주국 자정국의 포스터 〈만주국〉(1932)

〈그림 25〉 왕자오밍(汪兆銘) 정권의 포스터 〈동포들이여! 오색국기
단결하자!〉(1940)

이 포스터의 구도에 대해서 말하자면, 1940년 왕자오밍汪兆銘(호는 징웨이精衛, 1883~1944)을[5] 수반으로 난징南京에 성립한 국민정부의 선전공작 때에 사용된 〈그림 25〉의 포스터 "동포들이여! 오색국기 아래 단결하자!"와 비교하면 디자인이 전용된 것을 한 눈에 알 수 있다. 말할 필요도 없이, 만주국 건국 때의 선전수단은 일본군이 화베이華北와 화중華中에 침공했을 때 실시한 선전, 선무공작에 계승되었다는 것이다. 이 점은 후술하는 러허작전 때에 이용된 선무방법과도 동일하다고 할 수 있다.

더구나 자정국은 후술하는 협화회와 직권상의 문제가 생겼고, 또 자정국과 민생부民生部 간에 내부적으로 업무가 중복돼 성립한 지 4개월도 지나지 않은 7월 5일에 폐지되고, 자정국 직원 전원과 현자치지도원縣自治指導員 32명이 퇴출되었다. 자정국을 대신해서 홍보정책을 담당했던 부서는 총무청(비서청秘書廳 신문반新聞班), 문교부文敎部였고, 그리고 협화회에서도 그 일부를 계승하였다. 또한 대외 홍보활동은 가와사키 도라오川崎寅雄(1890~1982)를 사장으로 한 외교부外交部 선화사宣化司가 전적으로 관리하게 되었다. 리튼조사단의 통역을 맡기도 했던 가와사키는 1933년 4월부터 34년 7월까지 총무청 정보처장도 겸임하였다.

5 중국 정치인. 청말 쑨원과 함께 중국동맹회를 결성한 혁명파의 일원이었다. 1925년 국민정부 수립 후 국민정부 당무위원회 주석 겸 군사위원회 주석, 선전부장 등의 요직을 맡았으나, 쑨원 사망 후 그의 지위는 급격히 하락하였고 줄곧 장제스와 대립하였다. 그 과정에서도 난징 국민정부에 가담하여 국민정부 위원, 행정원원장 겸 외교부장 등을 역임하였다. 중일전쟁시기 그는 일본과 평화조약을 맺고 전쟁을 중지해야 한다는 이른바 '화평운동'을 시작하였다. 결국 1940년 난징에 일본의 괴뢰정권인 난징정부(혹은 왕징웨이정권)를 수립하였다.

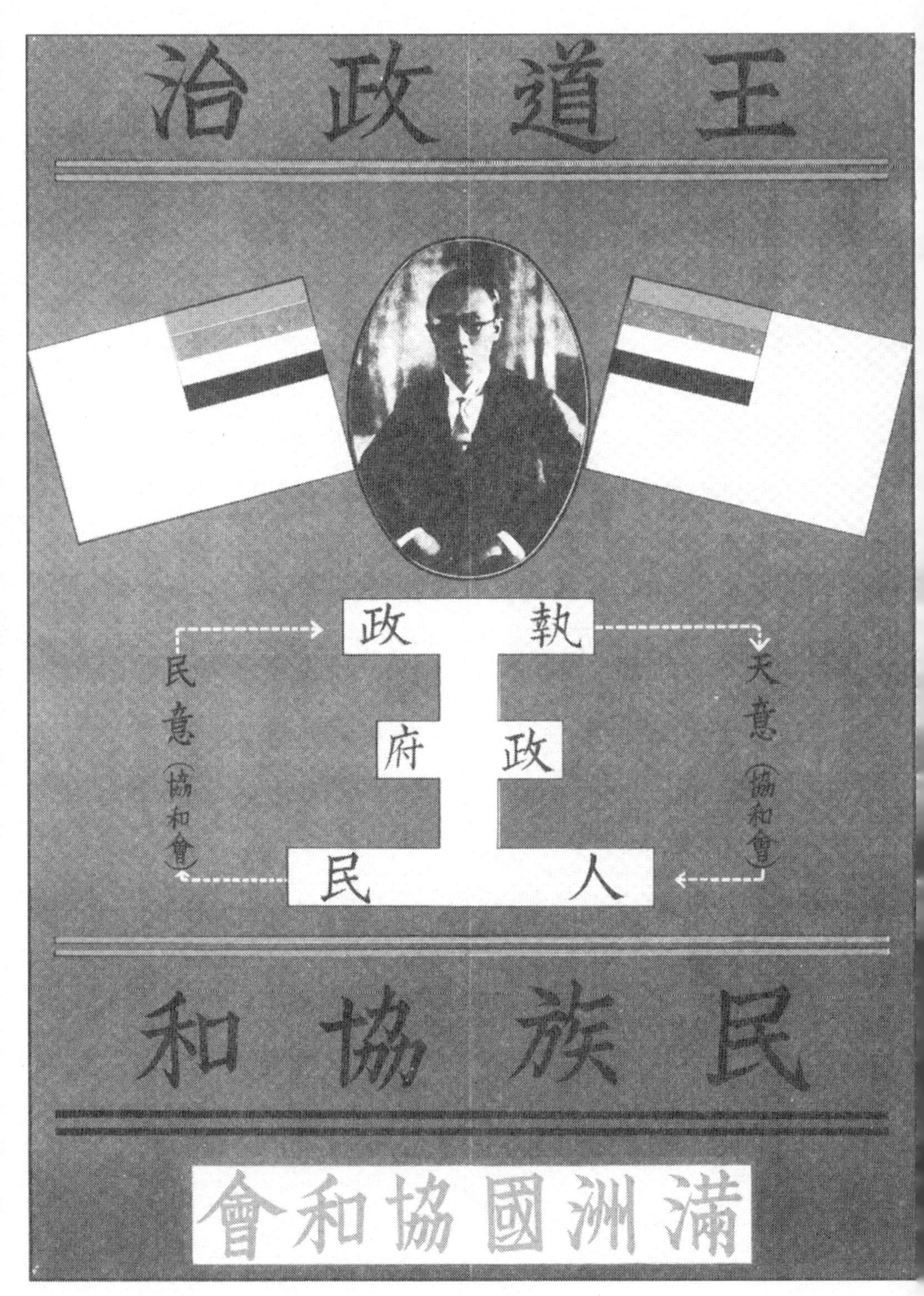


〈그림 26〉 즉위대전(卽位大典) 기념 포스터 〈왕도정치 민족협화〉(1934)

## 협화회의 성립

1932년 7월 자치지도부 출신자들인 만주청년연맹 계열 인물들은 새로 민간 교화단체인 협화회協和會를 발족했다. 협화회의 요직에는 명예총재에 집정 푸이, 명예고문에 혼죠 시게루 관동군 사령관, 회장에 정샤오쉬鄭孝胥 총리(1860~1938) 등 만주국의 쟁쟁한 인물들이 앉았다. 협화회와 정부의 협조관계가 형성된 것은 실제로는 1934년 8월, 협화회 중앙사무국의 집행부 멤버가 민간인에서 정부의 일본인日系 관리로 교체되고 나서부터였다. 〈그림 26〉의 협화회가 제작한 포스터에는 "왕도정치"와 "민족협화"의 로고 사이에 푸이의 초상을 두고 그 양옆에 만주국 국기를 배치하고 그 아래에 협화회의 역할을 그림으로 표시하고 있다. 이 디자인으로 푸이는 천의天意를 하달하고 인민은 협화회를 통해 집정에 민의民意를 전한다는 협화회 슬로건인 "선덕달정(宣德達情 : 上意下達・下意上達)"을 표현하였다.

〈그림 27〉은 그림엽서 세트 〈협화화편 제1집協和畵片第一輯〉의 봉투이다. 아마 1940년에 개최된 '경축 기원 2600년 흥아국민동원대회慶祝紀元二六〇〇年興亞國民動員大會'가 실시되는 것을 기념해서 배포된 것으로 보인다. 협화회 회원은 초록색 목단이 협화복을 입고 왼쪽 팔에는 협화회 완장을 차고 있다. 〈그림 28〉은 이 그림엽서 세트의 한 장(부분)으로, 협화회 조직이 전국에 흩어져 있었다는 것을 나타낸다. 오른쪽 아래에 있는 상자 안에 분회수 3,453, 회원수 1,288,016, 청년훈련대 137, 청소년단 110, 의용봉공대義勇奉公隊 65라고 기록되어 있다. 협화회는 행정조직은 아니지만, 만주국의 건국정신을 침투시키기 위해 전국적인 운동을 전개한 일대 교화기관이었다는 것을 이 그림엽서

〈그림 27〉 그림엽서 세트 〈협화화편 제1집〉의 봉투(1940)

〈그림 28〉 그림엽서 세트 〈협화화편 제1집〉 중 한 장 〈약진하는 만주제국 협화회의 전모〉의 부분(1940)

가 말해 준다.

다만 협화회는 개인으로 참가하는 것은 인정되지 않았고, 직업별, 직장별, 지역별, 종교별 사회집단이 그대로 참가하는 시스템을 취했다. 협화회의 활동 목표는 "건국정신을 준수하고 왕도를 주의로 하고 민족의 협화를 염원으로 삼아 이로써 우리나라의 기초를 공고히 하고 왕도정치의 선화宣化를 도모하려 한다"는 것에 있었다. 이런 목표를 위해 협화회는 '정신공작', '후생공작厚生工作', '선덕달정' 공작으로 나누어 활동하였다. 그 가운데 선무공작과 관계되는 것은 주민에게 건국정신 등을 이식하기 위한 정신공작과 중앙사무국 내의 조사실이 담당한 '선덕달정' 공작이었다. 구체적으로는 ① 좌담회나 강연회, 어학강습회의 개최, ② 라디오, 레코드, 동요, 가사의 이용, ③ 영화, 연극, 거리공연의 활용, ④ 신문, 잡지, 팸플릿, 민중계몽기사民衆讀物, 회화, 포스터, 선난 능의 이용, ⑤ 민중운동, 스포츠대회, 학예, 사교 등 다양한 교화 방법이 고안되었다. 협화회 홍보활동의 중추기관은 총무부의 홍보과였다.

협화회의 선무원은 토벌군에 종군하여 건국정신의 보급 선전에 나서거나 비적 토벌 직후 지방 유력자를 모아서 자치위원회나 자경단自警團 등을 조직하게 하는 등 지역의 치안 유지에 관여하였다. 이외에 협화회는 자정국 홍법처와 경합하면서도 일본 내에 만주국 승인 여론을 조성하기 위해 일본으로 회원을 파견하기도 하고 일만부인대회日滿婦人大會, 만주사변 1주년 기념 축하회滿洲事變一周年記念祝賀會, 만주국 승인 축하회滿洲國承認祝賀會 등의 행사에 회원을 동원하기도 했다(JACAR : C04011565100).

다만 이런 협화회의 활동은 만주 이외의 지역에서는 잘 수용되지 못했던 모양이다. 그래서 협화회는 특히 일본에서 대륙을 방문한 관광객이 그 조직을 이해하도록 하기 위해 대륙의 관문인 다롄에 사무소를 내기도 하고 국도 신징에 협화회관도 신설해 홍보활동의 거점을 만들어 만주를 방문한 사람들에게 호응을 얻고자 했다(자료⑥ 2-8).

## 보통우표의 발행

협화회가 발족한 3일 후인 7월 26일, 만주국에서는 최초로 보통우표가 발행되었다. 실제 만주국 건국 후에도 만철부속지를 제외한 만주국 내의 우편국은 모두 중화민국 우정의 관할 아래에 놓인 특수한 상황이 계속되었다. 만주국 교통부는 건국을 호소하기 위해 최초의 우표를 두 종류 발행하여 이 특수하고 기묘한 시스템을 해소시키기로 했다. 보통우표의 한 종류는 랴오양遼陽의 백탑, 또 한 종류는 집정 푸이의 초상이 디자인된 것으로, 모두 일본의 체신박물관에서 입안되었다. 중앙 백탑부의 풍경은 체신박물관 도안부의 요시다 유타카吉田豊가 디자인했고, 푸이의 초상은 사진을 이용했다. 우표 윤곽은 같은 도안부의 가소리 데이조加曽利鼎造가 그렸다. 가소리는 도쿄미술학교 도안과 출신으로, 전쟁 후 발행된 마에지마 히소카前島密(1835~1919)[6]를 모델로 한 1엔짜리 우표를 디자인한 사람이다. 인쇄는 도쿄의 내각인쇄국에서 오프셋offset 인쇄로 하였다(内藤, 2006).

오프셋 인쇄는 조각 오목판에 비해 인쇄물이 빈약하게 보이는 단점을 지닌

6 일본의 관료, 정치가. 일본 근대 우편제도 창설자 중 한 사람으로서 '우편제도의 아버지'로 불린다.

다. 그럼에도 이 인쇄방식을 채용했던 것은 이들 우표를 얼마나 급조하려 했던가를 증명해 준다. 이후 동종의 우표를 새롭게 조각 오목판으로 인쇄하기 위해 이소베 츄이치磯部忠一에게 원판 조각을 의뢰했다. 덧붙여 말하면, 만주국의 우표는 일본 초기의 우표와 같은 볼록판 인쇄도 그라비어 인쇄도 아니다. 어쨌든, 만주국 최초의 우표 제작 공정 모두가 실제로는 일본에서 진행되었다는 사실에 주목하고 싶다(자료⑩ 6-2).

그런데 난징 국민정부는 만주국을 독립국가로 인정하지 않았기 때문에, 새로 발행된 우표 등을 승인할 리도 없었다. 국민정부는 만주국 최초의 우표가 8월 1일에 발매된다는 것을 듣고 7월 24일에 만주국 우정 업무와 단교를 결정하고 만주국 내의 중화민국계 우편국 직원 전원에 대해서 우편국을 폐쇄하고 관내關內(만리장성 서쪽)로 이동하도록 강경한 지시를 내렸다. 다음날 25일, 많은 우편국 인원들은 그 지시에 따라 관내로 이동을 시작하였다. 만주국은 이 때문에 우정사업이 혼란에 빠지는 것은 위신이 서지 않는다며 26일부터 즉각 우정사업을 재개하였다.

## 러허작전과 『아사히신문』

만주국 건국 직후 국내 정세는 여전히 불안정했다. 1932년 관동군에 의해 펑톈성, 헤이룽장성, 랴오닝성의 반만세력은 제압되었으나, 탕위린湯玉麟(1871~1937)이 주석이던 러허성熱河省만이 남아 있었다.

1933년 2월 장쉐량張學良(1901~2001)이[7] 난징 국민정부의 군대와 함께 러허를 침공했기 때문에, 관동군 사령관 무토 노부요시는 여기에 대항하기 위해 러허작전의 실행을 결정하였다. 러허는 청조 왕공의 이궁인 피서산장避暑山莊과 건륭제乾隆帝 시기에 티베트와 서역西域을 정복한 기념으로 설치된 티베트식 보타종승묘普陀宗乘廟로 유명한 관광지였다. 동시에 러허는 만주, 중국, 내몽골이 교차하고 만리장성 이남 지역으로 통하는 교통의 요지였기 때문에 군사상 대단히 중요시되었다.

5월이 되자, 관동군 참모부장副長 오카무라 야스지岡村寧次(1884~1966)와 베이핑군사위원회 중장 슝빈熊斌(1894~1964) 간에 '당고정전협정塘沽停戰協定'이[8] 체결되었다. 이 협정에 따라 중국군은 옌칭延慶, 창핑昌平, 가오리잉高麗營, 순이順義, 퉁저우通州, 샹허香河, 바오디寶坻, 린팅커우林亭口, 닝허寧河, 루타이蘆台를 연결하는 선으로부터 서쪽으로 철수하고, 일본군은 장성長城 동쪽으로 후퇴하는 것이 결정되었다. 이리해서 양자 사이에 '비무장지대'가 설정되었다. 이 협정 체결 후 화베이의 정세는 일단 안정되었다.

관동군의 러허 침공에 동행했던 사람들이 아사히朝日신문사의 스태프였다.

---

7 중화민국 육군 1급 장교. 동북군벌 장쭤린의 장남인 그는 아버지 사후 이른바 역치(易幟)를 선언하고 장제스의 국민당으로 귀속하였다. 역치 후 동북변방군 총사령군에 취임하는 한편, 아버지 장쭤린의 측근이자 친일파들을 제거하고 권력을 장악하였다. 동시에 그는 둥베이대학을 설립하고 교육제도를 정비하는 등 동북지방의 근대화에 착수하였다. 훗날 그는 항일에 미온적이었던 장제스를 감금한 서안사변(1936)을 일으킴으로써 제2차 국공합작의 계기를 마련하기도 하였다.

8 1933년 5월 허베이성 탕구(塘沽)에서 일본군과 중국군 사이에 체결된 정전협정이다. 이 협정으로 인해 1931년 9월 류타오후사건으로 시작된 만주사변의 양국 간 군사적 충돌은 정지되었다. 그러나 중국 측은 일본군이 만주국 내로 철수하는 대신, 장성선 이남에 중국군이 주둔하지 않는 광범위한 비무장지대의 설정을 인정함으로써 사실상 일본의 괴뢰정권 만주국의 분리를 인정하게 되는 결과를 초래했다.

〈그림 29〉 진저우 성내에 붙은 포스터를 바라보는 군중(1933)

『아사히신문』은 현장사진을 비행기로 실어 보내 러허작전의 추이를 자세히 일본의 독자에게 전하였다. 또 종군촬영대도 동행하여 러허작전의 모습을 하나하나 기록 필름에 담았다. 이 영상은 만주국과 관동주, 일본의 영화관에서 상영되어 관객도 그것을 보면서 마치 자신이 전쟁터에 있는 것 같은 유사한 리얼리티를 느끼고 이들 뉴스에 흥분하였다.

그런데 2006년 무렵부터 전문가의 조사가 시작된 아사히신문 후지창고 사진을 통해 지금까지 제작 시기나 용도가 불분명했던 포스터와 전단의 용도가 일부 명확해지고 있다는 것은 이미 서술했다. 〈그림 29〉의 사진은 1932년 1월에 일본군이 진저우성을 점령한 후의 모습을 촬영한 것으로, 가옥의 벽에 붙은 4장 정도의 포스터를 바라보는 중국인이 찍혀 있다. 그 포스터 중 한 장이 〈그림 30〉으로, 거기에는 "일본 군대는 모두 양갓집 자제이다. 나라를 위해, 평화를 위해, 의무를 다하기 위해 병사가 된 그들은 불온분자에 대해서는 엄하지만 상인이나 일반인에게는 아주 의리 있고 인정이 많기 때문에 일본군을 환영하지 않는 곳이 없다"라고 쓰여 있다. 이러한 문구는 일본 군대에 대한 경계심을 완화하려 한 것이다. 또 〈화보 11〉에는 "귀여운 아이들아, 만주국의 착한 아이들아, 자 와요. 함께 손을 잡아요. 손잡고 노래하며 놀아요. 낙토의 만주국이여"라고 아이들을 그려 일본군과 사이좋게 지내기 쉽다는 것을 어필했다. 〈화보 11〉의 구석에는 "제6호"라고 쓰여 있어 이 포스터가 연작의 한 장이었다는 것을 알 수 있다. 함께 붙어 있던 다른 포스터는 펑톈성공서가 인쇄한 연화年畵[9] 형식의 것이며 이것도 일련 번호가 매겨져 있었다.

9 중국 민간 예술의 한 형식이다. 민가에서 주로 새해에 풍년, 건강 등의 복을 기원하기 위해 집 안이나 출입구에 붙여 놓는 그림이다. 일반적으로 그림의 색채는 선명하고 내용은 일상생활, 노동, 생산, 교육, 설화, 전설에 이르기까지 광범위하다.

〈그림 30〉 러허작전 포스터 〈일본 군대는 모두 양갓집 자제이다. 나라를 위해, 평화를 위해, 의무를 다하기 위해 병사가 된 그들은 불온분자에 대해서는 엄하지만 상인이나 일반인에게는 아주 의리 있고 인정이 많기 때문에 일본군을 환영하지 않는 곳이 없다.〉

〈그림 31〉 러허작전 포스터 〈도리(道理)의 옳고 그름을 아는 장병이라면, 만주국과 일본이 협력하여 손잡고 평화의 힘을 함께 유지해서 왕도낙토(王道樂土)를 만들도록 노력하자. 자신의 잘못을 깨닫지 못하는 악당은 마땅히 천벌로 토벌당해 피와 살이 이리저리 흩어져 죽어도 몸조차 누일 수 없다.〉

또 다른 사진에는 〈그림 31〉의 포스터가 찍혀 있다. 오른쪽에는 "도리道理의 옳고 그름을 아는 장병이라면, 만주국과 일본이 협력하여 손잡고 평화의 힘을 함께 유지해서 왕도낙토를 만들도록 노력하자"라고 했고, 왼쪽에는 "자신의 잘못을 깨닫지 못하는 악당은 마땅히 천벌로 토벌당해 피와 살이 이리저리 흩어져 죽어도 몸조차 누일 수 없다"는 섬뜩한 글이 쓰여 있다. 주목하고 싶은 것은 폭격을 가하고 있는 항공기이다. 특히 항공기가 비행하면서도 바퀴를 안으로 집어넣지 않는다는 점이다. 이것이 만주항공주식회사가 제작한 최신식 93식式 쌍발경폭격기雙發輕爆擊機였다. 이 기종은 운동성이 양호하고 가동률이 높았으나, 다른 나라의 폭격기와 비교하면 성능이 떨어졌다. 러허작전에서 이 정도 성능의 비행기로도 효과를 얻었던 것은 도리어 일본군을 착각에 빠지게 했다. 그 결과 이후 노몬한사건[10] 때 많은 항공기가 투입되어 조종사들의 희생이 커지고 말았다. 노몬한사건에서 항공기 조종사들의 희생은 전사 116, 행방불명 19, 부상자 65, 합계 200명이나 되었는데도 소련에서 반환된 전사자 유해는 55구밖에 되지 않았다고 한다(上甲, 2002).

그 외에도 후지창고 사진에는 러허성이 만주국의 일부이라는 것을 호소하는 "러허성 인민에게 경고한다警告熱河省人民"와 "일본군은 평화를 사랑하는 신의 병사神兵이다. 일본군은 도리를 아는 의로운 군대義軍이다"라는 전단, 러허성각민단연합회熱河省各民團連合會의 "러허성 인민은 마땅히 일치해서 일어나 탕(위린)과 같이 평화를 거스르는 악당을 타도하자" 등, 확인할 수 있는 것만

10 1939년 5월부터 9월에 걸쳐 관동군과 몽골, 소련군 사이에서 일어난 국경선 분쟁 사건이다. 일본과 소련이 대치하는 국면에서, 특히 만주국 성립 후에는 소련뿐만 아니라 몽골인민공화국과의 사이에서도 크고 작은 국경분쟁이 계속 발생하였다. 노몬한사건은 일련의 일소 국경분쟁 사건 중 최대 규모의 군사충돌이었다. 그 결과는 관동군의 참패로 끝났으나 일반에게는 그 진상이 철저히 숨겨졌다.

해도 30여 점의 전단이 찍혀 있다. 러허작전에서 일본군이 얼마나 대량의 포스터와 전단으로 선무宣撫활동을 진행하려 했는가를 알 수 있다. 대량 생산된 만큼 이들 포스터나 전단의 종이질은 대단히 나쁘고 디자인도 분명히 아마추어가 만든 것이었다.

이 러허작전 때 '선무'라는 말이 처음 정식으로 사용되었다. 관동군은 야기누마 다케오를 반장으로 한 '선무반'을 파견했다. 야기누마는 1932년 12월에 그가 작사하고 후지와라 요시에藤原義江(1898~1976)가 작곡해서 불렀던 〈토비행討匪行〉으로 유명하다. 이 노래는 1933년 2월 빅터Victor에서 SP판이 발매되어 인기를 끌었다. 야기누마는 러허작전에서의 경험을 토대로, 다음과 같이 가사를 다듬었다고 한다.

> ① 끝없이 이어지는 진흙탕 이틀 밤 사흘 밤낮을 먹지도 못하고 비바람 몰아치는 철모 비바람 몰아치는 철모
>
> ② 울음 소리도 끊어져 쓰러진 말의 갈기를 유품이라 지금은 헤어지고 말았네 유품이라 지금은 헤어지고 말았네
>
> ③ 발굽 자리에 어지러이 피는 국화 이슬 맺히고 벌레 소리 해 저문 하늘 벌레소리 해 저문 하늘
>
> ④ 이미 담배는 떨어지고 믿었던 성냥마저도 비에 젖고 굶주린 밤 추위 굶주린 밤 추위
>
> (…중략…)
>
> ⑭ 적의 유해에 꽃을 바치고 공손히 싱안링이여 이제 안녕 싱안링이여 이제 안녕

①번부터 ④번의 염세적인 가사가 전선에 있는 장병뿐만 아니라, 그들을

〈그림 32〉『만주그래프』 광고 포스터 〈만주그래프 알아라 만주의 실상을!〉

보낸 가족의 마음에 울려 퍼졌고, 적군에 대한 동정이 담긴 ⑭번 가사가 이 군가에 깊은 심정을 느끼게 해서 〈토비행〉은 크게 인기몰이를 했다. 이 인기몰이 덕분에 1939년 폴리도르Polydor사가 사카모토 슈자부로坂本修三郞 작사, 미카이 미노루三界稔 작곡, 쇼지 다로東海林太郞 노래로 〈신토비행〉을 발매했으나 이 노래는 그다지 인기를 끌지 못하였다.

야기누마가 선무공작에 관여하기까지의 경력은 다음과 같다. 그는 1928년에 만주일일신문사의 하얼빈 지점장에서 만철 총재실 홍보과의 촉탁이 되고 사원회의 기관지 『협화協和』의 편집장을 맡았다. 야기누마의 공적 중 하나는 이해 7월, 사진가 후치카미 하쿠요淵上白陽(1889~1960)를 만철에 영입했던 것이다. 잘 알려진 것처럼, 후치카미는 만철 정보계 촉탁이 되어 〈그림 32〉의 포스터에 있는 그라비어지 『만주그래프』를 발행하기도 하고 사진전을 개최하기도 하여 만주 사진계에서 선도적 역할을 했다. 만주국 건국 후 야기누마가 자정국 홍법처장이 된 것은 이미 서술한 바이고 자정국이 해산되면서 관동군으로 이적했던 것이다(西原, 2006).

선무관이라는 호칭은 야기누마의 제안이었다고 한다. 그는 "대일본군 선무관이라 함은 대일본군에 대한 선무관이라는 의미이기도 할 것이다. 우리는 중국인을 선도하기 이전에 중국인에게 난폭하게 행동하는 일본 군인을 우선 교육하지 않으면 안 된다"라고 말했고 선무관은 현지 사람들과 우호관계를 쌓는 데 힘써야 한다고 훈시하였다. 조금 전에 본 전단의 도안은 선무에 대한 야기누마의 이런 정신이 반영되어 그려졌던 것으로 보인다.

러허작전이 종료되자 야기누마는 펑톈의 철로총국에서 철도 보호를 호소하는 '애로운동愛路運動'에 관여하였다. 이때의 경험을 토대로 1937년에 야기누마가 작사한 〈청년 몽고의 노래〉는 관동군 신문반의 알선으로 야마다 고사쿠가 곡을 붙여서 (일본)컬럼비아 레코드사에서 발매되었다(자료③ 1937.5.18). 또 야기누마, 야마다 두 사람이 만든 〈무기 없는 전사의 노래〉는 1939년 8월 도쿄와 베이징에서 같은 날 방송되었지만 크게 인기를 끌지는 못했다.

## '9월 18일'의 신화

1932년 9월 15일 일본이 만주국을 승인하고 양국의 외교관계 수립을 나타내는 '일만의정서日滿議定書'가 체결되었고, 이후 이날은 '승인기념일'이 되었다. 이때 만주국 협화회가 작성한 포스터 중 한 장이 〈화보 3〉의 〈동덕동심同德同心, 공존공영共存共榮〉이다. 아침 노을처럼 희망을 느끼게 하는 배경에 '중국인滿人'과 일본인 아이가 손잡고 어깨동무하여 우정을 나타내고 있다. 멀리 보이는 것은 독일, 이탈리아, 스페인, 중미의 엘살바도르 국기이다. 당시 이 나라들은 모두 만주국을 승인했다. 이후 세계 20개국이 만주국을 승인하였는데, 국제연맹 가입국이 50개도 되지 않는 시대였기 때문에 결코 적은 수는 아니었다. 국기 오른쪽에는 공장과 빌딩이라는 '근대성'을 상징하는 그림자가 배치되어 있다. 희망과 근대를 토대로 한 우애, 그것을 축복하는 각 나라라는 이미지를 읽을 수 있다.

승인기념일 사흘 후에는 만주사변 1주년을 기념하는 이벤트가 개최되었다. 매년 만주사변 기념일(9·18기념일)은 각지 위령탑의 추계 초혼제秋季招魂祭에 해당되기도 하였다. 이에 전쟁에서 사망한 일본인 장병을 '위령하는 날'로 자리매김되어 대륙 '침략'이라는 논리는 티끌만큼도 보이지 않았다.

필자는 조사를 통해 대일본독립수비대 사령부가 만주사변을 기념하기 위해 작성한 전단은 "독선품獨宣品"이라는 단어와 일련 번호가 기록되어 있다는 것을 알 수 있었다. 1932년부터 1933년 사이에 작성된 것을 〈표 3〉으로 정리했는데, 독선품 제10, 16, 18, 31호의 전단에서는 만주국에 귀순할 것을 요청하고 있고 제11호의 전단은 국민당 지배지역과 비교해 만주국을 예찬하고 있다. 또 만주사변의 '의의'를 환기하는 것이 제18, 19, 24호의 전단이며 생명선 사수를 강조하는 것이 제25호부터 제28호까지의 전단이다.

〈표 3〉 **대일본독립수비대 사령부**(大日本獨立守備隊司令部)**가 작성한 전단**(1932~1933)

| 명칭 | 작성연월일 | 종 | 횡 | 비고 |
|---|---|---|---|---|
| 진정으로 귀순하자 | 1932 | 192 | 133 | 독선품 제10호 |
| 천국과 지옥 / 비무장지대 | | 790 | 550 | 독선품 제11호 |
| 현상(금)! 현상(금)! | 1932 | 264 | 178 | 독선품 제15호 |
| 국기 찬양/ 국기는 국가를 대표하는 표식이다 국기 게양이 바로 그 표현이다 | 1932 | 273 | 383 | 독선품 제16호 |
| 양민에게 알립니다! | 1932 | 190 | 133 | 독선품 제18호 |
| 9・18, 1주년 기념가 | 1932.9.18 | 256 | 174 | 독선품 제19호 |
| 9・18, 2주년 기념가 | 1933.9.18 | 256 | 174 | 독선품 제20호 |
| 만주국 승인 1주년 기념 | 1933.9.15 | 383 | 535 | 독선품 제21호 |
| 잊지 마라 류탸오거우(柳條溝)의 일발(一發) | 1933 | 65 | 191 | 독선품 제24호 |
| 정신 차리고 분발하자 지금부터다 | 1933 | 65 | 92 | 독선품 제25호 |
| 희생 장병을 개죽음으로 만들지 말라 | 1933 | 65 | 190 | 독선품 제26호 |
| 지켜라 우리의 생명선을 | 1933 | 68 | 190 | 독선품 제27호 |
| 동포의 두 어깨에 있으니 분기하라 자중하라 | 1933 | 87 | 191 | 독선품 제28호 |
| 만주국에는 결코 군벌의 가혹함이 없다 당신들이 생산한 모든 것은 당신들의 것이다 / 동요 〈노동〉(원작 치(琦), 그림 쯔(滋)) | 1933 | - | - | 독선품 제31호 |
| 양민 친구들에게 알립니다! | 1933 | 198 | 129 | 번호 불명 |
| 철도를 애호하자 | 1933 | | | 번호 불명 |
| 권고 | 1933 | 133 | 190 | 번호 불명 |

출전 : 유세이 만남의 집(祐生出會の館)(돗토리현) 소장 전단에 의거.
사이즈의 단위는 밀리미터.

이들 전단 중에 독선품 제20호 전단이 〈그림 33〉의 '9·18, 2주년 기념가'라는 제목이 붙은 것이다. 돗토리현 사이하쿠西伯군 난부초南部町에 있는 유세이 만남의 집[11]에서 소장하고 있는 이 전단에는 간단한 쪽지가 붙어 있다. 거기에는 "1933년 9월 18일, 오전 9시 50분에 베이다잉北大營 상공에서 떨어진 삐라"라고 쓰여져 있어 실제로 비행기에서 마구 뿌려졌다는 것을 알 수 있다. 〈9·18, 2주년 기념가〉가 어느 정도 불렸는지는 알 방법이 없지만 어찌 되었든, 그 논점은 만주사변은 우방 일본이 동북 인민을 동북 군벌의 고통으로부터 구제해 준 날이라는 것을 호소하는 내용이라는 것은 확인해 두려고 한다.

〈그림 33〉의 전단에 시사된 것처럼, 만주국의 '9월 18일' 신화는 일본군 = 해방자라는 내러티브를 만들어내기 위한 주장이었다. 이를 명확히 하기 위해 또 한 장의 포스터, 협화회가 작성한 〈화보 2〉를 보자. 이것은 다음 여섯 부분으로 '9월 18일' 신화의 의미를 결정짓고 있다.

一. 구군벌의 악정 아래 민중은 괴로워하고 있다.

二. 일본군은 정의의 총포로 극악한 군벌을 몰아냈다.

三. 일본군은 우리에게 대단히 자비롭다.

四. 만주 건국 이후 왕도의 광명이 대지를 비추고 있다.

五. 우리는 충령탑에 성심으로 감사해야 한다.

六. 9·18사변 기념일에는 집집마다 국기를 내걸고 순국 장병을 위로한다.

---

11 전직 교사였던 이타 유세이(板祐生, 1889~1956)가 생애에 걸쳐 수집한 자료를 소장하고 있는 전시관이다. 만주국 자료를 비롯하여 그림엽서 5천 점, 포스터 1,400점 등을 소장하고 있다.

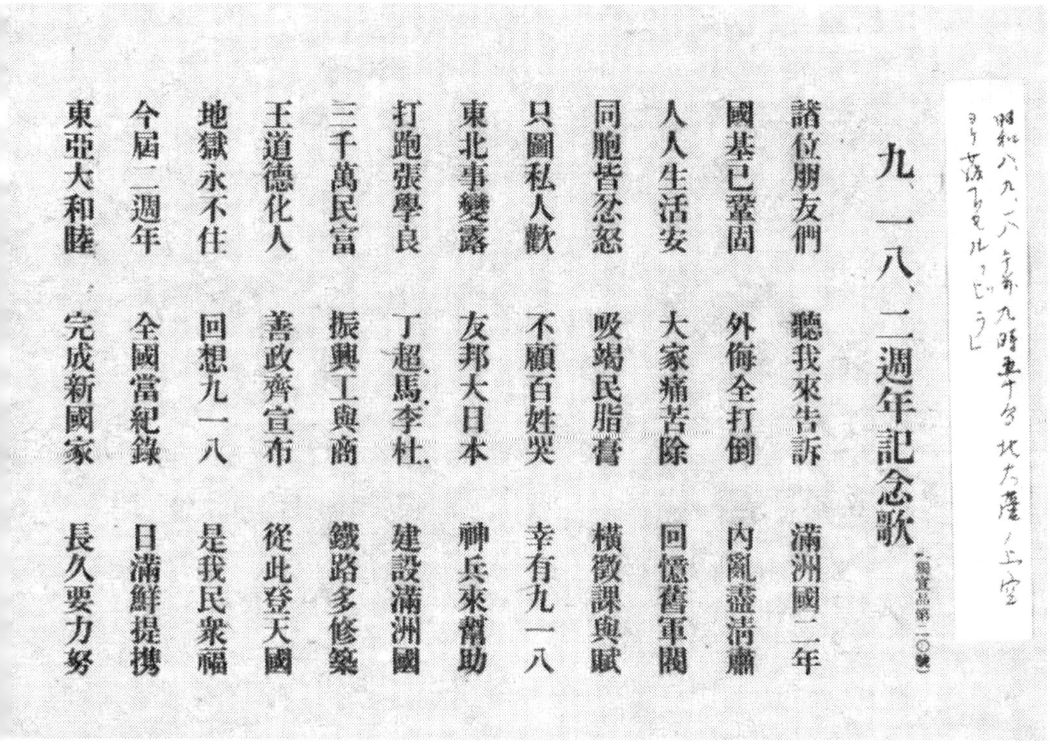

昭和八、九、一八午前九時五十分北大營ノ上空ヨリ落下セルビラ

# 九、一八、二週年記念歌

(獨宣品第二〇號)

諸位朋友們 聽我來告訴 滿洲國二年
國基已鞏固 外侮全打倒 內亂盡淸肅
人人生活安 大家痛苦除 回憶舊軍閥
同胞皆忿怒 吸竭民脂膏 橫徵課與賦
只圖私人歡 不顧百姓哭 幸有九一八
東北事變露 友邦大日本 神兵來幫助
打跑張學良 丁超、馬、李、杜、 建設滿洲國
三千萬民富 振興工與商 鐵路多修築
王道德化人 善政齊宣布 從此登天國
地獄永不住 回想九一八 是我民衆福
今屆二週年 全國當紀錄 日滿鮮提携
東亞大和睦 完成新國家 長久要力努

〈그림 33〉 만주사변을 기념하는 전단 〈9 · 18, 2주년 기념가(독선품 제20호)〉(1933.9.18)

1932년 후반부터 다음 해 전반기에 걸쳐 이런 전단을 이용해 만주국 승인을 축하하는 이벤트와 만주사변을 기념하는 이벤트가 잇따라 개최되었다.

국도 신징에서는 10월 8일, 경축기념대회 중앙위원회(위원장 장옌칭張燕卿(1898~1951) 협화회 이사장)가 기념 표어와 경축 전단을 작성하도록 하여 시내 각지에 게시하였다. 신징은 마치 일본과 만주국 양국의 국기와 경축 기념 포스터로 모조리 채워진 느낌이었다고 한다. 오전 11시부터 경축 깃발 행진이 진행되고 만주국 측은 일반 시민도 포함해서 2만 2천 3백 명, 일본인은 각 학교 학생 2천 명이 참가했다. 오후 3시에는 서공원 육상운동장과 창춘 부속지 고등여학교 강당 등에서 경축연이 개최되었다. 푸순에서는 중국어로 35종의 전단이 제작되었다. 예를 들면 "일본의 만주국 승인은 역사적인 새로운 시대를 연다", "모든 악랄한 군대와 군벌을 타도하고 국내 전 지역을 숙청하자", "이제부터 왕도에 의한 인仁의 정치가 시작된다"라는 내용이었다(中央委員會, 1932).

펑톈에서는 11월 15일에 진행된 대규모 기념 행진을 동아사국연구회東亞事局研究會의 회원이 목격하였다. 조금 길지만 인용하고 싶다.

> 이러한 대규모 시위와 함께 가장 필자의 눈길을 끈 것은 성 안팎을 불문하고 펑톈의 모든 시가지, 모든 노상에 있는 전신주, 벽, 담벼락에는 덕지덕지 붙여진 선전 포스터가 많다는 것이다. "증병단행(增兵斷行)", "지나응징(支那膺懲)", "정의는 승리한다", "20만 동포를 죽게 내버려 두는가?"의 포스터는 대체로 나니와(浪速) 거리, 지요다(千代田) 대로에 붙여진 선전문구이다. 가스가초(春日町), 고토히라초(琴平町), 하치만초(八幡町)와 같은 골목, 뒷골목에 붙여진 선전문구는 대체로 이해하기 쉽게 친근한 문구로, "요시자와 씨(이누카이 쓰요시(犬養毅) 내각의 외무대신 요시자와 겐키치(芳澤謙吉)를 말함), 꼭 좀 부탁합니다", "이성을 잃은 브

리앙 씨(프랑스의 외무대신 A. Briand을 가리킨다)" 등의 포스터뿐이다. 대규모 시위는 10시부터 시작되어 모든 거리, 모든 대로에서 대오를 지어 행진했다. (…중략…) 지휘자의 선창에 따라 일제히 표어를 외친다. "증병을 단행하라", "만몽의 천지를 지켜라", "연맹의 미몽을 깨워라"는 외침이 끝나면, 천황폐하 만세, 관동군 사령관 만세를 한쪽에서 외치면 따라서 외치고 차례차례 나아간다. (…중략…) 구경하는 군중 속에 보이는 많은 영국인, 러시아인도 손에 손에 일장기를 들고 만세를 따라서 외친다. 긴 깃발을 앞세운 중국인 행진대가 다가온다. 손에 손에 일장기를 들고 〈아시아의 빛 일본〉을 노래하고 있다. 조선인 한 무리가 다가온다. 여자도 있고 아이도 있다. 갓난아이를 업은 부녀자도 있다. 힘은 없으면서도 열심히 일장기를 흔들고 있다.

이것을 쓴 회원은 전체 인원이 1만 5천 명 규모의 시위였다고 기록하고 있다(東亞事局硏究會, 1933). 이 인용문은 몇 가지 점을 시사하고 있다. 첫째는 포스터와 전단은 게시하는 장소에 따라 내용을 바꾼다는 교묘함이 있다는 점이다. 현재 남아 있는 전단과는 다른 종류의 '친근한 문구'로 된 선전 삐라의 존재를 확인할 수 있다. 둘째는 시위 진행을 이끌고 있던 지휘자의 존재에 따라 시위가 분명히 누군가의 손으로 조직되고 있었다는 점이다. 게다가 중국인뿐만 아니라, 조선인과 백계 러시아인을 포함한 이주자도 동원되었다고 쓰여 있다. 마지막으로 만주국기가 아니라 일장기를 흔들고 일본 노래를 부르고 있는 모습에서 시위 조직자는 일본인이라는 것이다. 결국 만주국 승인일, 만주사변 기념일을 축하하는 이벤트를 기획한 사람은 재만 일본인이었다는 점이다.

사실 만주사변 기념일 축하 이벤트는 일본에서도 개최되었다. 육군성 조사반은 팸플릿 『만주사변 발발 만 1년』을 36,100부, 포스터 11,650매, 그림엽서

〈그림 34〉 **만주사변 기념 포스터 〈9월 18일－만주사변 발발 만 1년〉**(1932)

86,000매를 제작하고 근위사단, 육군 제1사단부터 제20사단, 조선, 타이완, 관동주, 중화민국 등 내외에 송부할 계획을 세웠다. 조사반에 따르면, 팸플릿은 육군성 구내에 있던 고바야시 마타시치 상점 인쇄소에서, 포스터와 그림엽서는 지치산 상회(ジーチーサン商會, 도쿄시 쓰키지 1가 18번지)에서 조회할 것, 남은 인쇄물의 일반 시장 전매轉賣 금지 등이 통보되었다(JACAR : C04011379900).

이 당시 포스터 중 한 장이 〈그림 34〉 〈9월 18일－만주사변 발발 만 1년〉이다. 작가는 〈눈 먼 에로셴코Eroshenko〉로 유명한 쓰루다 고로鶴田吾郎(1890～1969)이다. 쓰루다는 전쟁 화가로서 매년 만주사변 기념일과 3월 10일(러일전쟁 당시 일본이 펑톈전투에서 승리한 날)의 육군 기념일 포스터를 그렸다. 게다가 쓰루다는 1942년에 육군성 파견화가로서 타이완, 남양南洋을 다녀와서 도쿄 국립 근대미술관에 소장되어 있는 〈지원병에게 작별을 고하는 타이완인〉, 〈신의 병사神兵 팔렘방에 내려가다〉 등 많은 작품을 남겼다.

이해부터 매년 일본 내지에서는 일만문화협회日滿文化協會가 주최하는 만주사변 기념 이벤트가 개최되고 축하연과 강연회가 열렸다. 일만문화협회는 1933년에 창설된 일본과 만주국 사이의 문화교류를 촉진시키는 민간단체로, 초창기에는 교토대학 교수였던 나이토 고난內藤湖南(1866～1934)[12] 이 상임이사였다.

12 일본 역사학자이자 한학자. 일본 근대 동양 학술계를 이끈 교도학파의 대표 인물이다. 일찍이 『오사카 아사히신문』, 『타이완일보』 등에서 저널리스트로 활동한 경력을 가지고 있으며 1907년부터 교토대학의 초빙을 받았다. 이후 『지나론(支那論)』(1914), 『신지나론(新支那論)』(1924) 등을 통해 당시 위기에 처한 중국을 폄하하였고 동양문화의 중심이 중국에서 일본으로 이동하였음을 피력하기도 했다. 또한 중국 당, 송왕조 간의 질적 변화상에 주목하여 이 시기를 변혁기로 규정한 '당송변혁론'을 주장하였고 이와 관련하여 중국사 시기구분론에서도 '송 이후 근세설'을 제창함으로써 현재까지도 동양 학술계에 지대한 영향을 미치고 있다.

만주국과 일본에서 전개된 이런 '9월 18일' 신화와 정면으로 대립하는 것이 국민정부 측의 인식이었다. 1932년 9월 28일에 국민정부 중앙집행위원장 가오얼쉬高而盧의 명의로 뿌려진 포고가 있는데, 중국어와 한글을 병기해서 작성한 것이었다. 그것을 일본어로 번역하기 위한 메모가 펜을 사용해서 가타카나로 쓰여 있다. 이 포고의 글자에서 추측할 수 있는 것은 조선 국경 연안인 간도에서 입수되지 않았을까 하는 것이다. 그 일부는 다음과 같은 내용이다.

> 일본 제국주의는 자신의 번견(番犬)같은 군대를 파견해서 만몽(滿蒙)을 강점한 후 동성(東省)을 탈환하고 세계평화를 유지하려 하는 자위군을 진압하기 위해 악랄한 수단과 정책으로 중국인 몇몇 한간(漢奸)을 매수해서 주구기관 만주국을 조직하고, 만주국 군대를 선봉으로 자위군을 토벌할 의도로 약소 민족 해방운동의 장래 형세와 그 사명을 달성할 수 있는 중한(中韓)합작운동이 날로 강경해지는 것을 분산 파괴시키려 하고, 간악한 왜적(倭敵)은 중한 양 민족의 민족적 감정을 불러 일으키려 하고 있고, 조선인 주구를 매수해서 밀정과 암살대를 조직하고 이로써 혁명운동의 내부를 정탐하고 중국인, 조선인 혁명가를 암살하려고 발악하며 (…후략…)

국민정부의 입장에서 보면 일본이 '해방군'이라는 것은 터무니없는 말로, 오히려 일본인은 군사력으로 동삼성東三省을 점령한 '제국주의자'이며 매수한 중국인들을 앞잡이로 삼아 만주국을 만들고 매수한 조선인을 앞잡이로 삼아 중한합작의 혁명운동을 파괴하려 하는, 그야말로 '악랄한 수단과 정책'을 실행하는 적으로 규탄했던 것이다. 여기에서도 포스터와 삐라를 이용한 '무기 없는 전쟁'이 전개되고 있었다.

# 제4장
# '건국 1주년'을 둘러싼 공방

## 국무원 총무청 정보처의 성립

1933년 2월 만주국 정부는 홍보기구를 강화하기 위해 총무청 장관 직속기관으로 새로이 정보처(후에 홍보처로 개칭)를 설치하였다. 원래 선화사宣化司의 장이었던 가와사키 도라오가 초대 처장으로 취임했고, 1934년에는 제2대 처장 미야와키 조지宮脇襄二(1889~?)로 교체되었다. 미야와키는 1937년에 정보처장에서 국통國通 도쿄지사장으로 전임하고 그후 만주홍보협회의 이사理事가 되었다. 정보처는 '선전의 계획 및 실시', '정부 부서 내 선선의 연락 통제', '민간 선전단체의 감독 관리'의 업무를 맡았고, 대외 정보선전정책은 외교부 선화사가 담당하게 되었다.

정보처에는 총무과, 계획과, 정보과 세 과가 있었다. 총무과장에는 마쓰자와 미쓰시게松澤光茂가 취임했는데 그는 1935년에 계획과장이 된다. 계획과는 서무회계, 선전계획, 정부 부서 안팎의 선전연락 통제 및 만주, 몽골, 러시아, 조선 등 각 민족에 대한 선전계발을 담당했다. 또 정보과는 신문반, 영화사진반, 조사반, 자료편찬반으로 나뉘어 신문, 잡지, 영화, 라디오, 뉴스 등의 수집과 제작에 관여하고 주민을 대상으로 홍보활동을 진행하였다.

정보처에는 대략 중국인 4명과 조선인 1명의 번역요원이 있었다. 저장浙江성 사오싱紹興현 출신의 야오런姚任(1900～?)은 와세다早稻田대학 정치경제학과를 졸업한 후, 베이징 정부 재정부 비서, 상하이 동방통신사, 일본 신문연합사 기자 등을 거쳐 만주국 건국 후에는 외교부 선화사 문화과에서 자리를 옮겨 정보처 정보과 과장이 되었다. 이후 같은 과 이사관, 국통 이사를 거쳐 1936년 4월에 성립한 만주홍보협회의 상무이사가 되었다.

정샤오쉬 둘째 며느리의 남동생인 천청한陳承瀚(1897～?)은 푸젠福建 출신이고 궁내부宮內府에서 푸이에게 영어를 가르친 일도 있어서 정보과와 총무과의 업무를 맡게 되었다. 후술하듯이 천청한은 1938년 홍보처 정보과에서 '만계滿系 정보사무'를 시작하자 그곳의 책임자가 되었다.

안후이安徽성 우후蕪湖시 출신의 둥짜이화董再華는 일본어와 프랑스어가 가능하였다. 그는 1934년에 정보처에 들어가 1937년에는 사무관으로 승진하여 『성정휘람省政彙覽』 번역 등을 맡았는데 얼마 안 가서 귀향하였다. 산둥山東성 출신 리신옌李心炎은 1935년에 정보처에 들어가 정보처가 홍보처로 개조된 1937년부터 1939년까지 홍보처 선전과 신문반에서 신문 사설 번역 책임자를 맡았고 1940년에는 국통 편집국 조사부 차장으로 전임하였다. 첸환칭錢寰淸은 1933년 정보처에 들어왔다는 것밖에는 알려진 게 없다. 최삼풍崔三豊은 조선인으로, 1935년 정보처에 들어가 1937년에는 개척총국開拓總局으로 자리를 옮겼다. 이들이 정보처에서 일한 시간은 2～3년에 지나지 않았다.

정보처는 영화 제작에도 관여하였다. 기록영화 〈밝아 오는 서부 만주〉는 싱안베이성興安北省 정부 및 다카나미 유지高波祐治(1881~1953) 육군 소장의 협력을 받아 쇼치구松竹영화주식회사가[1] 3주에 걸쳐 촬영한 것이다. 시사회는 도쿄의 공사관에서 열렸고 만주국 내에서는 협화회 등의 영사반이 순회 상영하였다(자료② 建國-大同).

## 기념 포스터의 발행

정보처 최초의 중요 사업은 1933년 3월 1일로 예정된 건국기념식이었다. 이 기념식은 건국주년기념 중앙위원회(위원장 정샤오쉬)가 주최한 것으로 민정부 앞 광장에서 국가 연주, 국기게양 및 국기경례를 비롯한 축하행사를 개최하고 오전 11시부터 깃발 행진을 하였다. 당시 19,330명(그중 일반 시민은 1만 명)이 참가하였다.

중앙위원회는 이날 기념식을 위해 포스터 36종 345,000매, 전단 723종 103만 매, 국기를 그린 작은 깃발 50만 매, 작문 23종, 시 27종, 의견서 15종, 유행가 27종이라는 방대한 양의 홍보매체를 제작하여 전국에 배포하였다. 특히 아직 치안이 불안한 러허성에는 교화 목적으로 포스터 10만 매, 전단 10만

1 일본의 영화회사. 1895년 가부키 공연을 목적으로 창업하여 1920년 '쇼치쿠 키네마'를 설립하면서 영화제작에 착수했다. 도호(東寶), 다이에이(大映)와 함께 전시 국책 영화 제작에 적극 가담하였고, 일본 국내뿐만 아니라 만주, 조선에서도 영화 제작, 배급에 있어 큰 영향력을 가졌다.

매를 추가로 보냈다. 이들 홍보매체의 디자인이나 작문은 현상 공모한 응모 자품에서부터 관동군 제4과, 외교부, 군정부, 총무청, 신징 일일신문사, 대동보사大同報社, 하얼빈 광보사廣報社, 오사카 아사히신문사, 오사카 마이니치신문사, 신징여학교, 신징공학교 관계자로 구성된 심사위원회에서 선별한 것이었다(中央委員會, 1933).

당시의 포스터 중 필자는 현재 25점의 실물을 확인하였다. 그 가운데 8점이 연화年畵라 불리는 중국의 전통 농민화풍의 것이고, 23점이 중국어, 나머지 2점이 중국어와 한글이 병기되어 있는 것이다. 이들 포스터에는 일련 번호가 붙어 있는 것이 많은데, 건국 1주년 기념 이벤트를 위해 제작된 시리즈물이었다는 것을 알 수 있다. 연화 형식을 제외한 17점은 모두 펑톈 홍아인쇄국興亞印刷局에서 인쇄된 것이다. 그중 6점은 만주국 협화회가 제작을 지시한 것을 확인할 수 있는데, 그 밖의 포스터 제작도 협화회가 관여했다고 볼 수 있을 것이다.

연화 형식의 포스터 7점에 대해서는 가와세 지하루川瀨千春의 연구가 유용하다(川瀨, 2000). 가와세는 자신의 저술에서 「만주국인이 좋아하는 포스터」, 『만몽滿蒙』 1월호(滿洲文化協會, 1934)에 실린 21점의 연화를 소개하였는데, 필자가 실물을 확인할 수 있었던 8점의 연화 중에 7점이 거기에 포함되어 있다. 연화에는 '복신・녹신・수신福祿壽三星', '재물 운을 불러오다招財進寶', '재물의 근원이 크게 일어나다大發財源', '보배로운 말이 천배의 이익을 실어다 준다寶馬馱來千倍利', '재물의 신이 집으로 온다財神到家', '용왕탄신일龍王慶壽', '연이어 높은 지위에 오르다連登高位'라는 표제가 붙어 있다. 다만 가와세는 『만몽』 1월호에 게재된 기술에 기초해서 이들 포스터는 만주경제사정안내소가 '수집한 것'이라고 지적하고 있으나(같은 책, 160쪽), 사실은 그렇지 않다. 이 연화들

〈그림 35〉 〈미스 만주〉 포스터 〈신흥 대만주국〉

은 펑톈성공서인쇄소 또는 펑톈 홍아인쇄국에서 인쇄된 것으로, 모두 '1933년 3월 1일'을 위해 제작된 것임을 확인할 수 있다. 요컨대, 이것들은 앞서 서술했듯이 건국 1주년 기념 이벤트를 위해 '제작된 것'이며 도서관 기능을 갖춘 만주경제사정안내소는 이것들을 '수집한' 것이 아니라, '기증받은' 것으로 추측할 수 있다.

어떻든 25점의 포스터를 통해 건국 1주년 기념 이벤트를 목적으로 한 홍보 미디어는 모두 펑톈성 정부의 의향이 반영된 것이었음을 알 수 있다.

## 포스터 〈미스 만주〉의 모델은 누구인가?

정보처 주도로 작성된 포스터는 10종류로 알려져 있으나, 확인 가능한 것은 〈그림 35〉의 〈신흥 대만주국〉이라는 포스터 1점뿐이다. 최근 이 포스터의 모델이 누구인지는 아사히신문 후지창고가 소장하고 있는 〈그림 36〉의 사진을 통해 밝혀졌다. 이 사진 뒷면에는 빨간 글자로 "만주풍속", 검은 글자로 "만주국 제작 영화", "신흥 만주국의 전모", "미스 만주"라고 대충 쓰여 있었다.

〈신흥 만주국의 전모〉는 전체 5편으로 된 기록영화이다. 이것은 건국 1주년을 기념해서 국내외 선전용으로 이용하기 위해 외교부 선화사가 만철 총무부 홍보계에 의뢰하여 제작한, 이를테면 만주국 최초의 국책 영화이다. 영화는 중국어판, 영어판, 일본어판 등 7개 국어로 제작되었다. 만주국 외교부에

〈그림 36〉 〈미스 만주〉 포스터의 모델 소녀

따르면, 이 영화는 재외일본공사관을 통해 영국, 미국, 프랑스, 이탈리아, 스위스에서 상영되어 국제적으로 만주국을 소개하는 데에 공헌했다고 한다(자료③ 1936.10.31). 또 국내에서는 만주국 협화회, 문교부 등의 영사반이 순회상영을 실시하기도 했다.

아사히신문사 기자 오구라 이즈미小倉いづみ 씨가 후지창고의 사진과 필자가 제공한 〈그림 35〉의 포스터 초상화를 토대로 기사를 작성한(『아사히신문』 2007.2.11 조간) 후, 얼마 지나지 않아 '미스 만주'의 친척이라는 분이 오구라 씨에게 연락을 해왔다. 포스터 속 소녀의 모델은 사실 오시마 야에미大島八重美라는 일본인이며 종전 후 만주에서 일본으로 돌아왔다는 것이다(아사히신문사 「사진이 말하는 전쟁」 취재반, 2009). 이와 관련하여 슈에이샤集英社의 『만주의 기록』(1995)에는 이 소녀를 '중국인'으로 소개하고 있다.

한편, 필자도 돗토리현 유세이 만남의 집의 이나다 세쓰코稲田セツ子 씨를 통해서 야에미 씨의 두 딸인 가네마쓰 가즈미兼松和美 씨, 가토 노부加藤信 씨 자매와 연락이 닿았다. 필자는 오구라 씨와 함께 가네마쓰 씨 자매에게 야에미 씨에 대한 이야기를 듣기로 했다. 그런데 가네마쓰 씨 자매는 어머니의 만주 시절에 대한 일은 아무것도 들은 바가 없고 앞서 언급한 만철의 기록영화 〈신흥 만주국의 전모〉 서두에 나온 야에미 씨의 모습에 놀란 정도였다. 애석하게도, 이것이 무성영화이기 때문에 영상 속의 야에미 씨가 무슨 말을 하고 있는지 알 수가 없다. 다만 다행스러운 것은 당일 야에미 씨의 이부異父 동생인 쇼지 아키라庄司彰 씨도 자리를 함께 했기 때문에 상세한 이야기를 들을 수 있었다. 야에미 씨는 어렸을 때 부친을 여의고 신징에 살고 있던 큰어머니 밑에서 소학교 고등과를 졸업했고 그후 곧 국무원 총무청에서 임시촉탁으로 일했다고 한다. 〈신흥 만주국의 전모〉를 촬영할 때 우연히 캐스팅되어 영화에 출연하게 됐을 것이라고 한다.

'미스 만주'의 모델 찾기는 이렇게 일단락되었는데, 만주국의 상징으로 여겨졌던 '미스 만주'가 일본인이었다는 사실은 놀라웠다. 그러나 만주국의 홍보정책에서 기획자, 제작자뿐만 아니라, 모델조차 일본인이었음을 알게 된 것은 만주국 미디어의 문제를 좀 더 깊이 생각하게 하는 계기가 되었다.

## 건국 1주년 기념 우표, 그림엽서

만주국 교통부 우정사는 건국 1주년을 기념하여 1933년 3월 1일에 기념 우표 두 종류 4매를 발행했다. 1분分과 4분짜리는 만주국 지도를 배경으로 한 국기와 월계수 도안, 2분과 10분짜리는 국무원 정문 도안으로, 리뎬천李顛塵이 디자인했다. 원판 조각가는 1분과 4분짜리는 아오키 미야키치青木宮吉, 2분과 10분짜리는 가토 구라키치加藤倉吉(1894~1992), 문자는 와카바야시 세이지若林清次가 담당하였다. 인쇄는 일본 정부의 내각인쇄국이 진행했고 발행 부수는 합계 123만 매에 이르렀다(吉林省集郵協會, 2005, 자료⑩ 14-5). 발매와 동시에, 각지의 우편국에서는 불과 몇 시간 만에 매진되는 상황이 잇따라 발생했는데, 신징우편국에서도 2시간 만에 2분과 1각角 짜리 우표가 매진되고 다음날에는 1분과 4분짜리 우표도 매진되었다(자료⑩ 13-5).

또 건국 1주년 기념식의 중심이었던 중앙위원회가 2종 1세트의 그림엽서를 배포하였다. 하나는 정샤오쉬의 휘호로 "어진 사람은 의리가 있다仁者有義"

가 쓰여진 것이었고, 또 하나는 은박지에 만주국 국기를 배치한 것이었다. 10만 세트나 발행하여 그중 8만 세트는 일본과 만주국 두 나라 군대에 배포되고 나머지 2만 세트가 내외 각지로 발송되었다고 한다. 이렇게 많은 양이 인쇄되었기 때문에, 지금도 옥션에서 거래되는 것이 있다.

또 교통부 우정사는 당초 세 종류의 건국 기념 그림엽서를 발행하기 위해 돗판인쇄주식회사에 연락했으나, 실제로 발행된 것은 2매 1세트, 합계 1만 세트였다. 발매된 1종은 승전과 영광의 상징인 월계수를 배경 디자인으로 해서 거기에 오색기, 푸이의 초상, 집정부의 전경前景을 배치한 것이고, 또 1종은 가고耕外 화백(인물 미상)이 그린 평화로운 농촌 풍경을 담은 수채화였다. 사실 〈그림 37〉의 그림엽서는 발행되지 않은 1매이다. 이 그림엽서의 디자인은 대만주국의 판도 위에 국무총리 정샤오쉬의 휘호와 펑톈성을 그린 그림엽서였다. 문제는 배경의 지도였다. 만주국 경계의 일부가 만리장성까지 이르지 않았던 점을 관동군이 문제삼았다는 추론도 있지만(内藤, 2006), 그것보다는 당시 중화민국의 영토였던 러허성이 만주국의 영토로 그려진 것이 문제가 되었다. 그래서 교통부가 그림엽서 발행 전날인 2월 28일에 갑자기 발행을 중지하도록 했던 것이다. 다만 일부 지방에서는 이 연락이 제때 닿지 않아, 소량은 유출되고 말았다고 한다(吉林省集郵協會, 2005). 지금 보이는 것은 그때 유출된 분량일 것이다.

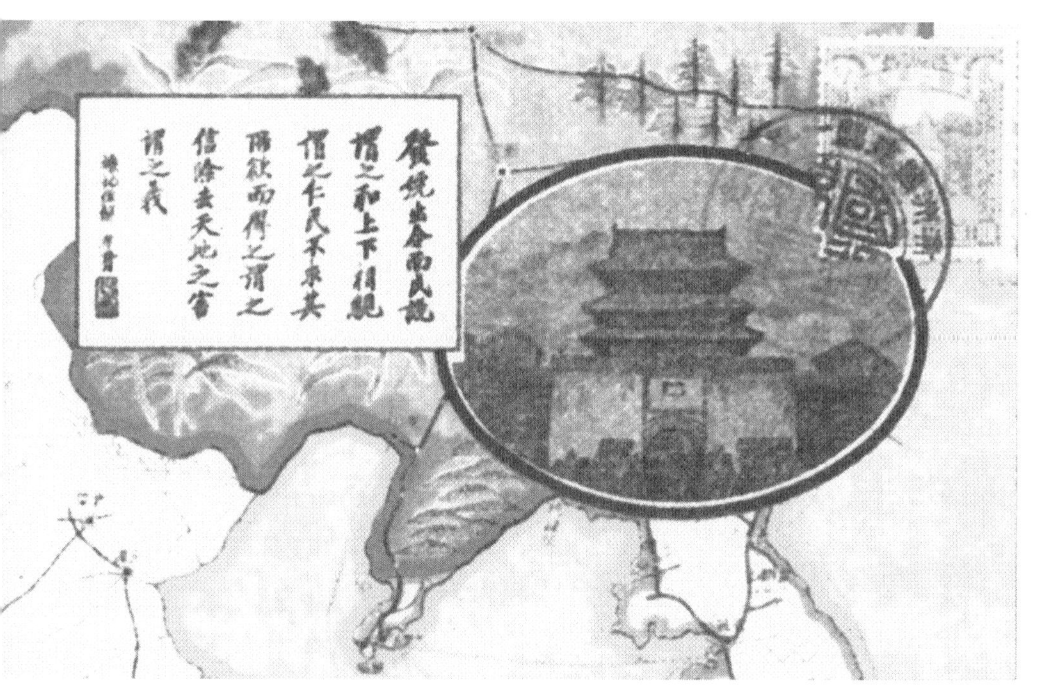


〈그림 37〉 **발행되지 않았던 만주국 건국 기념 그림엽서 〈만주 건국 1주년〉**(1933)

## 일본에서의 기념일 축하행사

만주국 건국 기념일인 3월 1일, 일본에서도 매년 '만주(제)국 기념일 축하행사'가 거행되었다는 것을 아시는가? 장소는 항상 히비야日比谷공회당이었고, 주최자는 일만중앙협회日滿中央協會였다.

1933년의 경우, 오전 11시부터 1시간 동안 주일만주국대표공서에서 축하의식이 거행되었고 오후 1시부터 일반 시민을 대상으로 히비야공회당에서 의식이 개최되었다. 이때 의식은 개회, 기미가요(일본국가) 제창을 시작으로, 만주국 국가 제창, 만주사변 전사자에 대한 묵념, 일만중앙협회 이사장의 인사, 외무대신과 척무대신 등의 축사, 강연, 여흥, 마지막으로 행사 피로연 등의 순서로 진행되었다. 그리고 당일 오후 9시부터는 아자부 사쿠라다이치麻布櫻田 - 지역 주민회町內會에서 대규모 제등행렬을 개최하였다. 또 이런 기념일 축하행사와 더불어, 1933년 이후 매년 이날 도쿄도 내 각 백화점에서는 반드시 기념일을 경축하기 위해 상품진열에 장식을 했다고 한다.

1939년 7주년 기념일에는 오전 10시부터 아자부 사쿠라다초町의 만주국대사관에서 황제의 동생인 푸제溥傑를 모시고 육군대학교, 사관학교, 사법관, 경찰관의 만주국 유학생 160명이 모여 축하회를 열었다. 오후 2시부터는 야스쿠니신사靖國神社 광장에서 일만중앙협회, 만주이주협회, 일만실업협회, 만주척식공사, 일만제국부인회 등의 주최로, 깃발 행진이 거행되었다. 또 일본연합청년단, 도쿄연합청년단, 소년의용군, 만몽개척청소년의용군 고적대 등 5천 명이 구단九段에서 히비야공원으로 행진했고, "제국의 수도를 점점 만주색으로 뒤덮었다". 오후 6시부터는 히비야공회당에서 기념식이 개최되고 또 고

이시카와小石川의 만주유학생회관에서 일만학생친목회가 열렸다. 이런 종류의 기념식은 오사카, 요코하마, 센다이, 니가타, 히로시마, 구레呉, 모지 등 각지의 상공회의소가 주최했다고 한다(자료③ 1939.3.2).

다음 해 1940년, 건국 8주년 기념식 보고서에 따르면 히비야공회당에서 개최된 기념식의 여흥에는 만몽개척청소년의용군 고적대를 비롯해서 도쿠가와 무세이德川夢聲(1894~1971)의 만담 〈만주 기념품〉, 다카하시 사치코高橋祐子(1930~)의 동요 〈일만지日滿支 정다운 행진곡〉, 이다 후사에飯田ふさ江(1925~)의 동요 〈야스쿠니신사의 아버지〉, 기리시마 노보루霧島昇(1914~1984)의 독창 〈만주행진곡〉 이외에, 미스 컬럼비아ミス・コロムビア(1911~1984)의 독창 〈하늘의 용사를 사모하여〉 등이 공연되었고 마지막으로 만주영화협회가 제공한 영화 〈삼림 만주〉가 상영되었다고 한다(久保田, 1940).

일본과 만주국 양국에서는 9월 18일 만주사변 기념일을 포함해 이런 기념 이벤트를 통한 홍보활동이 동시에 진행되었는데, 이것들은 명확히 양국 국민에게 상호 관심과 공감을 이끌어내고자 하는 국가 전체의 기획, 연출이었다.

## 승인 1주년 기념

1933년 9월 15일에 개최된 승인 1주년 기념은 특별한 의미를 가지고 있었다. 그해 3월 27일, 일본은 정식으로 국제연맹 탈퇴를 통보했는데, 일본은 국제적인 고립을 막기 위해 일본과 만주국 양국 관계를 존중하는 '일만의정서'

를 재확인하는 세리머니를 개최할 필요가 있었기 때문이다.

기념일의 축하회는 국도 신징을 비롯하여 만주국 각지에서 대규모 이벤트로 계획되었다. 국무원 총무청 정보처와 민정부는 각 가정에 입구를 오색기로 장식할 것을 통지했을 뿐만 아니라, 경축승인대회 중앙위원회가 작성한 포스터 2천 4백 매를 시내 곳곳에 붙였다. 또 큰 판大版과 중판中版 전단을 각 2만 매씩 제작하여 인력거와 마차에 붙였고, 개회 당일에는 시내 곳곳에 뿌렸다. 또 경축대회 당일 오전에는 작은 전단 2만 매를 비행기로 시내에 뿌렸다. 게다가 라디오를 통해서는 정샤오쉬 총리, 타이완 출신 셰제스謝介石(1878~1946)[2] 외교부 총장 등의 축하 메시지가 방송되었다. 이런 포스터, 전단, 라디오를 이용한 홍보방법은 이후에도 자주 사용되었다.

15일 당일 신징에서 열린 경축대회의 모습은 다음과 같았다. 대회는 신징 시공서 주최로 오전 9시부터 민정부 앞 특설회장에서 거행되었다. 대회장에는 만주국 국기가 나부끼고 대회장 정문에는 '경축승인주년대회慶祝承認週年大會'의 편액을 걸었고 정문 기둥에는 각종 표어가 쓰인 포스터와 전단이 붙었다. 〈그림 38〉은 대일본독립수비대 사령부가 작성한 '만주국 승인 1주년 기념회'의 포스터이다. 여기에는 만주국 국기와 일장기 앞에 일본과 만주국을 대표하는 인물이 악수하고 평화를 상징하는 비둘기가 나는 모습이 그려져 있다. 또 대회장과 치마루七馬路 남쪽에는 거대한 기념탑이 세워져 있는 것을 사진에서 확인할 수 있다. 시내 각지에는 만국기와 국기를 나부끼게 하여 길 가는 사람들의 관심을 끌려고 했다. 대회장 정면에는 만주국 국기 수백 기가 내걸리고 군악대가 늘어서고 대회장 왼편은 내빈석, 오른편은 기자석과 위원석

2 만주국 초대 외교총장.

〈그림 38〉 만주국 승인 1주년 기념 포스터 〈만주국 승인 1주년 기념〉(1933)

이 배치되었다. 8시 반에는 각 학교 학생들이 대열을 지어 손에 일본과 만주국 양국의 국기를 들고 참석하였다.

9시 개회와 동시에 일만 양국의 군대, 경찰의 엄중한 경비 속에 정샤오쉬 총리, 링이룽菱刈隆(1871~1952) 전권대신, 셰제스 외교부 총장 등이 입장하였다. 또한 각종 학교, 교육회, 상회, 기자협회 등의 참가자 전체 인원 6, 7천 명이 입장하였다. 이때 군악대가 국가를 소리 높여 연주하고 축포가 터지고 비행기의 폭음이 울려 퍼지는 가운데 국기가 게양되고 참석자 일동이 국기를 향해 경례를 세 번 하였다. 동시에 국가가 제창되고 대회 주최자로 신징시장 진비둥金璧東(1896~1940)[3]이 개회 인사를 하였다. 또한 드 하빌랜드사de Havilland Aircraft Company의 퍼스 모스Puss Moth기機 14대가 폭음을 내며 하늘을 날아 "오색 전단이 눈처럼 공중에 뿌려졌"다. 마지막으로 전원이 '만주국 만세!'를 세 번 외치고 10시에 기념식이 종료되었다.

기념식 종료 후, 오전 10시에 만주국 군대, 군악대, 소학교와 현립여자중학교 학생, 대동大同학원의 학생, 여러 단체, 만주국 관리, 일반 시민 약 2만 4천 3백 명(그중 일본인은 각 학교 학생 2,000명)이 국기를 들고 대회장을 출발하여 시내 각지를 행진하였다. 이 외에, 기념식 개회와 더불어 만주 독자의 전통 공연 예술인 고각회高脚會[4]가 거리를 누볐고 용봉선龍鳳船 등의 놀이기구가 등장하기도 하고 추가회推歌會 등의 합창회가 열리기도 해서 행인들이 여기에 합성

3 만주국 정치가이자 군인. 청조 황족 숙친왕(肅親王) 산치(善耆)의 일곱 번째 아들이며, 본명은 아이신기오로 셴구이(愛新覺羅憲奎)이다. 만주사변 발발 후 관동군과의 연락역을 맡았고 동북교통위원회(東北交通委員會) 부위원장으로 임명되었다. 만주국 건국 후에는 만주영화협회 초대 이사장, 신징특별시장, 헤이룽장성장 등을 역임했다.

4 고각춤을 추는 단체. 고각춤 혹은 고각용(高脚踊)은 경축일 등에 여흥을 돋우기 위한 무용의 일종이다. 여러 명의 무용수가 중국 전통 연극의 분장과 복장을 하고 죽마를 타고 걸으면서 악단의 반주에 맞춰 추는 춤이다.

을 지르며 모여들어 인산인해를 이루었다. 이러한 구경거리는 밤 10시에 종료되었지만 야간에는 기념식장에서 영화가 상영되어 많은 관객들로 붐볐다고 한다. 한편, 대회 주최자 및 주빈들은 오후 3시부터 야마토호텔 정원에서 개최된 가든파티에 참가했는데, 그 수는 6백 명이나 되었다.

이러한 종류의 경축대회는 각지에서도 동일한 형태로 개최되었다. 예를 들면 펑톈에서는 1만 명에 달하는 깃발 행렬이 만세삼창을 외치고 국기를 흔들고 만주국가를 부르면서 행진했다. 지린에서는 5천 명, 하얼빈에서는 40만 명(4만 명을 잘못 본 것인가?), 다롄에서는 2만 명이 행렬에 참가했다. 다롄에서는 이 날을 기념해 '제1회 일만합동육상대회'가 개최되었다(國務院 總務廳 情報處, 1933). 정보처 또한 각지의 경축대회 모습을 촬영하여 『경축 승인 주년 기념화책慶祝承認周年紀念畵冊』을 출판하여 홍보수단으로 사용하였다.

## 반일, 반만세력에 대한 대책

관동군은 반만세력을 군사적으로 진압한 후, 다른 홍보기관과 함께 민심의 안정, 치안 회복과 유지, 공산, 항일사상의 일소 등을 목적으로 한 선무공작을 진행할 필요가 있다고 생각했다. 1932년 11월, 관동군 참모부는 지린, 펑톈, 화베이 일대에 대해 반만세력의 토벌과 동시에 선무계획을 실행하였다. 선전반을 조직하고 '민중설복요령民衆說服要領'과 '선전용 포스터 사용요령'을 책정하는 것 외에 전단 8종(문자 1, 그림 삽입 7종), 포스터 12종(비주얼 4종, 표어 8종),

포고문 4종을 작성하였다.

1933년 이후에도 여전히 건국정신의 보급과 반만세력의 진압은 주요한 과제였다. 군사작전은 주로 지린성, 둥볜다오東邊道, 동방위지구東防衛地區 및 동남방위지구東南防衛地區에 중점이 두어졌다(자료② 강덕 2년). 같은 해 치안유지회가 조직되었고, 6월 15, 16일 이틀간, 관동군 휘하 선전, 첩보 업무에 종사하는 관계자를 모아 회의가 개최되었다. 치안유지회의 규정에 따르면, 본 회는 만주국, 관동군, 기타 관계 제 기관의 연락과 기획의 통제에 관한 원활한 운행을 위해 조직된 것이며, 중앙치안유지회 아래에 성, 현, 지구에 하부 치안유지회가 조직되었다. 모든 치안유지회는 관동군의 지휘를 받으며 중앙치안유지회 회장은 관동군 참모가 겸임하고 성의 회장은 관동군 방위지구 사령관의 지휘를 받고 지구의 장은 지구방위사령관, 현의 장은 일본군 대장이나 지휘관의 지도를 받았다(JACAR : C01003276900).

1933년 8월 만주국 군정부 고문이었던 다다 하야오多田駿(1882~1946)가 저술한 『만주국 군정 지도 상황 보고滿洲國軍政指導狀況報告』에 따르면, 군정부는 치안 회복에 따라 군대 내부를 개선시키는 교화로 중점을 옮겼다. 화베이에 대한 선전은 톈진에 설치한 특무기관으로, 화중에 대해서는 상하이의 신문사 등을 이용해서 여론 조작을 꾀했다고 한다. 그러나 각 기관의 선전정책과 중복되는 것을 피하기 위해 건국정신의 철저, 신군사명의 보급을 꾀하고, 국군개혁에 필요한 사항을 주지시키기 위해 '선전계획대강宣傳計劃大綱'을 작성하여 만주국군 내부에 대한 홍보에 주력하였다. 요컨대 정치교육 혹은 정신교육을 행함으로써 군대의 동요를 방지함과 아울러 군대의 교화에 힘쓰고자 했던 것이다.

또 막료강습회의 개최, 육군 선전의 실시, 신문의 발간, 선전용 위문품의 배급, 소책자, 군사미담집, 표어, 포스터, 전단 배포를 계속하였다. 또 군대 내부에도 영화를 통한 선전이라는 새로운 추진 계획을 세워 싱안성 부근에서는 소련의 선전을 배제하고 몽골인민공화국에 대해서는 싱안성 부근의 '행복'을 호소하기로 했으나, 중국공산당에 대한 선전정책은 과제로 남았다(JACAR : C01002918600).

1933년 12월에는 각 촌의 비적대책과 치안유지용 자위조직을 강화하기 위해 중국의 전통적 통치조직을 개편한 '보갑법保甲法'이 공포되었다. 이 법은 10호를 단위로 1패牌로 삼고 10패를 1갑甲, 10갑을 1보保로 해서 조직되었다. 단원 자격은 같은 지방에 1년 이상 거주한 18세에서 40세까지의 남자였다(자료 ③ 1933 · 12 · 23). 이리하여 자위를 위해 기층사회의 재편과 통합을 꾀하고 만주국의 이데올로기를 기층사회에 침투시키려고 했던 것이다. 〈그림 39〉의 포스터에 보이듯 보갑법은 치안부 경찰사 담당이었는데, 특히 기층사회와 관계된 패의 조직화, 강화가 중시되었다. 이 포스터에서는 보갑법을 실시하는 만주국은 비적 없는 평화롭고 안전한 곳임을 호소하고 있다.

## 〈천국과 지옥〉 그림

만주국과 중화민국의 차이를 나타내기 위해 〈천국과 지옥〉이라고도 불리는 일련의 비주얼 미디어가 제작되었다. 그 포스터를 자세히 살펴보기에 앞서, 사실 경과를 파악해 두고 싶다.

〈그림 39〉 보갑법 공포 기념 포스터 〈보갑 부락방위 비적〉(1933)

1935년 11월, 허베이성 퉁저우에서 친일파 인루겅殷汝耕(1889~1947)을 수반으로 한 기동방공자치위원회冀東防共自治委員會[5]가 성립되었다. 인루겅은 와세다대학에서 유학하고 귀국한 후, 쑨원이 이끈 신해혁명辛亥革命과 제2혁명에 참가하기도 했다. 이후 황푸黃郛(1880~1936)와 더불어 유명한 친일파 정치가가 되었다. 국민정부 내에서는 당시까지의 일본 현지 경험을 인정받아 주일외교대표와 육해공군총사령부 참의參議와 같은 중요한 직위를 역임하였다. 기동방위자치위원회의 '조직대강'에는 '탕구塘沽정전협정'에 따라 18개 현 외에 허베이성의 닝허, 바오디, 샹허, 창핑 등을 더한 25개 현을 위원회 지배하에 두고 모든 국가수입, 철도, 광산, 우편, 전신, 전화의 수익을 관리한다고 되어 있다. 다음 해 12월, 위원회는 기동방공자치정부冀東防共自治政府로 개칭하고 탕구, 신허新河를 접수하고 염세鹽稅의 대부분을 압류하여 재정적 기반을 다져 국민정부로부터 분리된 정치세력의 확립을 목표로 했다.

〈그림 40〉은 "천국과 지옥"이라는 제목이 붙여진 전단이다. 관동군 독립수비대 사령부가 제작한 것으로, 왼쪽 위 구석에 "독선품 제11호"라고 되어 있다. 이것도 일련의 반중화민국 프로파간다용 전단이며 적어도 수십 종류의 같은 삐라가 제작되었다고 생각된다. '천국' = '쾌활적(즐겁게 살 수 있는) 만주국'이며, 만주국군이 지키는 세계에서는 만주국과 일본은 서로 우애로 충만한 생활을 영위하는 이미지로 부각했다. 한편 '지옥' = 중화민국은 '혼란으로 파괴된 중국'이며 약탈과 방화, 국민당군이 마구잡이로 학살을 저지르는 모습이 그려져 있다. '천국'과 '지옥' 사이에는 1933년 탕구정전협정에 의해 설정된 비무장지대가 연속해 있다.

5 1935~1938년까지 중국 허베이성에 존재한 일본의 괴뢰정권이다.

〈그림 40〉 '천국과 지옥'의 차이를 드러내려 한 전단 〈천국과 지옥〉(독선품 제11호)

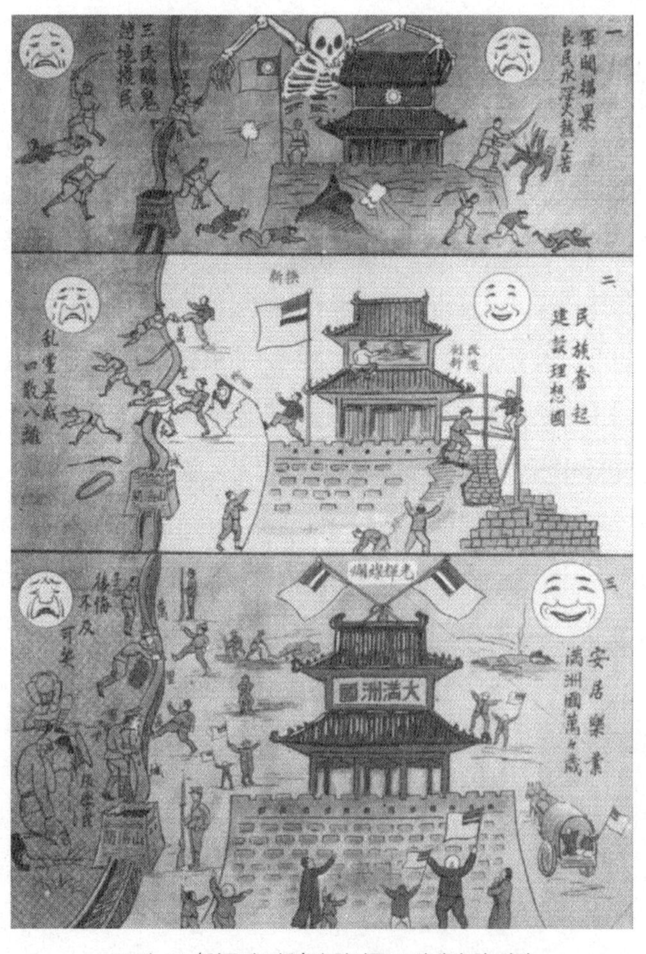


〈그림 41〉 '천국과 지옥'의 차이를 드러내려 한 전단

또 한 장(〈그림 41〉)도 같은 세계관을 나타내고 있다. 상단의 일一은 만주사변 전의 상황을 나타내고 있으며 성벽 위의 전망대에는 국민당의 휘장 같은 것이 디자인되어 있고 옆의 태양은 눈물을 흘리며 울고 있다. 이 세계에서는 "군벌이 횡행하며 양민은 도탄의 고통을 겪고 있다". 가운데의 이二는 만주국이 막 건국한 상황을 표현하고 있으며 오른쪽의 국민당기를 '구악을 제거하기' 위해 걷어차고 새로운 만주국기로 바꾸고 있으며 "민족이 분기해서 이상의 국가를 건설하다"라는 제목이 붙여져 있고 "개조쇄신"이라는 글자도 보이고 태양도 생글거리는 얼굴로 바뀌어 있다. 산하이관山海關을 사이에 둔 좌측에서는 문란한 당과 포악한 비적 때문에 군대가 뿔뿔이 흩어지고 태양은 눈물을 흘리고 있다. 하단의 삼三에는 전망대에 "대만주국"이라는 간판이 내걸리고 지붕에는 '빛나는' 만주국 국기가 교차되어 있고 "거처도 안정되고 직업을 가지고 즐겁게 살아 갈 수 있는 만주국 만만세"라고 쓰여 있으며 민중이 만주국기를 흔들고 있다. 한편, 만리장성 서쪽에서는 "후회해도 소용없어 웃음만이"라고 쓰여 있으며 장쉐량이 눈물을 흘리며 후회하고, 1932년 후룬베이얼呼倫貝爾에서 일본인 납치사건을 일으킨 쑤빙원蘇炳文(1892~1975)과 하얼빈에서 지린자위군을 조직하여 반일봉기를 일으킨 리두李杜(1886~1956)가 만리장성 동쪽을 부럽게 바라보고 있다.

〈그림 41〉의 전단에서 주목하고 싶은 부분은 상단에 울고 있는 태양의 우측에 흐릿하게 보이는 "삼민추귀三民醜鬼 월경우민越境擾民"이라는 글자이다. 쓰인 대로 읽으면 "삼민추귀"라는 해골의 요괴가 만리장성을 넘어서 백성을 괴롭히고 있다는 말이지만, 이 "삼민추귀"를 일본어로 읽으면 '삼민주의'라고 발음하게 되어 명확히 국민당 이데올로기인 '삼민주의三民主義'의 언어유희라는 것을 알 수 있다. 결국, 이것을 언어유희로 만들 수 있는 존재는 일본인밖

에 없었을 것이고, 따라서 이 전단의 디자인에는 일본인이 관련되었음이 틀림없다.

이러한 일련의 선전 미디어는 만주국과 장제스蔣介石(1887~1975)가 이끄는 중화민국의 두 세계를 이미지 전략을 통해 차별화하는 것이 그 목적이었다. 중일전쟁 발발 전 만주국은 '9월 18일'의 신화를 침투시켜 '지옥'으로 그려져 있는 중화민국이 아니라, '천국'으로 이미지화된 만주국에서 생활할 수 있다는 행복함을 주민에게 강제하고 있었던 것이다. 그러나 이들 포스터와 전단은 중화민국에서는 게시되었을 리가 없고 그곳 주민은 볼 기회가 없었기 때문에, 프로파간다의 대상이 된 것은 결국 '천국'에 거주하는 만주국 사람들뿐이었다. 이 전단들은 '9월 18일' 신화로 지탱되는 만주국 '국내용' 전단이었다는 증거의 하나일 것이다.

제5장

# 제정帝政 체제로의 전환과 일본과 만주국의 관계

## 축하행사와 전단

푸이는 『나의 반평생』 속에서 '집정'의 지위에 굴욕감이 들어 측근들을 움직여 황제 지위를 움켜쥐려 기를 썼다고 기술하였다. 그리고 1934년, 28세의 푸이는 겨우 그 굴욕감에서 해방된 사건, 즉 만주국 제1대 황제가 되기 위한 즉위식을 맞이할 수 있었다. 그러나 황제가 된 후 푸이는 자신이 꿈꾼 이상과 현실의 괴리에 더욱 힘들어하게 된다.

이해 국무원 총무청 정보처는 군정부軍政部, 문교부文敎部와 더불어 의식에 관련된 모든 홍보활동에 관계하였다. 그 방법은 ① 신문, 잡지, 라디오, 극장 등을 이용한 강연 실시, ② 포스터, 전단, 그림책, 팸플릿 작성과 배포, ③ 선전계획안에 기초한 지방기관의 지도, ④ 군대와 학교에 대한 선전이었다

(JACAR : C04011795000).

또 만주국 군정부의 선전부(1935.8, 군사조사부로 개조)는 본래 육해군의 사기 진작을 목적으로 조직 내부의 교화를 주요 업무로 하였다. 군정부 선전부에서도 포스터 게시를 통해 제정으로의 이행을 적극 알리려고 했다. 예를 들면 군정부가 다롄의 고바야시 마타시치 지점에 발주한 〈화보 5〉와 같은 대중적인 포스터가 현존하고 있다. 고바야시 마타시치 상점의 창업자 고바야시 마타시치小林又七는 육군성 인쇄 업무를 담당하였고 인쇄소도 육군성 구내에 있었기 때문에 1920년대에는 육군 참모본부가 감수한 그림지도와 그림엽서를 대량으로 발행하였다. 상점은 이런 육군과의 관계를 통해서 만주국 군정부의 포스터 인쇄 청부를 맡을 수 있었을 것이다.

즉위식에서는 3월 1일 건국 기념일로부터 3일간의 예정으로 기념 행사를 실시하였는데 교제郊祭, 즉위식, 정부 각료, 외빈의 향연 순서로 진행되었다. 이들 의식에 사용된 만주국군기 47기, 황제기는 교토 다카시마야高島屋에 발주해서 각각 2월 17일, 19일에 고베항에서 발송되었다고 한다(자료③ 1934.2.18). 즉위식 당일에는 황거皇居, 남쪽 교지郊地, 싱화杏花촌 순천順天광장 순으로 의식을 치른 후, 정오부터 20분간 궁전 내 근궁루勤宮樓에서 즉위식을 개최하였다.

당일은 오전 10시부터 대동大同광장(현재의 인민광장)에서 시민들이 참가한 축하대회가 열렸다. 대회장이 된 광장에는 6개의 봉축문이 설치되고 만국기가 장식되고 광장 앞 문교부에 세워진 탑에는 야간조명을 한 축하 문구가 설치되었다. 광장에서 시작된 학생의 깃발 행진이 시내로 계속 이어지고 불꽃과 고각용高脚踊, 가장 행렬로 붐볐다(자료② 강덕 2년, 자료③ 1934.1.30).

황제 즉위를 축하하는 행사는 국도 신징뿐만 아니라 만주국 각지에서 개최되었다. 가령 펑톈에서는 성내 고궁의 스왕팅十王亭을 식장으로 축하연을 개

〈그림 42〉 **하얼빈에서의 즉위대전 축하회**(국무원 총무청 정보처 편 『즉위대전기념사진책』(1934)에서)

최하였고 펑톈성奉天城 내외의 관청, 학교, 민간주택 등 곳곳에 만주국기가 내걸렸다. 즉위식이 개최된 광장에는 1만 6천 명이 깃발 행진에 참가하였고 또 비행기 편대가 광장의 상공을 날아 오색 경축 전단을 뿌렸다. 만철부속지에서도 집집마다 일본과 만주국 양국의 국기가 게양되었고 봉축 불꽃을 쏘아올리기도 하고 각종 단체가 행렬을 지어 행진하기도 했다. 그 외에 만저우리, 치치하얼, 하얼빈, 다롄, 안산, 잉커우, 티에링鐵嶺, 안둥, 간도 등지에서도 같은 축하행사가 개최되었다(자료③ 1934.3.2, 3).

정보처는 이 기념식을 기록해서 『즉위대전기념사진책卽位大典紀念寫眞冊』을 발행하였다. 책자 속의 사진을 통하여 즉위대전 중앙위원회卽位大典中央委員會가 어떠한 포스터를 어느 장소에 게시하게 했는지를 알 수 있다. 〈그림 42〉는 하얼빈의 축하연 장소를 촬영한 것이며 이곳에는 적어도 네 종류의 포스터가 게시되었음을 확인할 수 있다. 식장 건물의 중앙과 좌우 벽에 붙어 있는 것이 〈그림 43〉의 〈제국의 대지를 뒤흔들다帝土乎震〉 포스터이다. 두 마리의 봉황은 고귀함을, 중앙의 국기는 만주국을, 아래의 난꽃은 푸이를 상징화한 것이다.

또 육안으로 보기는 어려우나, 디지털화해서 확대하면 왼쪽 벽에는 〈그림 44〉 국무원 총무청 정보처가 제작하고 신징세계당이 인쇄한 연화 형식의 포스터 〈복은 동쪽에서 온다 황제장수 / 대동大同 3년〉이 붙어 있고, 오른쪽 벽에는 〈그림 45〉 즉위대전 중앙위원회가 제작하고 가와구치川口인쇄소 신징공창이 인쇄한 포스터 〈만주제국滿洲帝國 / 민족협화 / 왕도정치 / 왕도낙토〉가 붙어 있는 것을 알 수 있다. 〈그림 45〉 포스터에는 "만주제국"의 문 앞에서 춤추는 '오족五族', 그 앞에는 "민족협화" 그리고 "왕도정치"의 문이 있고 그곳을 통과하면 "왕도낙토"의 성이라는 최종 목표점이 기다리고 있음이 묘사되

〈그림 43〉 즉위대전 기념 포스터 〈제토호진(帝土乎震)〉(1934)

〈그림 44〉 즉위대전 기념 연화 〈복자동래 만수무강(福自東來 萬壽無疆) 대동 3년〉(1934)

〈그림 45〉 즉위대전 기념 포스터 〈만주제국 민족협화 왕도정치 왕도낙토〉(1934)

어 있다.

정보처가 즉위식을 위해 사용한 포스터는 전부 10점이며 그중 6점이 돗토리현 유세이 만남의 집에 남아 있으며 앞서 설명한 포스터를 실제로 모두 볼 수 있다.

또 1934년 3월 만철이 정보처의 지도로 촬영한 기록필름 〈만주국광대전滿洲國曠大典〉에는 〈그림 46〉과 같이 즉위식 때 포스터와 전단을 보는 중국인들이 찍혀 있다. 벽에 붙어 있는 포스터는 두 종류이며 큰 쪽은 만주국 군정부가 작성하게 한 〈대만주제국 만세 왕도의 빛이 전 지구를 두루 비추고 있다大滿洲帝國萬歲 王道之光普照全球〉라는 포스터로 다롄의 고바야시 마타시치 지점이 인쇄한 것이다(그 오른쪽의 포스터는 확실하게 보이지 않는다). 게다가 이들 포스터 아래에는 숫자를 붙인 전단이 10매 정도 붙어 있는 것을 확인할 수 있다. 이들 연번으로 된 전단은 〈삼일대전三一大典 선전표어宣傳標語〉라는 시리즈물이었다. 사람의 등으로 가려져 명확하지 않은 부분이 있는데, 다른 장면에서 보면 다음과 같은 문구였다는 것을 알 수 있다.

1. 황제 즉위는 하늘에 따르고 백성에 호응한 것이다.(皇帝卽位順天應民)
2. 황제 즉위는 3천만 민중이 갈망해서 실현된 것이다.(皇帝卽位是依三千萬民衆渴望實現)
3. 황제 즉위는 나라의 근간을 건전하게 발전시키고 한층 강고하게 만든다(皇帝卽位對國基健全發展上愈見鞏固)
4. 황제 즉위는 건국의 이상과 사명을 북돋우고 동아의 평화를 영구히 보존한다.(皇帝卽位 發揚建國理想使命永保東亞和平)
5. 황제 즉위는 천명을 따르는 바이다.(皇帝卽位是天命攸歸)

〈그림 46〉 **즉위대전 기념 포스터**(화보 5)**와 전단을 보는 중국인**(만철 제작 기록필름 〈만주국광대전(滿洲國曠大典)〉에서)

6. 황제 즉위는 우리 만주국이 기뻐해야 할 중대한 의식이다.(皇帝卽位是我滿洲國大慶特典)

7. 황제 즉위는 우리 만주의 건국정신을 실현하는 것이다.(皇帝卽位是我滿洲建國精神實現)

8. 재능과 총명함을 갖춘 황제의 즉위로 무한한 은혜를 받들어 누린다.(天賦聖聰的皇帝卽位官民浔享皇恩浩蕩的惠澤)

9. 아시아를 번영하게 하고 평화를 지키고 민중의 복리를 향상시키기 위해서는 제정(帝政)이야말로 급무이다.(爲興亞和平上民衆福利上帝制爲當務之急)

10. 제정의 실현을 모든 사람들이 함께 기뻐하고 있다.(帝制實現普天同慶)

이 기록필름에는 위의 포스터 10점, 황제 즉위와 제정으로의 전환을 환영하는 전단이 특히 부각되어 있다. 그러나 유세이 만남의 집이 소장한 자료에서는 「삼일대전 선전표어」의 일련 번호가 20번까지 이어지고 있음을 확인할 수 있다. 나머지 10점을 분류하면, 만주국의 미래를 믿는 것, 일본과의 교류를 촉구하는 것, 민중에게 귀순을 촉구하는 것이었는데, 이들 전단이 실제로 사용되었는지는 확인할 수가 없다.

## 즉위 기념 우표

교통부 우정사는 황제 즉위를 기념하기 위해 1934년 1월에 4종 세트의 우표와 2매 한 세트(정가 10전錢)의 그림엽서를 발행했다. 1분分 5리厘와 6분짜리 기념 우표에는 '일만의정서'가 조인된 근민루勤民樓가 그려져 있다. 3분과 10분짜리 우표에는 수수와 봉황 한 쌍이 디자인되어 있다. 이들 4종의 기념 우표는 모두 일본 체신박물관 도안부에서 디자인하고 노마 겐이치野間謙一, 가토 구라키치, 와카바야시 세이지가 원판 조각을 담당했다. 가토와 와카바야시는 건국 1주년 때도 기념 우표 조각을 담당하였다. 그들은 대장성 인쇄국에서 지폐와 우표의 원판 조각을 맡았던 사람들이다. 인쇄는 내각인쇄국이 담당하였다. 기념 우표는 건국 1주년 때의 두 배인 245만 매가 발행되었다.

한편, 그림엽서는 2매 한 세트로, 건국 1주년 때의 다섯 배인 5만 세트가 발매되었다. 그림엽서의 도안은 〈그림 47〉과 같이, 창바이산長白山과 헤이룽장黑龍江을 배경으로 국무총리 정샤오쉬가 휘호한 "탄부문덕誕敷文德"을 디자인한 것과 만주국기를 배경으로 푸이 초상과 길한 징조를 나타내는 구름인 서운瑞雲과 봉황이 배합된 것이 있었다(吉林省集郵協會, 2005). 건국식 때는 러허작전이 한창이었기 때문에 자숙의 분위기가 감돌고 있었다. 그때와 달리, 이번 즉위식에서는 기념 우편물의 발행량만 보더라도 제정으로의 전환을 우표와 그림엽서를 이용해 적극 선전하였던 것을 알 수 있다.

〈그림 47〉 즉위대전 기념 그림엽서 세트 중 한 장 〈탄부문덕(誕敷文德)〉(1934)

## 선무와 낭랑묘회

당시 만주국 정부가 기념 행사를 통해 도시 지역뿐만 아니라, 농촌 지역에 대해서도 선전활동을 진행하고자 한 것은 1934년 4월 제정된 '치안유지를 위한 선전통제에 관한 규정'을 통해 알 수 있다. 본 규정에 따라 중앙치안유지회中央治安維持會 내에 중앙선무소위원회中央宣撫小委員會가 설치되고 성 및 현의 치안유지회 내에 각각 선무소위원회가 설치되었다. 중앙선무소위원회의 사무는 정보처가 담당하였고 위원회는 정보처, 관동군, 관동국關東局, 만철, 철로총국鐵路總局 등으로 구성되었다.

성위원회는 성공서省公署 총무청이, 현위원회는 현참사관縣參事官이 중심이 되어 업무를 진행하였다. 중앙선무소위원회의 업무는 ① 치안유지회에서 결정한 선무방침에 기초한 성선무소위원회에 대한 지도, 중앙 각 기관과의 연락, ② 홍보 미디어용 재료의 제작과 배포, 영화회, 강연회 등에 요원 파견, ③ 선전용 필름과 레코드 대출, 신문, 통신, 잡지, 라디오의 지도와 조종 등을 예로 들 수 있다. 성과 현의 선무소위원회는 중앙의 동향에 준하면서 이동선무반의 편성과 파견 등에도 관여하였다. 특히 현의 위원회에서는 보갑제保甲制와 철로애호촌鐵路愛護村 강화, 동자단童子團, 남녀청년단男女青年團 결성, 일본어 강습회 개최, 무기회수 호소, 묘회廟會 등 제전祭典 이용 등을 포함한 구체적인 활동으로 기층사회에 대한 공작을 진행하였다(JACAR : C01003276900).

이런 공작 중 하나가 5월 20일에 개최된 낭랑제娘娘祭 현장에서 정보처가 시도한 방식이다. 낭랑제는 만주 각지에 있는 낭랑묘娘娘廟라는 도교사원에서 열리는 여성을 위한 축제로, 여성들이 복을 받고 눈병을 치료하고 아들을 낳

〈그림 48〉 **낭랑묘회 포스터 〈낭랑묘회 탄탄왕도**(坦坦王道) **호호황은**(浩浩皇恩)**〉**(1934)

게 해 달라고 기도하는 행사였다. 규모가 가장 컸던 낭랑제는 다스챠오大石橋에서 진행된 것으로, 묘에 있는 작은 산을 다 덮을 정도로 많은 사람들이 모여들었다.

정보처는 낭랑제에 모인 군중을 대상으로 포스터 35만 매, 전단 50만 매를 제작한 외에, 민정부 위생사와 더불어 일곱 개 반의 시료반施療班을 다둔大屯, 펑황청鳳凰城, 안둥, 탕강쯔湯崗子, 지린으로 파견하여 무료로 가정용 상비약을 배포할 계획을 세웠다(자료③ 1934.5.20). 협화회도 이 낭랑제에서 교화 선전을 위해, 강연회, 포스터 배포, 전단 이용, 시약施藥, 영화 상영을 진행하였다. 〈그림 48〉의 낭랑묘회 포스터는 즉위식을 축하해서 제작된 것 중 한 장이다. 덧붙이자면 현대 중국에서도 1992년에 낭랑제가 부활되었다.

## 시청각 미디어로의 방향 전환

이리하여 만주국 건국 전후에는 포스터와 전단의 대량 인쇄가 홍보의 상투적인 수단이 된다. 그러나 1934년부터 이런 이페머럴한 미디어를 통한 선전 교화의 효과는 약해지고 이를 대신하여 시각과 청각을 통한 새로운 국책 선전의 방법이 모색되었다. 이에 따라 새롭게 영화와 라디오의 역할이 주목받게 되었다.

협화회는 그해 7월부터 영화를 통해 민중을 대상으로 한 교화 선전을 꾀하고 전국적인 영화망을 조직하기 위해 지방국 사무원에게 기기와 필름을 배포하고 영화 기술을 습득하게 하였다. 또 중국어 『협화보協和報』를 월 3회, 매회 약 3만 부를 발행하여 전국 분회와 각 기관에 배포했다(일본어 『협화운동協和運動』은 1939.6부터 발행. 자료② 강덕 2년).

정보처는 아사히신문 신징지국이 주최한 무로마치室町 소학교 영사회 개최에 협력하였다. 이 영사회에서는 만철 촬영반이 제작한 만주제국대전滿洲帝國大典 영화, 만주 사정 소개 영화, 〈밝아오는 서부 만주〉 등을 상영하였는데 약 2천 명의 관중이 모였다고 한다(자료③ 1934.4.10). 또 성선무소위원에 지시해서 황제즉위식 필름의 순회상영도 실시하였다.

또 만주국 교통부는 총액 15만 엔을 들여서 전국 각지에 대형 라디오를 설치하여 치안 회복과 산업 발달의 상황을 전하는 등, 청각을 통한 민중 교화에 나섰다. 신징, 하얼빈, 펑톈 등 주요 도시와 국경지대에 전파감시국을 설치하여 국내 전파의 통제에도 착수하였다(자료③ 1934.6.4). 이러한 선무방법은 11월부터 신징방송국이 100킬로 방송을 개시하면서 본격적으로 시행되었다. 예를 들면 협화회는 매일 '국민의 시간'을 내보냄으로써 교화사상을 보급하고 라디오를 국책(선전)에 운용하였다.

이어서 1935년에도 정보처는 국가國歌 제정을 제재로 한 영화 〈왕도낙토 신만주〉를 제작하는 등, 그 밖에 그라비어지 『신만주』를 간행하고 컬러 인쇄 캘린더 '강덕 3년도 달력 열두 장'을 배포하였다. 인쇄물은 예년과 같이 포스터, 팸플릿, 그림엽서, 지도, 선전공작 자료, 전단 등이었다고 하는데 상세히 알 수는 없다(자료② 강덕 3년).

## '만화' '일만'의 우편협정

일본과 만주국 양국의 거리가 급격히 가까워진 반면, 만주국과 중화민국 사이의 정치 공간은 좁혀지지 않았다. 그러나 만리장성 일대를 경계로 양분된 정치 공간이 형성된 것은 만주국에도, 중화민국에도 사람과 물자의 왕래 면에서 불편하기 짝이 없었다.

이런 상황에 대해 잠정적이지만 해결책을 찾으려는 시도가 있었다. 1934년 9월, 양국은 우선 우편물의 교환에 대해 협의를 시작하기로 하고 11월 24일에 '만화통우협정滿華通郵協定', 12월 14일에 동 세목협정이 체결되어 양국 사이에 의견 접근의 첫 걸음을 내딛었다. 그 결과 다음 해 1935년 1월 1일부터 산하이관, 구베이커우古北口 우편국을 중개국으로 양국 우편물의 교환이 재개되었다.

주목해야 할 것은 이때 만주국이 발행한 우표이다. 만주국 황실 문양인 난꽃을 장식한 2분짜리 우표, 창바이산을 도안으로 한 4분짜리 우표가 발행되었는데, "우정郵政" 두 글자가 인쇄되었을 뿐, '만주국'이라는 국명 로고가 전혀 들어 있지 않았다. 이것은 만주국 교통부가 중화민국의 입장을 존중한 결과였다. 우표 디자인은 만주중앙은행 인쇄소의 디자이너 오야 히로조大矢博三가, 제판은 같은 은행인쇄소 제판공장에서, 인쇄 역시 같은 은행인쇄소가 담당하였다. 당초 오프셋 인쇄가 예정되어 있었으나, 조각 오목판으로 바꾸어 돗판인쇄주식회사 기사인 나카다 기쿠지中田幾久治가 원판 조각을 맡았다(자료⑩ 11권 1호).

한편, 만주국과 일본의 공간은 축소를 넘어서, 오히려 일체화가 진행되었다. 1935년 12월에 주만전권대사駐滿全權大使 미나미 지로 대장과 만주국 외교부 방문외교부 대신 장옌칭 사이에 '일만우편조약日滿郵便條約', '일만우편업무협정日滿郵便業務協定'이 체결되었다. 이 조약에 의해 양국은 동일 우편권으로 취급되었다. 결국 만주국이든, 일본이든 상대국에 우편을 발송할 경우 '국내요금'으로 처리되었다.

이것은 우편제도로 보면 양국의 지역 통합이 실현된 것이었다. 1월 26일, 이 조약 체결을 기념해서 교통부는 4종류 세트의 기념 우표 140만 매를 발행하였다. '만화통우협정滿華通郵協定' 후의 기념 우표와 마찬가지로, 디자인은 만주중앙은행 인쇄소의 오야 히조로가, 그리고 인쇄 역시 같은 은행인쇄소에서 맡았다. 원판 조각도 나카다 기쿠지가 담당하였다. 도안에는 일만 양국 지도와 신식으로 건축된 일본 교통부 청사가 들어갔는데, 양국 사이의 관계를 나타내기 위해 만주국 황제의 문장인 난꽃과 천황가의 문장인 국화가 각각 더해졌다. 천황가의 문장이 외국 우표에 등장한 것은 이것이 처음이었다고 한다(자료⑩ 13-2, 3).

이때 관동국은 '일만우편조약체결기념'으로 3매 1세트로 된 그림엽서를 발행했다. 〈그림 49〉는 그중 한 장으로, 오른쪽 줄무늬 부분에 벚꽃과 푸른 물결문양, 왼쪽 오렌지색 바탕에 수수가 디자인되어 있다. 〈그림 49〉의 디자인 도안을 확대해보면 "ITO"라는 사인이 있는 것을 알 수 있다. 〈화보 13〉의 배색과 꽃의 디자인을 대조, 확인해도 이것은 틀림없이 앞서 소개한 이토 준조가 디자인한 그림엽서이다.

한편 만주국에서도 '만일우편조약체결기념그림엽서滿日郵便條約締結紀念繪圖明信片' 2매 1세트를 발행하였다. 〈그림 50 ①〉은 원래 발행을 예정했던 한 장이었는데, 갑자기 발행이 중지되었다. 이에 대해서는 흥미로운 사실이 밝

〈그림 49〉
일만우편조약체결 기념 그림엽서 세트
〈일만우편조약체결기념〉 중 한 장(1936)

〈그림 50 ①〉 발행이 중지된 그림엽서 중 한 장 〈만일우편조약체
기념 그림우편엽서〉

〈그림 50 ②〉 초상사진을 교체해서 발행한 그림엽서(1936)

혀졌다. 〈그림 50 ①〉의 왼쪽 사진은 교통부 대신 딩슈젠丁修鑑, 오른쪽이 체신 대신 도코나미 다케지로床次竹二郎(1867~1935)였다. 그런데 딩은 1935년 5월에 교통부 대신에서 실업부 대신으로 적을 옮겼고 도코나미는 1935년 9월에 심장병으로 급사하였다. 이런 이유로 이 그림엽서는 발행이 중지되고 새로 부임한 교통부 대신 리사오겅李紹庚과 체신 대신 모치즈키 게이스케望月圭介(1867~1941)의 초상사진으로 교체되어 1936년 1월에 〈그림 50 ②〉와 같은 디자인으로 겨우 발행되었다고 한다. 그러나 주의해야 할 점은 '일만우편조약'이 체결된 것은 1935년 12월이며 그때는 이미 딩은 교통부를 떠났고 도코나미도 사망한 이후였다는 것이다. 결국 '일만우편조약' 체결을 기념하여 발행을 준비하고 있던 그림엽서는 조약이 체결되기 반년도 더 전에 이미 발행 준비를 마쳤다는 것이 된다. 이것이야말로 일본과 만주국 양국의 외교 조약 조인은 형식적인 것에 지나지 않았고, 그 시나리오는 사전에 완성되었다는 증거이다.

## 방일선조기념일과 기념 우표

1935년은 만주국과 일본의 일체화를 앞당긴 획기적인 해였다. 같은 해 4월, 중국 '황제'가 역사상 처음으로 일본 방문을 실현했던 것이다(덧붙이자면, 일본 천황이 중국을 처음 방문한 것은 1992년 10월 23일의 일이다. 매우 놀라운 사건이었다). 5월 2일, 쇼와昭和 천황은 푸이의 일본 방문을 축하하여 일만불가분日滿不可分의 조서를 선포渙發하였다.

푸이는 「회란훈민조서回鑾訓民詔書」(황제가 백성에게 내린 고지문)의 공표를 기념해서 각 성에 국민경축대회를 개최하도록 지시했다. 푸이는 일본 방문의 감상을 조서에 포함시켰는데 일본과 만주국의 친선 강조, 일본적인 충효 도덕의 찬양, 이것들이 만주국의 건국정신을 표현한 것이라고 공표하였다. 관동군의 예상을 뛰어넘는 상황 인식의 차이가 느껴진다. 어떻든 이 날은 '방일선조기념일訪日宣詔記念日'로 제정되었다. 이 축제 행사에 참가한 단체는 주로 협화회, 농상회, 교육회 등 민간단체, 그리고 각 학교 교직원과 학생이며, 대회에서는 강연회와 영화회가 개최되었다(자료③ 1935・5・7, 25). 〈화보 6〉은 협화회가 기념일을 축하하기 위해 제작한 포스터이다(다만, 이것은 1939년에 사용된 것).

이 무렵 우표는 통신용 도구로서만이 아니라, 그 선전 효과에 기대가 모아지게 되었다. 4월 2일 처음 만주국과 일본이 같은 날 조각 오목판 인쇄로 정교한 기념 우표 발행을 시도하였다. 어쨌든 두 곳에서 발행된 우표는 만주 국내, 일본 내지뿐 아니라 조선, 타이완, 관동청, 사할린청, 남양청 관할하의 우편국에서도 판매되었다고 한다. 교통부가 발행한 4종류 세트의 기념 우표 중 1분 5리와 6분짜리는 후지산과 길조를 상징하는 서운, 3분과 10분짜리는 쌍봉황, 국화, 난 등으로 디자인되었는데, 교통부 우정사에서 입안하여 디자인은 앞서 만화통우우표를 디자인한 오야 히로조가 담당하였다. 아래 그림의 작자는 불분명한데, 원판 조각은 같은 만화통우우표를 담당한 돗판인쇄주식회사의 나카다 기쿠지가, 인쇄는 만주중앙은행 인쇄소에서 맡아 약 250만 장이 발행되었다.

한편 체신성이 발행한 두 종류의 기념 우표 속에, 엽서용 2전 5리짜리 우표에는 푸이가 승선한 일본 천황가 전용 군함 '히에이比叡', 그리고 편지용 10전짜리 우표에는 아카사카 영빈관赤坂迎賓館이 디자인되었고, 도안은 만주국 초기 보통우표 때와 같이 체신박물관 도안부의 요시다 유타카, 폰트 디자인은 가소리 데이조가 담당하였다. 원판 조각은 2전 5리짜리 우표는 아오키 미야키치, 10전 우표는 즉위 기념 우표를 담당한 노마 겐이치가 맡았고 두 종류 모두 내각인쇄국에서 인쇄되었다. 이 기념 우표는 폭발적으로 판매되었다. 『만주일보滿洲日報』의 기사에 따르면, 발매 후 1주일도 되지 않아 30만 엔의 매상을 올렸는데, 이것을 2전 5리짜리 우표로만 환산하면 1천 2백만 매나 판매되었다는 것이 된다. 어찌 됐든 이 무렵부터 당국은 우표가 확실히 '선전력'을 가진다고 판단하게 되었다(자료⑩ 11-4, 12-2).

이때 기념 그림엽서는 만주국 교통부가 두 종류를 발행하였는데 디자인은 기념 우표와 동일하게 교통부 우정사가 입안하고 오야 히로조가 맡았다. 갑의 도안은 황거 이중교를 배경으로 푸이의 초상을 조합한 것이고 을의 도안은 아카사카 행궁赤坂離宮과 천황가 전용 군함 '히에이'의 사진에 봉황, 난 그리고 국화를 배치한 것이었다. 이 중 갑은 갑자기 발행이 중지되고 〈그림 51〉과 같이 배경이 무코 행궁武庫離宮 부근 스마우라須磨浦의 풍경으로 교체되었다(자료⑩ 11-4). 황거의 도안에서 푸이가 황거의 주인으로 보였기 때문인지도 모르겠으나, 정확한 이유는 알 수 없다. 체신성에서도 10월 4일, 오이타大分현 출신의 조각가 히나고 지쓰조日名子實三(1892~1945)가 그린 원화를 바탕으로 제작된 그림엽서 〈군함 히에이〉가 발행되었다. 발행 부수는 1만 1천 매에 지나지 않았고 비매품으로 취급되었기 때문에 지금 볼 수 있는 것은 거의 없다.

협화회는 푸이의 일본 방문에 즈음해서 〈어방일기념일만교환가御訪日記念日滿交驩歌〉를 모집하여 최우수작품을 레코드로 만들어 국내 전역에 배포하기도 하고, 전국 분회에서 중견 회원 80명을 선발하여 일본으로 파견해 푸이의

〈그림 51〉 **방일선조 기념 그림엽서 중 한 장**(갑의 수정판, 1935)

환영 상황을 취재하게 하기도 했다. 이 대규모 취재여행의 영향은 아주 커서 그후 참가자의 자제로 일본에 유학 간 사람이 끊이지 않았다고 한다. 또 협화회는 「회란훈민조서」 반포 때 전국에서 개최된 경축대회와 봉대대회奉戴大會에도 회원들을 동원했다(滿洲國 協和會 中央事務局, 1935).

## 만주홍보위원회를 통한 통제

1936년 9월, 신징 신사의 항례 가을제사와 만주국 승인 4주년 기념일이 겹치고 또 18일에는 만수사변 5주년 기념일을 맞이하여 국도 신징은 축제 일색이었다. 이미 11일부터 만주사변 기념주간이 시작되어 시내 각지에서 건국체조에 강연회, 좌담회, 전람회, 영화회가 개최되고 주요 영화관에서는 관동군이 소장한 〈아시아의 선구〉를 비롯한 사변 영화가 상영되었다. 또 카페, 찻집, 댄스홀, 라디오점 등에서는 레코드를 이용해 사변 기념을 선전하고 버스와 택시, 마차, 인력거에는 포스터와 전단이 붙고 시내 주요 지점에는 입간판, 치幟, 선전아치가 제작되었다. 게다가 학교와 교화단체는 전적지를 방문하기도 하고 전몰장병의 묘지를 청소하기도 하고 라디오에서는 연일 기념 프로그램이 방송되었다(자료③ 1936.9.17). 국도 신징은 이런 광란의 축제 일색에 둘러싸였다.

다음 달 10월 정보처는 치외법권 철폐와 준전시체제 구축을 위해 관계 기관을 움직이고, 동시에 중화민국과 소련에 대항하는 사상전을 전개하는 것으

〈표 4〉 **만주홍보협회를 통한 신문, 통신의 통폐합 상황**

| | | 만주홍보협회 산하 | 폐사 | | 폐간 |
|---|---|---|---|---|---|
| 신문사 | 일본어 | 만주일일신문사<br>대신경일보사<br>(大新京日報社)<br>하얼빈일일신문사 | 펑톈<br>신징<br>무단장 | 1<br>1<br>1 | 11 |
| | 중국어 | 대동보사<br>(大同報社)<br>성경신문사<br>(盛京新聞社) | 다롄<br>하얼빈<br>펑톈 | 2<br>3<br>5 | 15 |
| | 한글 | 만선일보사<br>(滿鮮日報社) | | | 1 |
| | 영어 | 만츄리아 데일리 뉴스사 | | | 1 |
| | 러시아어 | | 펑톈<br>신징 | 1<br>1 | 1 |
| | 계 | 7 | | 15 | 29 |
| 통신사 | | 만주국통신사 | 펑톈<br>신징 | 1<br>1 | |
| | 계 | 1 | | 2 | |

출전 : 田中總一郎, 『滿洲の新聞と通信』, 滿洲弘報協會, 1940에 의거.

로 국내 진영을 강화하고자 했다. 이를 위해 1936년 10월 일원적 홍보정책을 진행하기 위해 홍보위원회가 조직되어 가동되기 시작하였다. 이 홍보위원회 아래에 기존 만주홍보협회, 방송위원회를 편입시키고 또 신설된 관광위원회, 만주영화협회(만영)의 감독과 관리를 시도했다(자료⑥ 2-2).

만주홍보위원회가 설립되기 한 달 전, 신문, 통신 등의 홍보사업을 통제하기 위해 모리타 히사시森田久(1890~1971)를 사장으로 만주국 홍보협회가 설립되었다. 홍보협회는 이해 4월 9일, 만주국 칙령 제51조 「주식회사 만주홍보협회에 관한 건」에 따라 설치가 결정된 특수법인이었다. 협회 설립에 만주국 정부와 만철이 약 75만 엔 상당의 현물, 만주전신전화주식회사(만주전전)가 현금 25만 엔을 각각 출자했다.

협회의 초대 이사장에는 인텔리전스 전문가 다카야나기 야스타로가 취임하여 매스컴의 통제에 착수하였다. 〈표 4〉와 같이 1936년 홍보협회는 만주일일신문사, 성경신문사 등 8개 신문사의 주식 전부 혹은 과반수를 소유하여 자본 면에서도 이들 신문사를 통제하에 두었다. 한편 홍보협회에 참가하지 않은 신문사, 통신사에 대해서는 이듬해 폐사 조치를 취했다. 폐사된 신문사 15개 사가 발행하던 신문은 만주 전체 발행 부수의 90%에 상당했기 때문에 재만 미디어는 엄청난 영향을 받았다(田中, 1940).

또 홍보위원회하에 편입된 방송위원회는 선전, 방첩防諜, 국민교화를 꾀하기 위해 다롄, 펑톈, 하얼빈, 무단쟝, 안둥, 청더, 치치하얼, 옌지, 쟈무쓰에 지부를 설치하고 만주전전을 산하에 두었다. 흥미로운 것은 홍보협회가 라디오 방송 광고를 독점 취급했다는 점이다. 라디오 광고는 당시 일본 내지에서도 실시되지 않았다. 이런 방송국의 경영은 일본과 타이완에서도 채용되었다.

통신회사의 경우 만주국 비서청秘書廳 신문반이 만주국의 '홍보 국책' 방침에 기초해 1국 1통신사라는 원칙에 따라 만주국통신사(국통)를 건립하였다. 국통은 국내외 보도기관의 뉴스와 보도를 통제함과 더불어 국제정세에 대응한 대외방송을 강화할 목적으로 설립된 것이었다. 홍보처가 영향을 미쳐 사토미 하지메里見甫(1896~1965)가 사장으로 취임하였다. 사토미는 상하이 동아동문서원東亞同文書院을 졸업하고 국통의 사장을 거쳐 중국어 신문 『용보庸報』의 사장이 되었다. 『용보』는 중국 대륙에서 종전 직전까지 발행된 몇 안 되는 전국지였다(佐野, 2005).

국통은 〈그림 52〉와 같이(1940년 당시), 신징에 본사를 두고 펑톈, 다롄, 하얼빈, 장쟈커우張家口, 도쿄, 오사카에 지사를 설치하였다. 특히 도쿄 지사는 해외 동맹지국과 특파원의 연락 센터가 돼 오사카 지사, 후쿠오카 지국과 전화로 직통 연락이 가능하였다. 또 치치하얼, 진저우, 안둥 등 18개소에 지국을

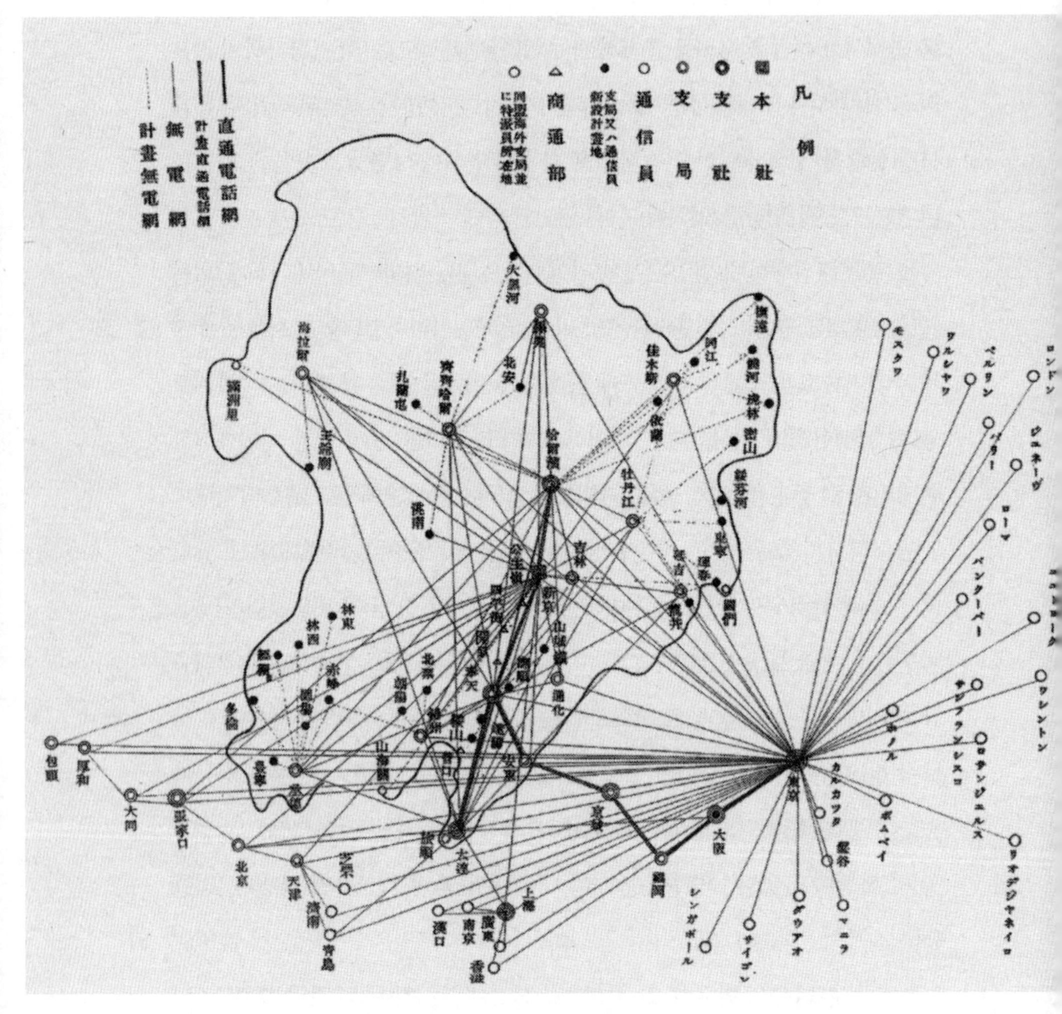


〈그림 52〉 1940년 당시 만주국통신사의 정보네트워크(田中總一郎, 『滿洲の新聞と通信』, 1940에 의거)

설치하고 헤이허黑河, 투먼圖們, 잉커우 등 13개소에 통신부를 설치하였다.

국통은 만주국 내에 있던 일본의 전보통신사電報通信社(전통)와 연합통신사聯合通信社(연합)[1] 두 회사의 통신망을 계승하고 통신원을 국내외 31개소에 배치하였다.

또 만주국 내 중국어, 일본어, 영어, 러시아어, 한글을 취급하는 신문사네트워크, 통신네트워크, 방송국네트워크를 통해 국내용, 해외용 뉴스를 신속하게 제공할 수 있도록 체제를 갖추었다. 이 그림은 장래 신징과 하얼빈, 펑톈, 뤼순, 안둥, 경성, 후쿠오카를 직통전화로 연락할 수 있게 되는 것을 나타낸다. 1937년, 국통은 일본 동맹통신同盟通信의 산하로 흡수되었으나 같은 해 12월 모리타 히사시 사장이 겸임하여 만주홍보협회의 직영 자회사로 국통을 독립시켰고, 후에 특수법인으로서 독립조직이 되었다(田中, 1940).

또 관광위원회는 1937년 2월에 홍보위원회하에 설치되어 관광사업의 정비, 통제에 관한 심의기관이 되었다. 위원장은 총무청 차장 간키 쇼이치神吉正一가, 간사는 정보처장 미야와키 조지가 맡은 것으로 보아, 정부가 본 위원회를 중요시했음을 알 수 있다. 관광위원회 아래에는 관광연맹觀光聯盟이 설치되어 관광사업기관의 연락을 담당하고 연맹 아래에 조직된 각지의 관광협회는 경관 보존과 도시 미화를 담당하였다. 이런 관광사업의 조직체계가 성립됨으로써 점차 1935년에 제창된 '관광 국책'이 실현되어 갔다(자료③ 1937.2.23).

게다가 만잉滿映도 1937년 8월 홍보위원회의 감리하에 설립되었다. 상세한 것은 다음 장으로 미루겠는데, 발족에 즈음해서 만주국 정부와 만철이 절

1 전보와 연합은 당시 일본의 양대 통신사이다. 전보는 일본 최대 민간 통신사였으며, 연합은 반관적(半官的)인 성격을 가지는 통신사였다. 1936년 1월 일본에서는 강력한 언론 통제를 위해 두 통신사를 통합한 국책 통신사 '동맹통신사'가 출범하였다. 만주국 국통의 설립은 일본 통신사 통합의 선구적 의미를 가지는 것이었다.

〈그림 53〉 만영, 쇼치쿠 합작영화 〈영춘화〉(1942) DVD 세트

반씩 출자하였다. 만영의 초대 회장은 가와시마 요시코川島芳子[2]의 이복 오빠인 진비둥이었으나, 실권을 장악하고 있던 사람은 만철 영화제작소 출신으로 전무이사로 왔던 하야시 겐조林顯藏였다. 〈그림 53〉은 1942년 만영과 쇼치쿠松竹의 합작영화 〈영춘화迎春花〉로, 만영의 리샹란李香蘭(1920~2014)[3]과 쇼치쿠의 간판스타 고구레 미치요小暮美千代(1918~2007)가 공동 주연한 귀중한 청춘영화 중 한 편이다(滿映 DVD).

도서의 통제는 1937년 3월 설립된 특수회사 만주국도서회사滿洲國圖書會社가 교과서의 발행을 독점하고 '국책 우량도서'를 편집, 출판하고 나아가 일본의 출판물을 대량으로 수입하는 역할을 맡았다. 일본 출판물이 넘치는 가운데 1939년 12월에는 만주국도서회사와 같은 계열의 만주서적배급회사滿洲書籍配給會社가 설립되어 출판물의 수출입 업무를 독점하였다.

실제 만주서적배급회사가 수입한 일본 출판물의 양은 엄청난 것으로, 1936년에 58만 책이었던 것이 1941년에는 3천 4백만여 책으로 급증하였다고 한다. 일본어 서적의 대부분은 천황, 황족, 군대, 전쟁 등 군국주의 일본을 대표한다고 할 수 있는 내용이 많았다. 이러한 일본 서적이 범람한 반면, 중국어 서적은 극히 적었다는 것을 다음 숫자에서 알 수 있다. 즉 1941년 7월에 출판

2 본명은 아이신기오로 셴쯔(愛新覺羅顯玗, 1907~1948), 중국 이름은 진비후이(金壁輝). 청조 황제 숙친왕 산치의 열넷째 딸이다. 숙친왕의 고문이었던 가와시마 나니와(川島浪速)의 양녀가 되면서 가와시마 요시코라는 일본 이름을 쓰게 되었다. 만주국 건국 전후 시기 관동군의 스파이로 활동했으며 종전 후 중국 국민당군에 의해 체포, 한간(漢奸)으로 지목되어 총살형에 처해졌다.

3 만영의 간판 여배우. 그녀의 실체는 일본인 야마구치 요시코(山口淑子)였으나, 중국인 리샹란(李香蘭)으로 활동하였다. 그녀는 만영 제작 국책 선전영화에 출연하여 주로 일본 남성을 사랑하게 된 중국인 여성 등의 배역을 맡아 제국 일본이 지향하는 여성상을 연기하였다. 그녀의 이국적 외모, 뛰어난 어학 실력과 가창력은 대중들을 매료시켰으며 그녀가 중국인이라는 것을 믿어 의심치 않게 하였다.

〈그림 54〉 만주국 건국 5주년 기념 포스터 〈건국 5주년 기념〉(1937)

된 137종의 서적 중, 112종이 일본어 서적이고 중국어 출판물은 겨우 28종에 지나지 않았다고 한다(숫자는 인용문 그대로. 解學詩, 2008). 본서 제1장 서두에서 언급한 '만한족'의 인구와 '일본족'의 인구 비율을 생각할 때, 이와 같은 출판물의 비율은 일본인 우대정책을 명확히 보여준다.

## 치안제일주의의 종결

1936년 말 총무청 정보처는 다음 해 개최 예정인 건국 5주년 기념 행사를 위한 포스터를 모집했다. 현상 목적으로 내외 각지에서 1천 5백여 점의 작품이 응모되었다. 정보처 직원들이 심사한 결과, 1등 당선작은 오사카시에 사는 고야마 소스케小山宗祐의 작품이었다. 2등상은 다롄시에 사는 가와이 도라오川合寅雄의 작품이었다.

〈그림 54〉의 포스터 〈건국 5주년 기념〉은 고야마의 디자인으로, 여명의 하늘에 비춰진 '건국 5주년 기념'의 글자로 이루어진 철탑은 참신했다. 인쇄는 1935년 펑톈에 세운 홍아인쇄주식회사에서 맡았다. 이 인쇄회사는 관영 펑톈성공서인쇄국을 민영화하면서 그 설비와 인력을 승계하여 세운 회사였다(鈴木, 2007). 이때의 디자인은 이후 정보처가 발행한 그림엽서에도 이용되었다. 또 정보처는 건국을 기념하기 위해, 『건국오년사진장建國五年寫眞帳』, 『건국오년소사建國五年小史』, 『만주국체계滿洲國体系(사법편)』 등도 간행하였다(자료 ⑥ 2-1).

건국 기념 이벤트 자체는 예년의 기념일과 그다지 다르지 않았다. 교통부는 이 날을 기념해서 기념 우표와 기념 엽서를 발행하였다. 우표는 1분 5리와 3분짜리 두 종류, 합계 91만 매가 발행되었다. 디자인은 '만화통우조약'과 '만일우편조약' 때와 같이 총무청 수품국需品局 수품처需品處의 오야 히로조가, 제판은 수품처 인쇄과 사진부에서, 인쇄는 동 인쇄과 공장에서 담당하였다.

또 1937년 3월 1일에 발행된 2매 1세트의 그림엽서는 정가 1각으로 발행되었다. 한 장은 새빨간 태양과 길조를 상징하는 서운과 함께, 〈그림 55〉와 같이 상하의 윤곽에 우정휘장이 도안화되고 중앙부에는 선박, 철도, 비행기, 우편자동차가 배열되어 만주국의 발전을 나타내고 있다. 또 한 장은 농촌 풍경으로, 수확물을 가지고 당나귀를 끄는 농민 부부가 디자인되어 있고 멀리 근대적인 도시를 볼 수 있다.

이상과 같이 만주국 국무원 총무청 정보처는 건국 이래 5년간 치안제일주의를 목표로 하였는데, 그 수단은 군사적인 제압에서 기념 행사를 통한 치안유지공작, 선무공작으로 중점을 옮기고 여러 기관에 대한 통제를 강화해 나갔다. 다만 홍보활동은 만주홍보위원회 아래 만주홍보협회, 방송위원회, 관광위원회, 만영 등이 통합, 조직되고 매스 미디어와 통신 관련 기업은 그 산하에 들어갔으나 홍보의 일원적 관리는 아직 철저하지 않았다.

〈그림 55〉 **만주국 건국 5주년 기념 그림엽서 세트 중 한 장**(1937)

## 제6장
# 중일전쟁과 홍보일원화

## 홍보처로 개편

1937년은 만주국과 일본이 '일덕일심一德一心'을 슬로건으로 내걸고 제도상의 일원화, 일체화를 지향했던 해였다. 그 전형적인 예는 1월 1일부터 일본과 만주국 양국 간 1시간의 시차를 없애고 동일 표준시간을 채용하게 된 것이다. 이에 따라 만주국의 철도, 선박, 항공기 등의 운행표는 전면 개정되었다. 또 초급소학교의 필수과목으로 일본어의 도입이 확실시되어 만주국의 '국어'로서 일본어가 제1보를 내딛게 되었다. 또한 중일전쟁이 발발하자, 전생과 숙제, 만주국과 일본, 중앙과 지방, 각각의 일체화를 꾀하기 위해 홍보의 일원화가 진행되었다.

그해 1월에 개최된 성장회의省長會議와 각 성공서 총무청장회의各省公署總務廳長會議에서 강조된 것은 치안을 유지하는 단계에서 지방행정을 정비하는 단계로 이행하는 것이었다. 그러한 공통인식하에 산업 개발 5개년 계획이 시작되고 종래의 모든 기관을 정리, 통합하기 위한 행정개혁이 실시되었다.

7월에는 국무원 총무청 정보처가 국가의 홍보 전반을 널리 담당할 수 있도록 조직을 확대하고 명칭도 홍보처弘報處로 바꾸었다. 여기서 말하는 정보라는 것은 유언비어, 공산주의 프로파간다, 반만활동, 사교의 포교, 정부와 시정에 대한 여론, 민심의 동향 등을 가리킨다. 홍보처 초대 처장에는 관동군 막료보좌, 만주국 육군 소장 등의 경력을 가진 호리우치 가즈오堀內一雄(1893~1985)가 취임했다. 다음 해 초 호리우치의 갑작스런 귀국으로 처장직은 총무청 차장이었던 간키 쇼이치가 대리처장으로 겸임하게 되었다.

이때 홍보처는 새로이 정보 수집, 정리를 주관하는 정보과를 설치하여 감리과, 선전과와 아울러 삼과체제를 갖추었다. 정보과는 신문반과 정보반으로 나뉘고 초대 과장으로 오카다 마스키치岡田益吉가, 사무관으로 다카하시 겐이치高橋源一가 취임하였다. 신문반은 홍보협회의 감독과 관리, 신문의 지도를 담당하고, 정보반은 정보의 연락 통제, 수집, 통보를 담당하였다. 감리과는 총무반과 영화사진반으로 나뉘고 초대 과장으로 정보처 시대의 이사관이었던 야마모토 노리쓰나山本紀綱가 취임하였다. 총무반은 『선무월보宣撫月報』와 『홍선반월간弘宣半月刊』의 발행을 포함한 일반 사무를 담당하고, 영화사진반은 만영의 감독과 관리, 영화제작 지도, 보통사진 촬영을 담당하였다. 선전과는 두 반으로 나뉘어 제2대 과장에는 랴오닝遼寧성 가이핑蓋平현 출신으로 컬럼비아대학을 졸업한 궈바오썬郭寶森이 취임하였다(초대는 불분명). 선화宣化1반은 팸플릿과 잡지의 발행, 연예, 행사, 전람회의 개최, 현지지도와 만주사정안내소의 감독과 관리를 담당하였다. 선화2반은 방송, 대외선전, 만주관광연맹의 지도를 맡았다(자료⑥ 3-1).

홍보처의 참사관은 일본인 6명, 중국인 5명이 있었다. 1940년 전후의 명부에 따르면 중국인 참사관에는 다음과 같은 인물이 있었다. 푸젠성 민허우閩候현 출신의 좡카이융莊開永(1907～?)은 도쿄대학 대학원 농학과를 수료한 후, 만주국 실업부, 외교부, 외무국의 사무관, 주독일대사관 사무관 등을 역임하였다. 1939년부터 홍보처 참사관으로 신문 검열을 담당하고 다음 해 홍보처 '만계滿系' 주석 참사관으로 국무원 총무청 장관 다케베 로쿠조武部六藏와[1] 홍보처 제3대 처장 무토 도미오의 측근으로 일하였다. 그의 부친 좡징커莊景珂는 1917～1918년 돤치루이段祺瑞 정권시대에 철도차관 등을 명목으로 한 니시하라차관西原借款에 조인했다는 이유로, 다음 해 일어난 5·4운동 때 매국노로 지목되어 살해당한 인물이다.

류웨이위안劉威源은 총무청 통계처에서 홍보처로 옮겨 홍보처가 발행한 잡지 『홍선』의 주임 편집자로서 현지 주민에 관한 정보사무를 담당하였다. 그 후 그는 영화반 반장, 지방반 반장, 헤이룽쟝성 푸위富裕현장, 헤이룽쟝성공서 참사관을 역임하였다. 민생부 이사였던 왕빙둬王秉鐸는 1939년에 홍보처 참사관을 겸임했다.

후쿠오카 출신 허융츠鶴永次는 교토대학 법학부를 졸업한 후, 펑톈성과 싼쟝성의 참사관, 치안부 이사관 등을 역임하고 1942년부터 홍보처 참사관이 되었다. 랴오닝성 양陽현 출신의 쑤정신蘇正心(1909～?)은 선양지방법원, 펑톈

1 1893～1958. 일본 관료. 동경제국대학 법과대학 졸업 후 문관고등시험 행정과 시험에 합격하였다. 1919년 무렵부터 나가사키현 이사관(理事官), 내무부 농림과장 등을 비롯한 일본 국내 공직에 몸 담았다. 1935년 관동국 사정부장(司政部長)으로 전임되었고 이후 기획원 차장을 거쳐 1940년 국무원 총무청 장관이 되었다. 일본 패전 후 시베리아에 억류되었다가, 1950년 전범으로 중화인민공화국에 인도, 푸순전범관리소에 수용되었다. 1957년 반신불수의 몸으로 귀국하여 다음 해 사망하였다.

성 경비사령부, 육군에서 번역관으로 근무한 후 1939년부터 홍보처 도서 관련 사무관이 되고 1942년에는 참사관이 되었다. 아직 경력이 불분명한 인물도 있는데 대략 이런 진영하에 홍보처의 활동이 시작되었다.

중일전쟁 발발 다음 해인 1938년, 홍보처 정보과에 새로이 '만계 정보사무'가 더해지고 상술한 천청한이 책임자가 되었다. 또 랴오닝성 랴오양현 출신의 허보안何博安은 대동학원 졸업 후 하얼빈성공서로 부임했는데 '만계 정보사무'가 시작됨과 더불어 그 업무를 담당하기 위해 홍보처로 옮겨 왔다. 마찬가지로 이 업무에 참여한 사람으로 홍보처 선전과와 검열과에서 일한 적이 있는 장징위張經宇도 있었다.

이 무렵 홍보처는 군사기밀과 첩보, 범죄에 관한 정보를 제외한 모든 정보를 일원적으로 집중 관리하는 조직으로 비대해졌다. 또 중앙의 선무기관과 횡적 연결을 강화하기 위해 7월에는 제1회 선전연락회의를 개최하고 인쇄물, 영화, 종교, 예술단체 관계를 비롯, 대민족공작, 유언비어 방지 공작 등 일련의 선무방침을 결정했다.

게다가 성과 현의 홍보조직도 강화되었다. 1937년 7월 「성, 시, 현, 기정보조직 및 계통」에 따르면 성정부의 정보 책임자는 성차장이며 성내 정보 책임자는 서무과장으로, 그 아래 총무반, 선전반, 정보반, 영화반이 있었다. 시市, 현縣, 기旗 단위에서는 시장, 부시장(현, 기는 여기에 준하는 자)이 책임자가 되고 홍보 주무자는 서무과장, 홍보 주임은 각 과장, 홍보 담당자는 서무고장庶務股長, 홍보 요원은 홍보고장弘報股長이 맡고 지방의 협화회, 농사합작사, 상공공회, 노공협회, 교화단체, 자선단체 등과 연락을 취하였다. 여기서 실제 활동을 담당한 것은 (특별)홍보 요원이라 불리는 임시 촉탁원 중에 자진해서 등록 수속을 한 자로 그 활동에는 보수가 따랐다. 가街, 촌村 단위에서는 홍보 주임은 가, 촌장이 담당하고, 홍보 요원은 서무과장 또는 가, 촌장 보조원, 구區, 둔장屯長 이외에, 학교장, 민중강습소장, 지방유력자, 협화회의 분회원이 담당자가 되었다. 또한 홍보조직의 말단, 특히 패牌 단위에서는 인보조직이 있고 지역의 사정에 정통한 홍보 요원을 배치했다.

1938년 홍보처는 대외 선전의 중점과제로 국가방위와 산업 5개년 계획의 성과 소개, 일日, 만滿, 화華 관계의 긴밀화에 따른 국외 정보조직의 정비와 강화, 일日, 독獨, 이伊 영화 문화 교류를 통한 방공防共사상의 국제적 보급 등을 내걸었다. 또 국내용 신문통신정책은 홍보위원회를 해산하고 홍보처가 직접 지방 신문에 대한 지시와 지도를 행하고 또 만주사정안내소, 국통 등에 각종 선전자료를 작성하여 배포하게 했다.

## 중일전쟁의 발발과 만주영화협회

1937년 7월 중일전쟁이 발발하자, 홍보와 선무의 효율을 달성하는 것이 시급한 과제가 되었다. 다음 달 오랫동안 현안이 되고 있던 만주영화협회(약칭 만영)가 국무총리 대신을 간리로 한 '영화 국책'의 확립을 목표로 정식으로 성립했다. 만영 설립에 즈음한 정부 담화의 내용이 다음과 같이 전해지고 있다.

> 문자를 해독할 수 없는 다수의 국민을 대상으로도 만주국 독자의 국민정신을 철저히 하고 또 외국 특히 일본, 중국 양국이 만주국의 본질 및 그 발전의 실상을 확인

하도록 함으로써 일만불가분(日滿不可分) 관계를 강화하고 아울러 일(日), 만(滿), 지(支) 제휴의 필요성을 쉽고 상세히 알리기 위해, 보다 중요한 역할을 담당하는 영화에 대한 국가 통제기관의 설립을 기도하고…… (자료⑥ 3-3)

만영은 '영화 국책'의 방침에 따라, 즉각 뉴스영화의 제작, 상영을 시작했다. 또 만철의 영화반은 국책 선전영화를 촬영하는 것 이외에, 영화의 수출입과 만주국, 관동주에 대한 영화배급의 일원적 통제를 꾀하였다. 특히 중일전쟁 발발 후에는 상하이에서 제작된 중국영화의 수입이 곤란해지고 또 헐리우드영화의 수입이 금지되었기 때문에, 만영의 영화제작 역할은 한층 중요하게 되었다. 따라서 1938년 만영에서는 동양 제일의 규모를 자랑하는 대규모 스튜디오를 마련하고 극영화 제작에 매진할 계획을 수립하였다.

또 만영은 영화작품의 부족을 보완하고 전쟁으로 인해 동요하는 중국인을 대상으로 영화배급을 진행하기 위해 시나리오와 스토리를 공모하기로 했다. 그 결과 모집된 시나리오는 일본어로 된 것이 모두 91건(내지 46, 만주 45), 스토리의 경우는 일본어 작품이 78건(내지 40, 만주 38), 만주 거주자가 응모한 중국어 작품이 64건이었다. 내용을 분류하면, 연애극 3할, 사회극 4할, 왕도 선전극 2할, 희극 등이 1할이었다. 만영에는 일본에서 남녀노소의 영화인이 모였다. 만영 이사인 마키노 미쓰오牧野滿男(1909~1957)[2] 이외에, 프로듀서 네기시 간이치根岸寬一(1894~1962), 감독 우치다 도무內田吐夢(1898~1970), 카메라맨 스기야마 고헤이杉山公平(1899~1960), '쇼와시대의 조인鳥人[3] 스타'라 불리우며 만

2 일본 영화제작자. '일본 영화의 아버지'로 불리는 마키노 쇼조(牧野省三)의 차남이다. 부친 사후 마키노 프로덕션의 우무로촬영소 총무부장, 닛카쓰 교토촬영소 제작부 차장 등을 거쳐 만영에 합류하였다.

3 몸놀림이 새처럼 가볍다고 하여 鳥人이라는 별명이 붙음.

영의 영화감독이 된 하야후세 히데토(1904~1991) 등이다. 만영시대의 인맥은 종전 후, 도에이東映[4] 등으로 계승되었다.

협화회도 '영화 국책'의 움직임에 호응해서 1937년 6월까지를 기한으로 건국영화 '사상편'의 시나리오를 모집했다. 곧 중일전쟁이 발발하는 중요 국면에 봉착했기 때문에, 심의는 신중에 신중을 거듭해 다음 해 겨우 결과가 발표되었다. 장편 시나리오 1등상인 총리대신상 은트로피(부상 1500엔) 수상작은 도쿄시 기미시마 도코에公島德衛의 「새벽의 건설」, 2등상 은트로피(부상 500엔) 수상작은 펑톈 리저우친李周欽의 「회연懷戀」이었다. 스토리 응모 쪽은 해당자가 없는 것으로 마무리되었다(자료⑥ 2-8, 3-2, 3).

만영은 다음 해 1938년, 화베이 진출을 꾀하고 관동군, 협화회와 더불어 계획위원회를 발족시켜 국책 사업인 뉴스영화 〈만주제국영화대관滿洲帝國映畵大觀〉의 제작을 시도하기도 하고 동맹통신사와 뉴스영화의 교환계약을 체결하기도 하고 일본과 만주뿐 아니라 세계 각지와 뉴스를 교환할 계획을 기획했다. 또 만영은 홍보처에 한 현縣에 한 대의 16밀리 토키영사기를 상설하는 안을 제출하였고 그 원안은 민생부, 치안부, 협화회와 협의를 거쳐 11월 '현기시영화반설치안縣旗市映畵班設置案'으로 발표되었다. 그것이 실행되었는지는 불분명하지만, 홍보처는 영화를 통한 문화계몽, 교화 선전의 역할을 중시하여 지방 도시와 농촌에서도 영화를 상영할 수 있도록 전국적 영화망을 설치하고자 했다(자료① 쇼와 15년).

이해 홍보처는 또 제1회 방일 선조 기념 미술전람회의 경험을 기반으로 전

4 일본의 영화 제작, 배급, 흥행회사. 1938년 설립한 도오(東橫)영화회사를 모체로 1951년 새로 설립한 회사이다. 도오영화에서 스태프로 활동하고 있던 마키노 미쓰오와 네기시 간이치를 중심으로 한 만영의 관계자들은 그대로 도에이로 옮겨갔다.

람회 개최를 통한 선전선무공작도 진행하였다. 예를 들면 '무기 없는 전쟁전', '약진만주국세전躍進滿洲國勢展', '나치스독일전' 등을 주최하고 각 부서 및 특수 회사에서 위원을 선발하여 박람회 관련 간담회를 결성하고 여러 가지 관광사업에 대한 지도와 통제를 실행하였다.

만영 설립과 동일한 발상으로, 현지 주민을 의식한 홍보전략을 추진하기 위해 설립된 것이 만주축음기주식회사滿洲蓄音機株式會社(만축)였다. 만축은 1940년 4월에 월 15만 매를 제작할 수 있는 대규모 레코드공장을 설립했다. 만주국 주민의 교화, 선무, 오락을 위한 레코드 제작을 중심으로 '만주인이 부르는 것은 만주인의 손으로'를 슬로건으로 내걸고 현지 작곡가를 동원해 중국어 가요를 선전하는 데 주력하였다. 만축은 이러한 방침에 기초해 1937년 4월 〈나는 나의 만주를 사랑한다我愛我滿洲〉를 새로 발매하는 등, 녹음이 끝난 약 70종의 레코드를 발매할 계획을 세웠다. 또한 중국어 가요, 만담漫才, 동요의 레코드 제작도 계획하였다(자료⑥ 5-4).

## 국도 건설 기념식

1937년 2월, 국도 신징의 제1기 국도 건설 공사가 완료되었다. 국무원 국도건설국은 사업수행을 위해 94평방 킬로미터의 토지를 매수하고 수천 엔의 거액을 투자해서 주요 시설의 건설을 완성시켰다. 그 결과 시가지 면적은 7배로 확장되고 인구도 4배 가까이 급증했다. 이것을 축하하기 위해 같은 달 18

일에 설치된 국도 건설 기념식전 준비위원회가 계획을 추진하였다.

기념식의 목적은 "국내에도 국외에도 국운의 발전을 드러낼 수 있는 절호의 기회가 될 뿐만 아니라 시국대책의 한 방안으로 국내 민심의 안정을 기도할 주요 공작을 병행할 수 있는 것"으로 삼는 것이었다. 또 하나 중요한 목적은 "본 기념식을 기회로 전국적 동원을 강화하며 강력하고 치열한 국민의식 및 국가의식의 함양에 노력함으로써 종전의 여러 공작에 박차를 가하게 하고 이를 위해 특히 지방공작에 힘을 기울일 것이라"는 데에 있었다(滿洲國政府, 1937).

그런데 7월에 중일전쟁이 일어났기 때문에, 기념식 준비는 연기되었다. 8월에는 국무원 훈령 제86호로써 이전의 식전준비위원회를 개조하여 새로이 국도 건설 기념식전 실행위원회가 성립하였다. 위원장은 국무총리대신 장징후이, 부위원장은 총무청장 호시노 나오키星野直樹(1892~1978)가[5] 맡고 위원회 아래 총무總務, 식전式典, 창상彰賞, 접반接伴, 공영工營, 경위警衛, 선전宣傳, 시민市民, 지방地方의 9개 부를 설치하고 각 부 아래에는 모두 32개의 계를 설치하였다.

기념식 개최에 즈음해 홍보처는 교통부 우무사郵務司 업무과業務科와 더불어 6월 마감으로 국도 건설 기념 우표, 기념 그림엽서, 기념 우편소인, 기념 포스터의 디자인을 현상광고에 넣어 모집했다. 7월 당선작이 발표되었는데 기념 우표 1등에는 도쿄시 이시카와 고스케石川酵佑의 작품이, 기념 그림엽서 1등에는 다롄시 디자이너 히로마쓰 마사미쓰廣松正滿의 작품이 당선되었다. 히로마쓰는 관동국 시성 30년 기념 우표를 디자인한 경험을 가지고 있었다.

5 일본 관료, 정치가. 1917년 도쿄제국대학 법학부 정치학과를 졸업하고 대장성(大藏省)에 들어가면서 공직생활을 시작했다. 1932년 만주국 건국 후 만주국 재정부 이사관 등을 거쳐 1937년 국무원 총무장관에 취임하였다. 만주국을 움직인 실권자, 이른바 '2키 3스케(도조 히데키, 호시노 나오키, 기시 노부스케, 아이카와 요시스케, 마쓰오카 요스케)' 중의 한 사람으로 꼽힌다. 패전 후 A급 전범으로 기소, 종신형을 선고받았으나 석방되었다.

〈그림 56〉 국도 건설 기념 포스터 〈국도건설기념〉(1937)

또 기념 우편소인 1등은 신징의 한나리韓娜麗가 차지했는데, 일본인이 아닌 사람이 수상한 것은 드문 일이었다. 포스터의 경우는 300여 점이 응모되었고 그중에서 다렌시 사루타 도시오猿田俊夫가 그린 〈그림 56〉의 포스터가 1등을 하여 2만 매 인쇄되었다(자료⑥ 2-6-8). 또 국무원 국도건설국이 제작하고 신징 세계당에서 인쇄한 〈화보 7〉의 포스터는 1만 매가 인쇄되었다.

우표 디자인을 담당한 이시카와는 제작 과정을 기록한 간단한 문구를 남겼다. 그가 이 현상광고를 본 것은 5월 24일이었지만 실제 작업을 시작한 것은 마감일을 불과 이삼 일 남겨둔 6월 15일이었다. 실로 단시간에 디자인을 고안한 것이다. 이시카와는 "한 종류는 비둘기와 태양으로써 국민의 환희를 표현하고 한 종류는 국기로써 건실웅대한 기운을 담았다. 두 도안 모두 국도 건설을 기념하는 뜻을 단적으로, 발전해가는 국도 신징 시가로써 표현하는 것으로" 제작에 착수했다. 비둘기 디자인은 프랑스 조각가 조엘과 장 마르텔Joël & Jan Martel의 작품 〈가슴을 부풀린 비둘기Pigeon boulant〉를 참고했고, 국기의 디자인은 1936년 베를린 올림픽의 포스터에 보이는 내무성 청사의 올림픽기 등에서 착상을 얻어 러프 스케치를 했다. 게다가 이시카와는 비둘기의 모양을 힘있게 하기도 하고 서운을 더하기도 해서 수정한 원도原圖를 제작하여 4분과 2각짜리, 2분과 1각짜리 우표를 디자인했다.

〈그림 57〉 이시카와의 2분과 1각짜리 우표 디자인안은 원래 돗판인쇄주식회사 기사인 나가나 기쿠지가 원판을 조각했는데, 작업 과정에서 원도에 있던 태양의 빛 줄기가 삭제되어 버렸다. 이시카와는 이에 분개했던 것 같은데, 실제 여기에는 이유가 있었다. 즉 이시카와가 디자인한 빛 줄기의 태양이 국민당의 청천백일만지홍기靑天白日滿地紅旗를 연상시킨다고 해서 삭제되었다는 기록이 남겨져 있다. 또 이시카와도 언급했듯이, 만주 우표에는 흰 비둘기와

〈그림 57〉 국도 건설 기념 우표의 원화

〈그림 58〉 국도 건설 기념 그림엽서 세트의 한 장(1937

월계수라는 모티브가 자주 이용되었는데 평화를 상징하게 되면 영광과 승리를 상징하는 월계수가 아니고 평화의 상징인 올리브를 그려야 했다는 의견도 있다. 여하튼 이 네 종류의 우표는 수품국 수품처 인쇄과공장에서 조각 오목판으로 인쇄되었으며 모두 178만 5천 매(그 중 4분짜리 우표 1,400만 매)라는 대량으로 발행되었다.

또 9월에 그림엽서 3종 1세트가 발행되었다. 그중에 한 장이 〈그림 58〉이다. 대동광장의 국무원 청사와 국도건설국이 그려지고 중장비를 그림으로써 국도의 건설공사를 나타내고 그것이 평화를 목적으로 한다는 것을 시사하기 위해 상공에 비둘기가 그려져 있다. 또 한 장은 국기 아래에서 폭죽을 터트리고 축하하는 중국인, 나머지 한 장은 국도건설계획도를 도안화했던 것이었다. 이것들은 2만 세트가 인쇄, 배포되었다.

국도 건설의 완료, 그리고 기념식은 해외에도 적극 보도되었다. 해외 홍보 미디어 배포처 및 숫자는 미국 16, 일본 12, 프랑스 10, 영국과 독일 7, 이탈리아 6, 중화민국 4, 기타 6, 합계 68건이었다. 그중, 일본 송부처는 재일만주국 대사관, 국제관광국, 재팬 투어리스트 뷰로, 일본우선회사日本郵船會社, 오사카 상선회사, 재팬 타임즈, 재팬 애드버타이저, 재팬 크로니클, 오사카 마이니치 신문사, 아사히그래프, 일본공방日本工房, 세계정보사였다.

이렇듯 주도면밀하게 준비되고 선전된 기념식은 9월 16일과 17일 이틀간 대동공원에서 개최되었다. 실제로 같은 달 15일 승인 기념일과 18일 만주사변 기념일을 사이에 두고 그 중간 날짜에 기념식을 개최하는 쪽이 연출 효과가 높다고 판단되었기 때문이었다. 당국은 틀림없이 전쟁 분위기를 불식시키기 위해 9월에 기념 이벤트를 집중시켰던 것이다. 게다가 이들 이벤트에는 적극 주민이 동원되고 있어 계획적인 준전시동원의 예행연습으로서의 역할도 있었다고 생각된다. 이벤트에는 '오족협화'를 상징할 수 있도록, 중국인, 만주인의 지방대표자도 더하여 3천 3백 명이 참가하였다. 기념식 광경은 라디오를 통해 일본 국내에도 중계 방송되었다고 한다. 행사 중에는 〈국도건설기념가〉(리치우탄李秋潭 작사, 소노야마 민베이園山民平 작곡)가 불렸는데, 〈그림 59〉의 악보가 실린 팸플릿은 10만 부나 인쇄되어 국내외로 배포되었다. 이 팸플릿의 표지 디자인은 포스터 현상에서 1등을 한 사루타 도시오가 그렸다.

이들 일련의 기념식 모습을 촬영한 사진첩 『약진 국도躍進國都』는 1만 부가 인쇄되어 그 절반은 만주국내 관계기관과 일본 동맹통신사, 일본 우선회사, 오사카상선회사 등으로 발송되었다. 우방 이탈리아와 독일에도 각각 1,000부씩 보내졌다. 또 만영에 촬영을 의뢰해서 기념식의 모습을 기록한 영화 〈뻗어가는 국도〉 2편은 중국어판, 독일어판, 이탈리아어판, 영어판, 일본어판이 각각 1～2편 제작되어 관계 각국에 배포되었다고 한다(이상 滿洲帝國臨時國都建設局, 1938).

〈그림 59〉 국도 건설 기념식전 배포 팸플릿에 게재된 〈국도건설기념가〉(1937)

## 치외법권의 철폐와 그 영향

국도 건설 기념식 개최 3개월 후, 현안이었던 치외법권의 일부를 철폐하는 것이 실현되었다. 이것에 대해서는 일본과 만주국 간에 이미 1936년 6월에 합의하였다. 그러나 다음 해 중일전쟁이 발발했기 때문에, 실행될 수가 없어 12월이 되어서야 겨우 착수에 들어갔다. 국도 신징은 1933년 4월 지정될 당시에는 약 200제곱킬로미터에 지나지 않았으나, 국도 건설 공사가 완료되고 만철부속지가 이관됨으로써 약 487제곱킬로미터의 거대한 도시로 팽창했다(田中, 1940).

그 결과 만주국 성립 전 1930년의 인구는 9만 명에 지나지 않았으나, 1937년에는 35만 명으로 팽창되었다. 만철부속지였던 지역의 인구도 56만 명으로 상승하여 인구밀도는 1제곱킬로미터당 10,558명에 이르렀다. 이는 당시 고베의 인구밀도 9,618명을 훨씬 상회하는 것이다(『國都建設之偉容與紀念式典』 1937, 田中, 1940). 국도 신징은 급격한 인구증가라는 이례적 상황을 맞이하였는데, 국도 건설과 만철부속지의 반환에 따라 신징은 명실 모두 메트로폴리탄으로 변화하고 다롄, 펑톈과 더불어 만주국의 핵심 지역으로 성장했다.

〈그림 60〉은 치외법권 철폐를 축하하는 포스터이다. 일본과 만주국 양국의 부인이 손을 잡고 관객이 축하하고 있는 모습이 그려져 분단되어 있던 두 지역의 행정권이 통합된 것을 상징하고 있다. 만주국 포스터에서도 여성상은 우애를 이미지화할 때 사용된 경우가 많았다. 신체표현으로서 나타난 악수, 어깨동무, 원형으로 줄지어 놀기 등은 만주국과 일본 사이, 현지 민족 간의 우애를 촉진하는 상징적 행동이었다.

〈그림 60〉 치외법권 철폐 기념 포스터 〈경축철폐치외법권 촉진일만일덕일심(慶祝撤廢治外法權 促進日滿一德一心)〉(1937)

1937년 12월에는 만철부속지 행정권의 반환을 기념해서 그림엽서 3매 1세트가 발행되었다. 〈그림 61〉은 그 한 장이다. 봉황을 배경으로 국무원 총무청사가 그려져 황제의 위신으로써 치외법권의 철폐가 실현된 것을 상징하고 있다. 이 그림엽서에는 같은 날 발행된 두 장의 우표가 붙어 있고 각각에 우편소인이 찍혀져 있다. 그중에 2분짜리 우표는 전만일색全滿一色의 의미를 나타내기 위해 만주국 전역이 붉게 칠해져 있고 "치외법권철폐기념"라는 글자가 하얗게 나타나 있다. 1각과 2각짜리 우표에는 신우정총국청사, 1각 2분짜리 우표에는 사법청사, 4분과 8분짜리 우표에는 치외법권 철폐와 더불어 해소된 신징거류민회의 건물이 그려져 있다.

그림엽서는 기획에서 발매까지 겨우 4개월의 여유밖에 없었는데, 도안은 영선수품국營繕需品局 수품처의 인쇄과장 이지마 쇼이치飯島省一와 같은 과 디자이너 오야 히로조가 고안하여 원도는 오야가 그렸고 같은 인쇄과에서 오프셋 인쇄의 프로세스제판(사진제판)으로 인쇄되었다. 발매 수는 2분과 4분짜리 우표 각각 300만 매, 1각짜리 우표 50만 매, 그 밖의 것 20만 매, 모두 710만 매에 이르렀다(자료⑩ 17-1). 기념 우표의 선전력에 대한 신뢰가 우표의 발행 수량에서 여실히 드러나고 있다.

다만 치외법권의 철폐, 계속되는 행정권의 통합에 따라 복잡한 문제도 발생하였다. 하나는 만철부속지에 거주하고 있던 일본인에 대한 처우문제였다. 예를 들면 스포츠선수의 국적과 현지 스포츠조직을 어떻게 처우하는가. 이 문제에 대해 만주국과 일본의 체육협회는 협의를 거듭해서 1937년 10월 '일만스포츠협정'을 체결하기에 이르렀다. 여기서 '스포츠국적'이라는 개념이 창출되고 재만 일본인은 모두 '스포츠국적'에 따라 만주국의 선수로서 처우되었는데 일본 조차지인 관동주의 일본인도 일본의 '스포츠국적'을 가지게 되었

〈그림 61〉 **치외법권 철폐 기념 그림엽서 세트의 한 장**(1937)

다. 각 지역의 체육협회도 이 기준에 따랐다. 만주국의 '국적법'이 제정돼 있지 않은 단계에서의 잠정적 조치로서 주목하고 싶다(자료③ 1937.10.29).

두 번째는 교육행정권의 문제이다. 당시까지 만주의 일본 제국 교육행정권은 만철부속지 내외의 일본인과 조선인, 부속지 내의 '만인滿人'에 미치고 있었다. 그러나 만철부속지의 행정권에 더해서 조선총독부의 행정권도 이양됨에 따라 일본 정부의 교육행정권이 미치는 범위를 변경할 필요가 발생했다. 그 결과 조선인 교육과 '만인' 교육은 만주국으로 이관되었는데 일본인의 교육행정은 전권대사의 감독하에 있는 교무부 관할로 남겨졌다.

세 번째는 재만 일본인에 대한 병사행정권의 문제이다. 당시까지 만철부속지 내에서는 일본인의 경찰서장, 부속지 외에서는 영사관 경찰서장이 각각 재류지 징병사무관이 되었는데, 치외법권 철폐 후에도 일본인에 대한 병사행정권은 보류되었다. 다만 담당기관은 관동군 및 주만대사관으로 변경되고 또 신징, 펑톈, 무단장에는 병사사무에 관한 대사관 촉탁을 두어 각각 일본인의 병사행정을 담당하였다.

네 번째는 만주에 있던 40개의 신사神社에 관한 처우라는 종교행정권의 문제이다. 일본 국교인 신도神道의 시설을 만주국에 위탁하는 것 등은 논외가 되었기 때문에, 그다지 깊이 논의하지 않고 신사는 일본 측에 남겨졌다(자료② 강덕 5년).

그러나 만철부속지 행정권의 반환은 거기에 거주하고 있던 일본인, 조선인, '만인'에게는 당혹스런 점이 많았고 신징특별시 정부도 행정영역의 급격한 확장과 통치해야 할 사람의 급증에 따라 행정면에서의 대응이 반드시 원활하게 진행된 것은 아니었다.

## 전쟁과 여행의 변용

중일전쟁이 발발한 후에도 의외로 만주로의 여행열旅行熱과 이주열移住熱은 가열상태에 있었다. 게다가 1940년 기원 2600년을 맞이하는 축하와 아울러 도쿄, 요코하마에서 일본만국박람회와 도쿄올림픽의 개최가 예정됨으로써 만주국뿐 아니라, 세계가 도쿄를 주목하였다. 두 이벤트 모두 덧없이 사라졌지만, 미디어 이벤트를 잇따라 기획함에 따라 여행열은 멈출 바를 모르고 일본 내지에서 만주국, 만주국에서 일본으로 여행객은 줄어들지 않았다.

실제 일본의 기원 2600년 기념식에 참가하기 위해 만주국에서는 일본으로 가는 수학여행단이 잇따라 조직되었다. 재팬 투어리스트 뷰로(이하 JTB로 약기)는 이것을 독점 인수했는데 3월 시점의 방일시찰단은 116명의 대규모 단체로 편성된 신징의대 수학여행단을 비롯하여 시키시마敷島고등여자 모국방문 수학여행단, 궁주링公主嶺농학교, 신징상공공회, 지린성 푸위현공서扶余縣公署, 국립 사도師道학교 여자부 등, 천여 명에 이른 상황이었다(자료③ 1940.2.17).

그러나 만주국에 있는 종래 수송기관과 관광시설로는 이런 급증하는 도항자에 대응할 수가 없어 사태는 심각해지고 있었다. 만주국 관광기관은 시국난이라는 점도 있어 내지에서의 도항자를 일정 조건으로 제한하기로 결정하였다. 도쿄에서 개최된 단체여객수송회의에서도 단체여행에 대해서는 시국에 어울리지 않는 한가한 관광유람과 참가 인원이 너무 많은 단체는 취급 알선을 거절하는 한편, 개척지 시찰에 대해서는 적극 수용한다는 방침이 승인되었다. 또 학생의 단체여행은 종래와 같이 명소유적을 구경하는 것만이 아니라, 여행지의 학교 참관과 현지 학생과의 교류를 중시하고 현지 신사 이외의 근로봉사작업을 프로그램에 포함시키는 것 등을 조건으로 승인을 받았다. 대륙과大陸科를 신설한 대학과 고등전문에서는 종래의 상투적인 수학여행을 개선한 '대륙시찰여행'을 하도록 강요받았다.

한편 철도성과 JTB는 학생뿐 아니라, 전 국민의 대륙인식을 촉진시킨다는 목소리를 반영하여 단체여행의 틀을 확대하기로 결정했다. 요컨대 당시까지와 같이 내지와 조선, 만주뿐만 아니라 타이완, 톈진, 칭다오, 상하이 등에도 여행 루트를 확대하기로 했다. 취급 범위는 50명 이상, 2, 3등 승객(기선은 1등)으로 제한하였는데 중국 대륙연안에도 단체여행을 확대함으로써 만주국으로의 집중을 완화하고자 하는 의도였다.

그런데 1939년 중순 일손 부족에 시달리는 만주국을 발전시키기 위해서 일본 내지에서 건설근로봉사대가 파견되자, 수송교통의 측면에서 당시까지 비교적 자유로웠던 만주시찰도 제한되었다. 이 규제를 시행하기 위해 8월부터 만주관광협회가 여행 알선을 일원적으로 취급하게 되었다(자료③ 1939.3.8, 4.22). 이리하여 여행과 관광도 통제의 대상이 되었던 것이다.

## 철도 1만 킬로 돌파

만철은 중일전쟁 후 1939년 10월, 철도 1만 킬로 부설을 달성하였다. 1만 킬로의 내용은 ① 만철소관선 1,175.7킬로, ② 국선(만주국유철도) 내 만주사변 전부터 존재하던 노선과 사변 후 건설한 노선 7,010.8킬로, ③ 국선 내 구러시아제국이 소유하던 북철北鐵의 접수선 1,729.7킬로, ④ 사유철도를 매수하고 국선으로 한 노선 161.0킬로, 합계 1만 77.2킬로이다. 이러한 달성을 기념해서 10월 21일에 개최된 기념식에서는 초대 손님에게 선물로 『만주철도건설비화滿洲鐵道建設秘話』, 『만주의 철도』, 『협사協私(철도 1만 킬로 돌파 기념특집)』, 『만주그래프(철도 운영 1만 킬로 돌파 기념특집)』, 『봉천초지奉天抄誌』 등의 서적 이외에 기념 우표가 들어있는 홀더를 배포하였다.

여기에 들어 있는 기념 우표는 만철 신징지사가 교통부 우정총국의 동의를 얻어 제작한 〈철로 1만 킬로 돌파 기념 우표〉이다. 만철은 기념 우표 제작을 위해 총재실 촉탁 아카기 히데노부赤木英信와 총재실 홍보과 근무 디자이너 사사키 준佐佐木順 두 명을 우정총국으로 파견했다. 아카기는 만철 사내에서도 유명한 우표수집가였으며 우표의 구도에 대해서 독일과 소련의 우표 표현을 참고로 했다고 한다. 한편 사사키는 1936년 도쿄 제국미술학교 공예도안과를 졸업한 후, 도쿄전기회사 선전부, 칼피스Calpis회사 선전부, 만주교과서 편집부를 거쳐 만철에 입사해서 '소화 13년도 만철포스터 및 캘린더', '소화 14년도 캘린더' 등을 직접 제작하였다.

그들이 우정총국 우무과郵務科, 경리과, 영선수품국 수품처 인쇄과의 관계자와 더불어 도안을 구상하고 만철에서 제공받은 사진(〈그림 62 ②〉)을 바탕으로 사사키가 원도를 작성하였다(〈그림 62 ①〉). 이 도안을 수품처 인쇄과 디자이너 이와쿠라 규조岩倉彊三가 제판 원고용 도안으로 나시 그리고, 이것을 내각인쇄국에서 영선수품국 수품처 인쇄과로 자리를 옮긴 요시오카 데루오吉岡輝夫가 원판을 제작해서 같은 과 공장에서 오프셋 2도 인쇄로 완성시켰다. 발매 매수는 2분짜리 우표 121,385매, 4분짜리 우표 118,161매, 합계 239,546매로 우표를 통한 홍보를 위해 그중 약 46%가 해외용으로 판매되었다고 한다

(자료⑩ 21-1).

동시에 5매 1세트의 기념 사진엽서도 3만 세트 발매되었다. 5매 중 만철 본사, 특급 '아시아', 철도부설열차, 만철 대두저장소의 4매는 그라비어 인쇄로 인쇄되었고, 만주철도노선도 1매만이 오프셋 5도 인쇄의 컬러로 제작되었다.

〈그림 62 ①〉 만철 철도 1만 킬로 달성 기념 우표 〈철로1만킬로돌파기념〉의 원화

〈그림 62 ②〉 만철 제공 사진

제7장

# 국방체제의 강화와 '건강 만주'

## '건강체조일'과 스포츠대회

1935년 7월 만주국 정부는 국민체조를 제정하고 다음 해 4월에는 5월 2일을 '건국체조일'로 결정하였다. 체육활동은 국방을 준비하기 위한 단련이라 위치지우고 중일전쟁 발발 후에는 '보건 국책'이 실천되었다.

1938년 4월 '국민건강보험법國民健康保險法', 1940년 4월 '국병법國兵法' 시행 후, 당국의 전시동원체제가 명확해졌다. 게다가 태평양전쟁 발발 후 1942년 7월에 '국민체력법國民體力法', 같은 해 11월에 '국민근로봉공법國民勤勞奉公法'이 시행되자, 점점 남자의 신체 단련은 국가적 사명을 띠게 되었다. 동시에 1941년 무렵부터 '건강 선전'이 제창되고 1942년에는 후생운동厚生運動이 시행되자 예방위생에 대한 주의, 생활과 직장에서의 심신의 관리가 중요하게 되었다. 이리하여 전쟁 국면에 대응하기 위해 주민은 건강하고 위생적인 생활을 하는 것이 국가적 과제로 강제되었다.

이미 건국한 해인 1932년 4월 만주국 체육협회가 성립되고 8월에는 문교부 총장 정샤오쉬의 이름으로 '체육진흥방책결정의 건'이 공포되었다. 그 전문은 다음과 같이 시작되고 있다(滿洲國 民政府, 1939).

> 입국의 요소는 첫 번째를 국민으로 한다. 국민 신체의 강약은 국운의 융창에 관한 것으로 실로 중대하다. 따라서 동서 각국은 국민체육운동의 발달과 보급을 적극 진행시키지 않을 수 없다. 참으로 체육운동은 국민의 정신에 침투하여 그 건전함을 유지할 수 있어야 한다.

동시에 만주국 정부는 10월 15일부터 21일까지를 '체육주간'으로 정하고, 건국 당초부터 체육진흥을 통한 '국민화'의 방법을 모색하고 각 성의 교육청, 시, 현의 교육과에는 체육고體育股, 체육협회를 통해 그 목적을 달성하고자 했다. 선전수단으로는 각 학교 내외에 표어 전단 1만 5천 매 배포와 게시, 체육검사서 5천 매 교부, 홍보영화 상영, 보건상담소와 무료진료소 설치, 생활개선거독운동 실시 등을 진행하여 건강의 효과를 높이고자 했다. 이러한 "여러 가지 선전사항은 비용은 많지 않고 효과는 매우 크다"고 인식되었다.

한국의 만주국 연구자 한석정韓錫政이 지적한 대로 '건강체조일'이 설정된 것은 "회란조서환발 기념일인 5월 2일을 건강체조일로 삼아서" 주민에게 일만日滿 '일덕일심'의 정신을 신체를 통해 체현시키는 것이 목표였다(Tamanoi, M.A., 2005). 게다가 1937년 2월에는 "본 체육 제정의 취지에 기초해 건강정신을 발양하며 민족협화를 철저히 하고 아울러 일덕일심의 성스러운 뜻을 현현顯現함으로써 전 국민총동원의 완성을 기하기" 위해, 5월 2일에 더하여 새로

이 건국 기념일인 3월 1일과 만주사변 기념일인 9월 18일을 '건강체조일'로 지정했다. 여기에 체육, 축제와 총동원이라는 키워드가 일치되고 만주국 홍보정책의 의도가 확실히 보이게 되었다.

1932년 4월 만주국 체육협회 설치와 더불어 건국 기념 제1회 대운동회가 개최되었다. 이 대회에서는 육상경기와 구기대회가 개최되고 펑톈성, 지린성, 신징시 등의 스포츠선수 150명이 참가했다. 제2회 대회가 뜻밖에도 4일 후에 개최되어 재차 전국에서 300명의 선수가 모였다. 건국 해에 개최된 이들 대회는 세계 각국에 대해, 특히 만주를 시찰하고 있던 리튼조사단을 향해 만주국 전체가 평화로운 스포츠제전을 개최할 수 있을 정도로 안정되고 있다는 것을 호소하는, 극히 교묘한 연출이었다고 할 수 있다. 이해에 만주국은 스포츠선수를 세 차례 일본의 대회에 파견하였다.

게다가 1934년 7월에는 체육조직의 확대가 꾀해지고 경기별로 설치된 연맹의 협력을 얻어 9월에는 전국 체육대회 제3회 대회가 신징시에 신설된 난링南嶺 종합운동장에서 거행되었다. 이 때 전국에서 700여 명의 선수가 참가했다고 한다. 이후 매년 전국 규모의 체육대회가 개최되었다. 난링 종합운동장의 설치는 만주국 체육 홍보의 정착을 상징하는 것이었다.

1937년 12월 치외법권이 철폐되고 만철부속지의 행정권이 반환되자 체육행정도 동 부속지를 포함해 일원화되어야 했다. 부속지에 있던 신징 체육연맹은 해산되고 동 지역의 체육시설도 신징특별시 위생저 보험과로 이관되었다. 또 체육 관계 조직에 일본인이 증가하고 새로이 무도회武道會 신징지부, 신징 스키구락부, 신징 하이킹구락부 등이 신설되었다.

운동을 실천하는 경기장의 정비도 당연 필요하게 되었다. 제전의 중심인 국도 신징에는 〈표 5〉와 같이 건국 후부터 1939년까지 설치된 공원, 운동장은 10개소, 시설은 20여 개소에 달했다. 설치시기는 1934~1935년, 1938년에 집중해 있고 테니스코트와 야구장의 정비가 눈에 띈다. 한편 철도부속지의 스포츠장과 공원시설의 정비는 비교적 이른데 펑텐은 1920년대, 하얼빈 등은 구러시아제국 신민을 위해 1910년대를 전후로 집중적으로 이루어졌고 안둥과 만저우리는 건국 초기에 공원과 운동장이 정비되었는데 모두 1937년 치외법권 철폐와 더불어 그 지역 시정부로 이관되었다.

또 만주국 정부는 국제 스포츠대회에 선수를 참가시킴으로써 만주국의 지명도를 세계적으로 높이려고 하였다. 그 시작으로서, 1932년 3월 로스엔젤레스 올림픽 참가를 IOC에 신청했으나 이 계획은 실패했다. 그러나 8월에는 일

〈표 5〉 신징시내 운동시설 설치시기 일람

| | 육상 경기장 | 풋볼 경기장 | 사커 경기장 | 농구 코트 | 배구 코트 | 야구 경기장 | 스케이트장 | 테니스 코트 | 수영장 |
|---|---|---|---|---|---|---|---|---|---|
| 난링 종합운동장 | 1934.8.27 | 1934.8.30 | 1935.9.23 | 1935.8.30 | 1935.8.30 | 1933.12.30 | | | |
| 아옥(兒玉)공원 | (1927.9.15) | | | | | (1923.9.15) | 매년 설치 | | |
| 모단(牡丹)공원 정구장 | | | | | | | | 1935.8.1 | |
| 백국(白菊) 수영장 | | | | | | | | | 1935.7 |
| 백산(白山)공원 정구장 | | | | | | | | 1938.12 | |
| 대동공원 | | | | 1938.9 | 1938.9 | | | 1938.8.28 | 1938.8.28 |
| 순천공원 | | | | | | | | 1938.9.20 | |
| 만주전전(滿洲電電) | | | | | | 1937.12.1 | | ?년 9월 | |
| 만주중은(滿洲中銀) | | | 1934.1 | | | 1934.1 | | 1934.1 | |
| 만주전업(滿洲電業) | | | 1935.9 | | | 1935.9 | | 1935.9 | 1935.9 |
| 총영사관 | | | | | | | | 시기 불명 | |

출전 : 만주국 민정부 편, 『滿洲國體育行政槪要』(1939)에 의거.
( ) 표시는 추정 연월일.

〈그림 63〉 국민정신 진흥 건국체조회 포스터 〈국민정신진흥건국체조회〉(복사본, 1939)

본의 지원으로, 국제육상경기연맹에 참가하는 것이 실현되었다. 또한 1934년 일만농구경기회, 1938년 만선교류경기회滿鮮交歡競技會, 1939년 일만화교류경기대회日滿華交歡競技大會, 1940년 동아경기대회, 1941년 일본국민체육대회 등에 '스포츠국적'이 만주국에 있는 선수가 잇따라 참가했다.

또 1939년 7월부터 1개월간, '건강 만주'를 목표로 협화회, 만주제국체조협회, 만주전전이 주최하는 '국민정신진흥건국체조회'가 시작되었다.

〈그림 63〉은 사진의 상태가 나쁘지만, 『아사히신문』에 게재된 당시의 포스터이다(실물은 아직 보지 못함). 건국체조는 매일 오전 6시 반부터 20분간, 라디오의 마이크 호령에 따라 만주 전체에서 일제히 실시되었다(자료③ 1939.6.13).

또한 1940년 9월 15일, 아사히신문과 만주제국체조협회 등이 주최하고 민생부, 관동국 재만교무부, 총무청 홍보처, 협화회의 후원으로 '기원 2600년 경축 만주체조대회'가 개최되었다. 게다가 신징, 펑톈, 하얼빈, 다롄의 네 도시에서 동시에 개최되었다. 〈그림 64〉는 당시 『아사히신문』에 게재된 대회용 포스터이다. 신징은 난링 종합운동장, 펑톈은 국제그라운드, 하얼빈은 시민그라운드, 다롄은 다롄운동장에서 '오족'의 젊은이 5만 명이 처음 모인 체조대회를 연출하였다. 홍보처장 무토 도미오는 대회 개최에 즈음해서 다음과 같은 논평(코멘트)을 남기고 있다.

> 체조는 집단으로 하는 것으로써 전체로의 귀일이라는 마음가짐을 양성할 수 있고 또 체조를 하는 사람 스스로도 전체로의 조화, 질서 속에 들어가 리듬에 따라 행동하는 행복감을 맛볼 수 있기 때문에 (…중략…) 자유주의적, 개인주의적인 스포츠보다 전체주의적인 체조로 체육이 전환해 가는 것은 시대의 추세로 보인다.

〈그림 64〉 기원 2600년 경축 만주체조대회 포스터 〈기원2600년경축만주체조대회 하얼빈시대회〉(복사본, 1940)

이것은 체육을 매개로 신체를 통해 파시즘적 정신을 양성시키고자 한 무토의 발언이었다. 대회 관계자는 명확하게 나치스 '미의 제전'의 만주판을 개최하는 것을 염두에 두었다. 이 대회를 위해 시 중심가에는 상쾌한 푸른 가을 하늘에 일본 국기와 만주국 국기가 나부끼는 구도 아래 건강미를 상징하는 포스터가 나붙었고 행인들은 이것을 보았다고 한다.

펑톈에서는 펑톈상업 500명, 아사히고등여자 1,000명, 남만중학당 350명, 소학교 전 아동, 만철과 조병소造兵所 사원들이 참가하고 아동들이 '건강을 찬양하는 노래'를 부름과 아울러 학교마다 다음과 같은 매스 게임을 진행하였다.

一. 연맹체조

二. 여자청년체조 일만행진

三. 펑톈상업학교체조

四. 대일본국민체조

五. 댄스

六. 일본체조

七. 약진만주

八・九. 2600년 경쟁

十. 만철체조

十一. 행진유희(行進遊戲)

十二. 남만중학당체조

十三. 만주건국체조

9월 『오사카 아사히신문』 만주판 지면에는 "큰 반향을 불러 일으키다 펑톈을 건강일색으로!", "건강축복의 가을", "가을 하늘의 햇빛에 비치는 건강일" 이라는 '건강'을 칭송하는 기사가 여기저기에 보인다.

그 사흘 후, 만주사변 9주년 기념일을 축하하는 동시에, 일본의 기원 2600년을 경축하기 위해서 국도 신징의 대동광장에서는 5만 명의 젊은이를 모아 흥아국민동원대회興亞國民動員大會를 개최하였다. 대회의 목적은 아래 세 가지였다.

> 一. 만주국의 장래를 짊어질 전국 청년의 의기로써 건국정신의 발양에 힘쓰게 한다.
> 二. 유사시 국민 동원을 예상하고 평소 국민의 중견인 청년층의 훈련을 실시한다.
> 三. 동아신질서권의 거점인 만주의 국도에 동아 제 민족 청년의 단결 융합을 도모한다.

국도 신징에는 경축탑이 설치되고 건물에는 장식이 더해지고 국기가 게양되고 제등이 내걸렸다(자료⑥ 46). 젊은이들은 "동아 3억 청년 단결하라"는 슬로건을 내걸고 전체 행렬을 정비한 후, 〈그림 65〉 협화회 중앙본부가 발행한 그림엽서에 그려져 있는 것처럼, 음악대를 선두로 해서 일본, 몽강, 중화민국 등 '외국' 대표단, 이어서 펑톈, 남만南滿, 동만東滿, 북만北滿의 대표단, 개척청소년의용대開拓青少年義勇隊, 청년대, 소년대가 열을 지어 행진했다. 또 대회 당일은 마침 건국충령묘의 첫 대제大祭를 지내는 날이었기 때문에 참가부대를 비롯하여 일본, 중국, 몽강, 전련대표, 의용대에서 각각 1명씩의 대표가 여기에 참가했다. 이어서 오후 4시에는 참가자 간 교류회가 개최되었다. 만철사원 구락부俱樂部에서도 경축대연주회, 경축의 밤이 열리고 국도國都극장에서

〈그림 65〉 경축 기원 2600년 흥아 국민동원대회 기념 그림엽서(1940)

〈그림 66〉 경축 기원 2600년 흥아대운동회 기념 그림엽서(1940)

는 강연회가 개최되었다. 거기서는 〈2600년 경축가〉가 소리 높이 불렀다.

9월 27일부터 3일간 신징의 난링 종합운동장에서 〈그림 66〉 그림엽서에 그려진 것처럼 홍아청년 천 명이 각종 스포츠경기를 하였다. 개회식에서는 대회 총재인 장징휘 총리, 다케베 로쿠조 부총재가 「만주 청년에게 전하는 말씀」을 낭독한 후, 기원 2600년 경봉축국민가慶奉祝國民歌를 합창하고 500마리의 비둘기를 날려 보내며 경기를 시작하였다(자료③ 1940.9.10, 11, 14, 18, 26, 자료⑥ 5-2).

이와 같이 연말까지 매월, 만주국과 관동주에서는 일본 기원 2600년을 축하하기 위해 대회, 행진, 대규모 스포츠대회를 포함한 여러 가지 미디어 이벤트가 개최되었다. 그리고 그 '건강열'은 다음 해 건국 10주년 기념대회가 개최되면서 한층 가열되었다.

## 보건위생과 적십자사

만주국에는 육군병원, 철도총국 보험과와 민생부 보건사를 중심으로 만철 연선의 100여 개의 각 철도국부설의원과 관, 공, 시립병원이 있었다. 또 예방의 경우, 다롄의 보건소, 보건관, 위생연구소가 있고 호흡기병을 위한 샤오핑다오小平島 남만보양원南滿保養院 이외에 각 보양원, 성병, 전염병, 아편해독 등의 시설도 있었다. 그 외에 의사 육성을 위한 펑톈, 신징의 두 의과대학, 그 시료반 및 만철위안차慰安車의 진료가 실시됨과 아울러 외진 곳으로의 순회의료도 실시되었다(자료⑧ 7-7).

그러나 지방에 대한 보건위생관념의 보급에는 아무래도 한계가 있었기 때문에, 만주국에서는 종래 은사보제회恩賜普濟會와 일본적십자사 만주위원 본부를 통일해서 1938년 10월 만주국적십자사滿洲國赤十字社, 만적를 설립하여 현지 주민의 보건위생관념을 향상시키고자 했다. 〈그림 67〉은 창립 당시의 포스터 카피이다. 성립 당일, 신징특별시 협화회관에서 만적 창립 기념식이 개최되었을 때 불렀던 〈만주국적십자사사가滿洲國赤十字社社歌〉는 다음과 같은 것이었다.

> 황제께서 내려주신 그 마음 삼가 받들어 다섯 민족(五族)에 넓으신 사랑이 충만케 하고
>
> (恩賜ノ御心奉戴シ　　博愛五族ニ及ボシテ)
>
> 종족, 국적 구분 없이 널리 사람을 구휼하며
>
> (種族國籍分チナク　　普ク人ヲ救ヒツツ)
>
> 왕도낙토 건설의 주춧돌을 다지는 소임을 짊어진다.
>
> (王道樂土建設ノ　　礎築ク任ヲ負フ)
>
> 우리 만주국적십자 우리 만주국적십자
>
> (吾ガ滿洲國赤十字　　吾ガ滿洲國赤十字)

〈그림 68〉과 같이 만적이 무엇인지를 설명하고 찬조금을 요청하는 리플릿도 남아 있다. 적십자의 활동은 세계적인 규모인 만큼, 만적의 활동은 특히 해외에 만주국이 복리후생에 힘을 기울이고 있는 것을 호소하는 선전이 되기도 했다. 또 일본적십자사의 힘을 빌어 만주와 일본의 관계를 보다 긴밀히 하려

〈그림 67〉 만주국적십자 창립 기념 포스터 〈만주국적십자창립〉(복사본, 1938)

〈그림 68〉 만적의 활동을 호소하는 리플릿 〈만적 찬조는 나의 일, 구호 대업은 만인의 일(贊助滿赤須有我, 救護大業萬人作)〉

는 의도가 작용했던 것도 부정할 수 없다.

만적의 창립을 기념해서 10월 15일에 2분과 4분짜리 우표가 발행되었다. 이 기념 우표는 다음 두 가지 점에서 간과할 수 없는 중요한 의미를 가지고 있다. 하나는 이것을 기념 우표로서 발매함과 더불어 특정 기간 이외에는 보통 우표로도 사용할 수 있도록 한 점이다. 이 조치는 만적 창립을 기념한다는 목적을 보다 깊이 사회에 침투시킬 수 있는 가능성을 넓혀 주었다. 실제 이 우표의 발매 매수는 250만 매나 되었다. 다른 하나는 이 기념 우표가 통신판매제도(通信賣捌이라고 한다)를 통해 발매됨으로써 국내외 우표수집가의 희망에 부응한 것은 물론, 해외선전의 하나로도 적극 이용되었다는 점이다(자료⑩ 18-6). 말하자면, 이 기념 우표의 발행 이후 만주국에서 발행하는 우표는 모두 선전용이라는 특징을 갖추게 되었다는 것이다.

한편 기념 우표의 제작 과정은 다음과 같다. 1937년 7월부터 시작된 만적 설립 계획은 설립위원장인 민생부 대신 순치창孫其昌(1881~?)과 일본적십자사 부사장 나카가와 노조무中川望(1875~1964)의 협의로 조직의 골격이 단단해졌고 다음 해 8월에는 설립을 위한 준비가 완료되었다. 이에 9월 7일 적십자사 창립을 널리 알리게 되었다. 이것을 기념해서 발행한 우표는 교통부 우정총국 부국장이 같은 국 우무과장郵務課長에 연구를 명하여 우무과장은 즉각 담당 부서인 민생부 사회사 사회과와 협의했다. 아울러 제조 순서는 영선수품국 수품처 인쇄과와 협의했다. 발행 예정까지, 거의 1개월밖에 시간적 여유가 없었기 때문에 우표 디자인을 외주 줄 여유가 없어 이례적인 것이었는데 우정총국 우무과의 직원이었던 야마시타 다케오山下武夫에게 원안을 제작하라는 지시가 내려왔다.

야마시타는 일찍이 혼고本鄉 회화연구소, 도쿄미술학교에서 서양화를 배우고 졸업 후 체신박물관에 취직하였고 7년 후에 만주국 우정총국으로 옮겨왔다. 야마시타는 이 우표디자인의 제작 경위에 대해 간단한 글을 남기고 있다(자료⑩ 18-6). 그것에 따르면 적십자의 사장社章은 그 정관 제4조에 "본사의 기장記章은 흰 바탕에 붉은 십자로 한다"고 정해져 있어 이것을 바꿀 수가 없었는데 세계지도상에 표현함으로써 만주국의 위치를 확실히 하고자 했다. 그 지도는 저금국貯金局이 발행한 간단한 지도를 이용하였고 서체는 신징특별시 도서관에 소장된 다카다 다다치가高田忠周의 『대계한자명해大系漢字明解』를 참조해서 디자인하여 사진 제판용으로 원화는 크게 그렸다. 실제 그때까지 교통부가 발행했던 우표의 글자가 치졸하다는 비판이 잦았기 때문에 이 우표 발매 이후, 우표의 글자는 권위 있는 출전에 근거하게 되었다. 이것 역시 이 기념 우표의 특징이 되었다. 야마시타가 그린 기념 우표의 원화는 〈그림 69〉와 같다.

## 우표의 홍보 기능

1940년 1월 우정총국은 시국의 변화에 대응해서 관제개혁을 실시하고 종래 우편과가 담당했던 우편우표류 발행, 우편소인 사용 등의 사무를 우정처 기획과로 이관할 것을 결정하였다. 이 기획과 아래 새로 홍보활동을 담당하는 홍보고弘報股가 설치되었다. 우표와 그림엽서, 소인 등이 이미 우정뿐만 아니라, 홍보 장치로서 중대한 사명을 가진다는 인식이 배경에 있었기 때문이

〈그림 69〉 만적 창립 기념 우표의 원화

다. 이것에 대해서 당시 우정처 기획과장이 된 가쓰야 가즈미勝矢和三(1902～?)는 다음과 같이 서술하고 있다.

> 우표, 우편엽서 혹은 소인은 자국민을 향한 국책 침투에 기여하고 우리 만주국에 대한 외국인의 불완전한 인식을 시정하는 데 공헌한다는 중대 사명을 짊어지고 있습니다. 따라서 그 목적 달성을 위해서는 이들 의장(意匠)을 상대방이 충분히 이해할 수 있도록 하고, 종류와 크기를 결정할 때는 실용상의 편리함을 고려해야 하는 것은 물론이며, 기념 우표 등 수량을 한정해서 임시로 발행할 경우 오히려 그 수량을 충분히 하여 모든 국민에게 널리 전달되도록 많이 발행하는 것이 무엇보다 중요합니다.

신설 기획과 홍보고는 6월 22일부터 7월 10일까지 만주국 황제가 두 번째 일본을 방문한 것을 지나칠 수는 없었다. 홍보고는 즉시 이것을 기념하기 위해 기념 우표, 특별 소인의 도안에 대해 궁내부宮內府, 총무청 홍보처, 국립 중앙박물관, 협화회 중앙본부, 만주사정안내소, 일만문화협회, 일본 해군무관부 등 관련 홍보기관과 협의를 시작하였다. 그리고 도안 디자인은 민생부 촉탁 오타 요우아이太田洋愛(1910～1988)에게 위촉하기로 결정했다.

종전 후 오타는 일본 보타니컬아트협회의 창립자로 알려져 있다. 오타는 1929년에 만주로 건너간 후, 만주국 국정교과서의 삽화를 그리는 한편, 유화를 전공해 만주국 미술전람회에 출품할 때는 아직 젊은 아티스트의 한 사람에 지나지 않았다. 우정총국의 야마시타 다케오가 오타를 발견하여 특별 소인의 도안과 1940년 가을 무렵 발행된 일본 기원 2600년 경축 도안의 디자인을 의뢰했다. 오타는 전쟁이 끝나기까지 총무청 관수국官需局의 오야 히로조와 더불어 만주국 우정 디자인의 중심적 존재가 되었다.

황제 푸이의 제2회 방일 기념 우표는 주로 만주국 내 서신, 일본에 보내는 서신과 우편그림엽서에 사용하기 위해 2분과 4분짜리 두 종류가 제작되었다. 오타의 도안에는 상부 중앙에 황제의 위신을 상징하는 난꽃 문장, 중앙은 일만 양국의 유대를 상징하는 나는 비둘기 두 마리, 아래에는 만주국 국기가 배치되었다. 서체는 상하이서국 발행의 『강희자전康熙字典』에 의거했다고 한다. 인쇄는 그라비어 인쇄로 되었는데, 설비와 기술수준 면에서 만주국에서의 인쇄는 단념하고 일본 내각인쇄국에 의뢰하게 되었다. 역시 발행 매수도 이전 가쓰야勝矢 기획과장의 말대로 2분, 4분짜리 모두 250만 매, 합계 500만 매를 발행하게 되었다. 이 수는 〈적십자 창립 기념 우표〉와 비교해도 2배에 달했다. 다만 당국의 기대와 달리 해외로부터의 구입 희망은 중화민국밖에 없었던 것 같다(자료⑩ 22-2).

동시에 만주체신협회滿洲遞信協會가 〈그림 70〉과 같은 그림엽서를 발행하였다. 이것은 히비야 대음악당에서 황제 푸이를 환영하는 모습을 그린 것인데 참석자가 국기를 흔들고 있는 것처럼 보인다. 그러나 자세히 보면, 그 대부분은 이후에 써넣은 것 같은 흔적이 있어 그림엽서의 사진이 가공되었다는 것을 알 수 있다. 이 그림엽서에는 장징훠가 쓴 "경축 일본 기원 2600년"을 디자인한 2분짜리 우표가 붙어 있다. 그림엽서와 우표가 세트로 디자인되어 홍보의 기능을 다한 하나의 사례라고 할 수 있다.

〈그림 70〉 황제 푸이 방일 환영 기념 그림엽서

## '국병법'의 공포

만주국 대중들은 국민의식도 약하고 그 때문에 국방의식을 양성하는 것은 극히 곤란하였다. 현실적으로 관동군이 병력의 중심이 되었던 한편, 1937년에 성립한 만주국군은 지역할당으로 실시된 모병제도였기 때문에 관동군을 보좌하는 역할밖에 할 수가 없었다.

그러나 중일전쟁 발발 이후 전국戰局이 날로 엄중해지면서 전시체제하 지역주민의 동원이 문제시되지 않을 수가 없었다. 1939년 4월 만주국 정부가 신문과 라디오를 통해 '총복역제도總服役制度'에 대해 처음 성명을 발표함과 동시에 본 제도에 관한 선전대강과 제1기 선전계획요강(1939년 4월~1940년 3월 말)을 결정하였다. 제1기에는 인민총복역제도 심의위원회 간사회에서 국민지도 분과회가 세 차례 개최되는 것 이외에, 중앙에서는 홍보처 주최로 정례 각부 문서과장회의, 홍보연락회의가 개최되는 등 신중하게 작업이 진행되었다. 또 지방에서 개최된 각성 홍보사무타합회의各省弘報事務打合會議를 통해 본 제도에 대한 연락을 긴밀히 하였다.

본 제도의 선전을 위해 모든 미디어가 동원되었다. 예를 들면 만주일일신문사, 만주신문사 이외에 9개 현지 신문사뿐 아니라 오사카 아사히신문사, 오사카 마이니치신문사도 협력해서 관련 기사를 게재하고 노 기자의 현지시찰 보고도 실렸다. 또 라디오를 통해 방송된 뉴스, 강연, 어린이시간 등에도 관련 정보를 내보낼 뿐 아니라 문화영화 〈우리들의 군대我們的軍隊〉와 극영화 〈국경의 꽃〉을 배급하여 선전하였다. 그 외에 대동극단, 안둥협극, 펑톈협극 등이 분담해서 100회 가까운 순회공연을 하였다.

또 팸플릿 『취미화보趣味畵報』, 그림책 『아동화보』, 그래프지 『정군화보精軍畵報』, 만화잡지 『만화만주』를 각 5만 부에서 30만 부 인쇄하는 것 이외에, SP레코드 〈나는 나의 만주를 사랑한다我愛我滿洲〉를 1만 매 제작하였다. 뿐만 아니라 성냥(갑), 편지지 등에도 표어를 인쇄하여 홍보활동을 전개하였다. 이들 홍보자료는 성정부로 보내서는 효과가 없다고 판단하여 직접 선전을 담당하는 현, 시공서縣市公署로 보내도록 하는 지시가 있었다. 종이가 부족한 시기 총복역제도에 관한 홍보전략은 참으로 배수의 진이라는 양상을 띠고 있었다. 실제 1940년 후반기부터 종이의 부족이 결정적이 되어 『선무월보』조차 제46호(1940.9)부터 페이지 수, 배부 수가 대폭 삭감되었다.

게다가 정부는 '국병법國兵法' 실시를 위해, '국민지도요강國民指導要綱'을 작성하고 새로 설치한 국민지도중앙위원회, 성위원회, 현 이하는 협화회 사무국장을 중심으로 제도에 대한 인식을 철저히 하고자 하였다. 특히 청소년을 대상으로 국방유지 능력 증강, 체위 향상을 목표로 한 청년훈련소를 신설하고 농촌청년숙과 국민고등학교 등에서는 철저한 국병사상을 불어넣고자 하였다.

그리고 1940년 4월 1일 국도 신징에 청소년의용대 훈련본부, 현縣, 기旗에 같은 의용대 실무훈련소가 설치돼 점차 국병법을 실시하였다. 본 법은 공포 직전까지 '병역법兵役法'이라고 하였다. 그런데 '역役'이라는 글자가 강제력을 동반한 뉘앙스가 있기 때문에 문제가 되어 '국병법'으로 바뀌었다고 한다. 본 법의 시행을 기념하여 치안부, 각 군관구軍管區 사령부司令部, 부대, 협화회에서는 대규모 기념 행사를 실시하였다. 1940년 말까지는 국병법 시행 제2기로 홍보활동이 중점적으로 시행되었다. 이를 위해 중앙과 지방에는 정부와 협화회에서 독립한 국병법 사무국이 설치되고 이들 기관이 본 법과 관련 법규를 침투시킬 수 있는 홍보활동을 진행하였다. 또 국병법의 선전은 특설된 국병법 지도위원회에서도 담당하였다(자료⑥ 5-2).

최초 입대자의 조건은 만 19세가 되고 장정검사壯丁檢査에서 합격한 자로 제한되었기 때문에, 실제 장정 대상자의 1할 정도밖에 입대하지 못하였다고 한다. 복무 기간은 일본보다 1년이 긴 3년으로 정해졌다(자료⑦ 3월).

## 민적부의 작성

국병법 실시에 즈음해 당연히 대상이 되는 장정을 파악할 필요가 생겼다. 그러나 국적법이 존재하지 않는 국가라는 기묘한 세계에서는 이 현실적 과제를 위해 국세조사國勢調査를 통해 민적원부民籍原簿를 작성하는 것밖에 방법이 없었다. 최초로 1940년 9월 21일부터 임시국세조사 신고표를 배포하고 10월 1일에 회수하는 절차가 고안되었다. 같은 시기 일본 국내에서도 제3회 국세조사가 실시된 것에서 일본과 만주국 양국에서 동시에 인구센서스 조사가 진행되었다는 것을 알 수 있다. 이 조사에 대한 이해를 돕기 위해 국무원은 〈그림 71〉과 같은 포스터를 제작하여 게시하였다. 포스터의 표에는 "국세조사의 사명은 중대하다國勢調査使命重大 번영하는 우리나라의 앞길 빛나다繁榮我國前途光華"라고 쓰여 있는데 징세와 징병을 목적으로 한 조사임이 명확하며 주민에게는 "전도광화前途光華(앞길이 빛나다)"는 커녕 '경계해야 할' 정부의 정책으로밖에 비춰지지 않았을 것이다.

〈그림 71〉 임시국세조사 보급 포스터 〈임시국세조사 국세조사사명중대 번영아국전도광화〉(복사본, 1940)

조사를 통해 민적원부에 기재된 장정이라 함은 만주제국의 판도 내에 주소, 거처를 가진 자뿐 아니라, 일시 체재자도 포함되고 일본 제국의 군인 및 군속, 외국사절을 제외한 모든 자가 등록되었다. 일시 체재자도 포함된 것으로 볼 때 이전 '스포츠국적'의 규정을 일보 진전시킨 형태가 되었음을 알 수 있다. 국무총리 대신과 국무원 총무청 아래 새로 임시국세조사 사무국을 설치하여 인구조사를 총괄하게 하고, 다시 그 아래에 감독기관(성장, 기현장), 관장기관(촌장, 경찰관서장), 심사기관(조사원, 지도원)을 설치하였다. 실제로 심사기관이 각 세대(호)를 단위로 신고표를 배포하였다. 국세조사의 표어는 다음과 같다(자료⑥ 46).

一. 중대한 사명 국세조사, 번영하는 조국의 기수

二. 국세조사는 우리 자신을 위해 신고합시다 있는 그대로

三. 나라의 초석 국세조사, 써냅시다 있는 그대로

한편 1940년 8월 1일 공포된 '잠정민적법暫定民籍法'에는 민족을 구별하지 않고 만주국에 생활 거점을 둔 자는 모두 만주국 인민으로 간주되었다. 어디까지나 '국민'으로 정의하기까지 잠정적 '인민'이라는 정리 방식을 취했는데 점차 만주국 '국민'의 모습이 드러나게 되었다고 보인다.

## 임시국세조사 기념 우표

임시국세조사臨時國勢調査를 실시하는 것을 기념해서 1940년 9월 두 종류의 기념 우표를 발행하였다. 도안은 제2회 방일 기념 우표를 디자인한 오타 요우아이가 담당했다. 〈그림 72 ①〉은 협화회복을 입고 조사표를 든 청년을 그린 2분짜리 우표, 〈그림 72 ②〉는 주고받는 손에 앞서 언급한 표어 중 세 번째의 중국어 번역 "국세조사의 기본은 사실에 비추어 쓰는 것이며 허위는 안 된다 國勢調査之基 照實塡寫不可虛地"는 문구와 더불어 같은 의미의 만주어도 덧붙였다. 우표는 오프셋의 2색 인쇄로, 발행 매수는 2분짜리 우표가 800만 매, 4분짜리 우표가 1,000만 매, 합계 1,800만 매라는, 여태껏 없던 파격적인 수량을 발행하였다(자료⑩ 22-3).

같은 날 일본의 기원 2600년을 기념하여 두 종류의 우표가 발행되었다. 2분짜리 우표는 오타 요우아이가 장징휘가 쓴 "경축일본기원이천육백년"을 본떠 그린 것으로, 발행 매수는 500만 매였다. 이 우표는 〈그림 66〉의 그림엽서 위에 첨부되어 있다. 4분짜리 우표는 만주사정안내소장의 추천으로, 중국인 서양화가 리핑허李平和가 담당하였는데 그 도안은 용등龍燈이라 불리는 축제 때의 춤을 그린 것이다.

〈그림 73〉은 리가 그린 우표의 원화로, 디자인의 소재는 만주사정안내소에 있던 협화회 발행의 선전용 연화 〈용등회龍燈會〉, 협화회에 있던 본회 발행 건국 포스터, 리의 부친이 남긴 청나라 때 다원의 도안, 만주국통신사에서 촬영한 사진 등을 참조하였다고 한다. 서체는 건륭제가 펑톈을 순행할 때 칭찬한 시편을 모은 『성경부盛京賦』에서 해당 전서체篆書體를 골라낸 것으로, 왼쪽

〈그림 73〉 경축 기원 2600년 기념 우표의 원화

〈그림 72 ①〉 임시국세조사 기념 우표
(2분짜리 우표, 1940)

〈그림 72 ②〉 임시국세조사 기념 우표
(4분짜리 우표, 1940)

의 "만주제국우정"은 옥저전玉箸篆(옥 젓가락으로 쓴 소전小篆. 소전이라는 것은 진秦나라의 공식 서체), 오른쪽의 "경축 일본 기원 이천육백 년"은 서전書篆, "강덕 칠 년 구월"은 조적전鳥跡篆(하夏나라의 서체)이라 불리는 3종의 글자체가 사용되었다. 이 정도로 글자체에 공을 들였던 만주 우표는 없었다. 어찌 됐든, 이 기념 우표는 만주국의 기념 우표 중 중국인이 디자인한 최초의 것으로, 500만 매가 발행되었다(자료⑩ 22-3).

동시에 일본에서는 기원 2600년 경축위원회가 6종 1세트의 그림엽서를 발행해 지방에 배포하였다. 그 도안은 가시하라신궁橿原神宮, 메이지신궁明治神宮 참배에서 돌아오는 황제, 히비야공원 음악당의 '만주국 황제 폐하 국민봉영식'의 모습, 후지산록을 통과하는 황제가 승차한 열차, 황실 전용선 '히나타日向'호의 아카시오키明石沖 통과와 지역 주민의 환영과 환송, 그리고 〈그림 74〉에 보이는 신징 난링 종합운동장의 기원 2600년 경축 흥아대운동회 상황이다. 인쇄는 오프셋 4색 인쇄로, 1922년 설립한 일본명소도회사日本名所圖繪社가 담당하였다. 한편 만주국에서는 교통부가 기념 그림엽서를 제작하지 않았기 때문에 만주체신협회가 일본 그림엽서를 복제해서 일반 희망자에게 4만 세트를 배포했다.

또 만주국에서는 1941년 5월 엽서의 앞면 하단에 일본어 또는 중국어 표어를 넣은 우편엽서가 발행되었다. 1940년 7월에 응모해온 표어 159구 가운데 경제부, 우정총국, 흥농부, 개척총국, 금연총국, 협화회, 만철, 만주전전에서 제출된 일본어 28구, 중국어 12구, 총 40구가 선정되었다. 모든 종류를 수용하는 것은 인쇄기술과 재고 처리의 사정상 가능하지 않았기 때문에, 우선 우정총국의 "호국의 영령 온 나라가 감사한다"와 "끊임없는 저금은 움직일 수 없는 힘이다", 흥농부의 "농업을 소중히 하고 경작을 즐기면 가정도 국가도

〈그림 74〉 경축 기원 2600년 흥아대운동회 기념 그림엽서 세트의 한 장(1940)

모두 번영한다敬農愛耕 家國俱興", 우정총국의 "호국의 영령, 온 나라가 받들고 흠모한다護國英靈 擧國感仰"의 4종을 각각 22,500부 발행하기로 하였다(자료⑩ 22-6호, 24-2, 8). 여러 가지 표어의 내용이 있는데 여기서 언급한 것만으로도 영령숭배를 통해 국병법의 시행을 촉구하였음을 알 수 있다.

## '국병'의 입영과 동원대회

1940년 4월 국병법이 시행되고 다음 해 1941년 6월 만주국 최초의 '국병國兵'이 입영하였다. 그 1주일 전에 2분과 4분짜리 2종류의 기념 우표가 발행되었다. 디자인은 모두 같고 오타 요우아이가 원화를 제작하였다. 오타는 도안의 아이디어를 찾아 1월 치안부 참모의 안내로 촬영 담당 만주사정안내소 사진과 이와모토 이와오岩本巖, 우정총국 담당자 4명과 함께 궁내부 친위대로 갔다. 거기서 촬영한 18종류의 사진에서 선택한 것이 〈그림 75 ①〉이다. 친위대 상등병의 사진을 바탕으로 제작한 러프 스케치가 〈그림 75 ②〉이다. 또한 그것을 정서해서 그린 우표의 원화가 〈그림 75 ③〉이다. 우표 디자인의 제작 과정을 알 수 있는 귀중한 자료이다.

그라비어 인쇄로 하였기 때문에, 일본 내각인쇄국에서 두 종류 모두 인쇄하였다. 판매 매수는 2종 모두 각 400만 매, 합계 800만 매였다(자료⑩ 23-5, 6). 신징 중앙우편국에서는 발매 당일 분으로 예정했던 3만 세트가 오전 10시에 이미 완판되고 펑톈 선양우편국에서도 발매 후 두 시간 만에 배급량의 1할을

〈그림 75 ①〉 국병법 시행 기념 우표의 모델사진

〈그림 75 ②〉 국병법 시행 기념 우표의 러프스케치

〈그림 75 ③〉 국병법 시행 기념 우표의 원화

남기고 다 팔렸다고 한다. 그러나 이만큼 인기가 있었음에도 불구하고 중화민국 난징 중앙우편국의 조사에 따르면 가장 많이 사용했던 5월 28일, 29일 모두 이 기념 우표가 붙여진 편지는 전체의 2할에도 이르지 않았다고 한다. 분명히 수집가가 수집 목적으로 구입하였다는 것을 알 수 있다. 그 때문에 우표의 발행 수량만을 가지고 논하는 것은 조금 위험하다는 것을 알 수 있다.

기념 그림엽서는 교통부와 우정총국에서는 발행하지 않았으나, 치안부가 8매 1세트로 만화가 삽입된 그림엽서를 발행한 것 같다. 또 한해 전 특별연습 기념을 위해 준비했으나, 페스트 때문에 발행이 중지된 3매 1세트의 그림엽서, 즉 〈정예 기병대는 고달파도, 날쌔고 용감한 말로 돌진 돌격精銳騎兵隊疲馳悍馬突進突擊〉, 〈불꽃을 내뿜는 철벽 방공진放射火焰之鐵壁防空陣〉, 〈출발명령을 받았으니 이제 곧 용감하게 출발한다接受出發命令行將勇躍出動〉의 세 종류가 발행되었다고 하는데, 필자는 어느 것도 아직 보지 못하였다(『郵便文化』 24-1).

제8장

# 결전체제決戰體制에서의 홍보독점주의

## 홍보처의 강화와 변질

1939년 3월, 건국 7주년 기념 주간의 흥분이 채 식지 않은 무렵, 제3대 홍보처장으로 약관 34세의 무토 도미오가 취임했다. 무토는 1927년 도쿄대학 법학부를 졸업한 후, 법조계에 들어갔으며 1934년 만주국에서 사법부 사무관 형사사부刑事司部 제1과장을 시작으로, 같은 부 이사관, 총무청 법제처 제1부 참사관, 협화회 중앙본부 지도부 선전과장 등을 역임했다. 홍보처 참사관 시기에 만주국 유럽 방문 사절단원滿洲國訪歐使節團員으로 파견되었고 귀국 후 홍보처장에 취임하였다. 무토는 자서전 『나와 만주국』에서 참사관 시절 아마카스 마사히코甘粕正彦[1] 협화회 총무부장의 권유로 협화회 선전과장을 겸임했으

1 1891～1945. 일본 육군 군인. 육군 헌병대위 시절 무정부주의자 오스기(大杉榮)를 살해하여 복역한 경력을 가지고 있으며 만주로 건너간 이후 관동군 참모 이시하라 간지(石原莞

며, 홍보처장에 취임하게 된 것은 호시노 나오키 총무장관, 기시 노부스케岸信介(1898~1987)[2] 총무청 차장의 강한 의향이 반영되었다고 서술하였다. 취임 후 곧 무토는 기시 총무청 차장과 의논해서 아마카스를 만영의 대표로 만들었다. 당시는 동아신질서東亞新秩序의 형성이 제창되고 참신한 대규모 홍보정책이 요구되었던 시기였다.

1940년 12월, '중앙지방행정사무합리화요강中央地方行政事務合理化要綱'이 결정되고 중앙 및 지방의 행정기구 합리화 절차에 따라 각 관청의 인원이 삭감되었다. 그러나 홍보처 한 곳만은 무토 처장 지휘하에서 선전, 선무부문의 지도와 통제를 강화하기 위해, 기구를 확대하고 인력을 증원하였다. 요컨대, ① 외무국으로부터 대외선전 사무, ② 민정부 문화과로부터 문화행정 사무 중 문예, 미술, 음악, 연극, 레코드, 도서 등 동적 문화에 대한 행정사무, ③ 치안부 경무사警務司로부터 신문, 통신, 영화, 출판에 관한 검열사무, ④ 교통부 우정총국 전무과電務科로부터 방송 및 뉴스 통신에 관한 검열 사무, ⑤ 협화회 문화과와 문화심의회 등의 기능이 홍보처로 이관되었다. 이 '요강'에 따라 홍보처는 당시까지의 선전기능뿐만 아니라 문화행정의 일원적 관리기관, 그리고

爾) 등의 중국 침략 책략에 적극 가담하였다. 만주국 건립 후 민정부 경무사 사장, 협화회 총무부장 겸 계획부장 등을 역임하였다. 특히 아마카스는 1939년 만주영화협회의 2대 이사장으로 취임하면서 만주영화협회의 개혁에 중요한 역할을 했다. '낮에 관동군, 밤에 아마카스'라고 불릴 정도로 문화계는 물론 만주국 전반에 상당한 영향력을 가지고 있었다.

2 일본 정치가, 관료. 도쿄제국대 법학부 졸업 후 농상무성(農商務省), 상공성(商工省)의 요직을 두루 거쳤다. 1936년 만주국으로 건너가 산업부 차장(1937), 총무청 차장(1939) 등을 역임하면서 특히, 만주 산업 개발 5개년 계획을 성공적으로 입안하여 만주국의 산업계를 지배하였다. 1940년 귀국 후 도죠 히데키 내각에서 상공대신에 취임하였다. A급 전범 용의자로 체포되었으나 기소되지 않고 3년 만에 석방되었다. 이후 사업가로 재기하면서 정치활동을 시작하여 보수정당 자민당 창당에 큰 역할을 하였고 1957년 총리 자리에까지 올랐다. 현 일본 총리인 아베 신조(安倍晋三)의 외조부이다.

매스 미디어의 검열기관이 되었다(자료② 강덕 9년).

다음 해 1월 홍보처는 이 '요강'에 기초해 이하 조직 개혁을 실시하였다. 우선 참사관의 수를 11명에서 7명으로 줄이고 중국인 참사관은 정카이융만 잔류시켰다. 또 3과체제를 폐지하고 기존 조직을 개편하는 등, 각 참사관 아래 다음 8개의 반을 직속시켰다. 그 결과 감리과는 감리반, 총무반은 서무반, 영화사진반은 영화반, 선화 1반은 선화반, 선화 2반은 방송반으로 각각 개편되고 정보반은 그대로, 그리고 새로이 도서반과 검열반이 설치되었다. 이러한 조직 개정에 의해 일본인, 중국인 모두 직원이 증원되었다.

검열반에는 영화계, 출판계, 서무계가 있었다. 우편 검열은 관동헌병대에서 맡았고, 새로 설치된 검열반은 매스 미디어와 출판 등의 검열을 담당하였다. 전자의 우편 검열은 해외용 우편은 관동군 정보부와 1937년에 스파이 방지를 위해 설치된 치안부 아래의 보안국이 담당하고, 국내용, 일본용 우편은 주로 관동헌병대가 우정국과 연계해서 검열했다(小林・張, 2008).

검열반의 반장 아베 도쿠타로安部得太郎(1916~1946)는 이전 관동주 경찰서의 경부보警部補로 중국어가 가능했다고 한다. 이들과 마찬가지로 관동주 경찰서의 경부警部였던 기즈 안고木津安五는 영화 검열의 책임자가 되었다. 그들과 같이, 관동주 경찰서 경위였던 시미즈 아사조清水朝藏는 중국어 영화의 검열 책임자로 근무했다.

치안부의 경찰사 특무과 검열고檢閱股에서 근무하던 바오원란包文爛은 도쿄의 경찰강습소 졸업자의 한 사람이었는데, 1941년에 본 검열고가 홍보처 내의 검열반으로 개조됨에 따라, 홍보처로 자리를 옮겨 만영빌딩에서 영화 검열을 담당하였다. 바오와 마찬가지로 치안부 경찰사 특무과 검열고에서 자리를 옮긴 사람은 윈시즈運喜之, 웨즈방岳植邦, 양궈정楊國政, 장커징張克穎이 있었다. 웨岳도 바오와 같이 도쿄의 경찰강습소 졸업생으로 홍보처에서 반년 정도 검열 사무를 본 후, 싱징興京현공서의 행정과장으로 전임했다. 치안부 검열고의 폐지와 함께 홍보처 검열반으로 자리를 옮긴 사람 중 몇몇은 신문 검열에 종사했다.

또 국무원 총무청 서무과 관리고에서 검열반으로 자리를 옮긴 스진잉石金英은 만주도서배급주식회사가 상하이에서 수입한 도서에 대한 검열에 종사했다. 이들 검열관이 문제를 발견할 경우, 우선 검열반의 반장에게 알리고 그후 경찰청의 검열고가 처리하였다. 영화 검열은 경찰청, 관동헌병대와 연계해서 했다고 하는 기록도 있다.

뤄중량羅仲樑은 셰제스의 사위로, 대동학원 졸업 후에 홍보처 신문반에 배속되어 1940년 고등관시험에 합격했고 홍보처 영화반의 사무관이 되었다(44년에는 허베이정무위원회 농림총서 비서로 전임). 뤄와 마찬가지로 대동학원 졸업 후에 홍보처로 배속된 사람 중에는 신문반의 천웨이즈陳維智, 장수룬張樹崙이 있다. 장수룬에 따르면, 신문반이 취급하는 지방 정보는 국통에서 직접 홍보처로 전달되었다고 한다. 국통과 홍보처는 매우 가까운 조직이었다.

방송반 반장 페이원타이裴文泰는 1941년에 교통부 전정총국電政總局 전정처電政處 업무과 방송반이 홍보처로 통합됨에 따라 홍보처로 자리를 옮기게 되고 방송반, 신문반을 거쳐 1945년 5월에 안둥현공서에 부임했다. 페이와 함께 전정처 업무과 방송반에서 홍보처 방송반으로 자리를 옮긴 사람은 진시金璽, 리궈중李國忠, 관웨이關維, 선양 출신의 진칭춘金慶春, 두수웨杜樹月가 있다. 방송반의 중국인 직원은 거의 이런 이력을 가지고 있었다. 외국과의 무선통신에 대한 방송반의 검열은 1939년 노몬한사건 패배 이후 강화되었다고 한다.

정보반은 다케시타竹下 참사관이 총괄하였다. 국내 정보반은 특무기관에서 파견된 전직 헌병 중위 나가가와中川 사무관과 동아동문서원東亞同文書院을 졸업한 세 명이 담당하였다. 한편 단파무선을 이용해 해외정보에 대한 첩보활동을 주로 한 해외 정보반이 있었다. 산둥성 취부曲埠현 출신의 쭈융캉卒永康이 책임자였던 것 같다. 이 부서에서는 펑톈 출신의 안스잉安士英이 충칭重慶방송을 담당하는 것 이외에, 류다차오劉大超는 둥베이東北전신전화공사 총무부 인사과에서 홍보처 해외 정보반으로 근무지를 옮긴 후, 러시아어, 영어, 일본어의 첩보활동에 종사했다. 또 펑톈 전보電報학교를 졸업한 후 국통에서 일한 사람으로는 헤이룽장 출신으로 러시아어에 능숙했던 쑨리탕孫立堂 외에, 장셴야오張憲堯, 쑤언유蘇恩有, 가오루이칭高瑞卿, 관룽허우關榮厚가 있었다. 그 외에, 러시아인 2명, 영국인 1명, 독일인 1명이 첩보활동을 했다. 첩보의 주요 대상도 이들 국외 정보반의 구성원에 따라서 충칭방송, 모스크바방송, 베를린방송, BBC 등이었다.

이런 구조개혁의 내실을 보면, 홍보처는 1940년 말의 '요강'대로, 당시까지의 홍보기관에만 머무는 것이 아닌, 검열, 첩보활동을 하는 일대 정보기관으로 변질 혹은 확대한 것이 명확했다.

## 오락의 통제

1941년 5월 홍보처, 치안부, 민정부 등의 지도 감독하에, 주식회사 만주연예협회滿洲演藝協會가 발족했다. 이것은 영화, 방송, 신문, 잡지와 같이, 연예 역시 만주국의 홍보 계몽을 위한 기관으로 변화했다는 주목해야 할 사건이었다.

마찬가지로, 12월 만영도 영화의 '국가 홍보의 무기'로서의 역할을 강화하기 위해 종래의 제작부를 계민啓民영화부(계발, 교화, 시사에 관한 영화의 제작), 오민娛民영화부(오락영화의 제작), 작업관리소 세 부문으로 나누었다. 여기에는 아마카스 마사히코 이사장의 의향이 강하게 반영되었다. 즉, 대중들이 오민영화를 통해 영화에 친숙해지지 않으면 그들에 대한 교화 등은 불가능하다는 아마카스의 생각이 표출된 것이었다(山口, 藤原, 1987).

아마카스의 개혁은 당시까지 홍보정책이 사회에 침투할 수 없었던 것은 정책의 집행자인 일본인이 만주는 다민족사회이며 정책 수용자인 주민의 눈과 귀를 고려하지 않았기 때문이라는 것을 의식한 결과였다. 연예와 영화는 오락성이 높았기 때문에, 그런 문제를 돌파할 가능성을 숨긴 홍보장치로서 중시되었다.

우표의 경우도 국가적 홍보에 대한 기대가 높았던 한편으로, 홍보 효과에 대해서는 재고해야 할 문제가 발생했다. 우정총국 우정처 기획과 홍보고장弘報股長인 기무라 하루요시木村治義는 이 점에 대해서 다음과 같이 서술하고 있다.

> 우표류, 우편소인, 외환증서 등…… 이 유동적 우정시설은 선전수단으로서 달리 유례가 없이 국내는 물론, 전 세계 각지로 퍼져 나가고 이 시설은 여러 민족, 여러 계급에 이르는 방대한 사람들이 이용한다. 따라서 그 시설들을 이용할 경우 저렴한 비용으로 현저한 선전 효과를 기대할 수 있다.

기무라는 이렇듯, '유동적 우정시설', 즉 우표에 대해 특별한 관심을 가졌고, 당시까지 홍보정책에 대해 다음과 같은 문제점을 지적하는 것도 잊지 않았다.

만주국 구성원 중 지도적 위치에 있는 것은 일본인이며, 일본인이 우표를 발행하고 우편소인을 사용하는 것도 기획에 해당하지만 문화의 성격을 달리 하는 일본인이 기획한 작품이 다른 구성원, 특히 국민 중 다수를 차지하는 중국인에게 수용되지 않는다면 그 선전효과를 기대할 수 없다.

만주국이 건국하고 8년 반이 지나자, 차츰 아마카스와 기무라처럼, 만주의 일본인의 지위가 실은 상당히 미묘하며 이곳의 주류인 중국인과 거리감이 있다고 위기의식을 표명하는 사람이 나왔다. 그러나 만주국과 일본을 둘러싼 국제정세는 긴박하여 이들의 위기의식을 해결해줄 여유가 없었다. 오히려 검열과 동원이라는 꽉 닫힌 강압적인 체제 속으로 빨려들었다. 다만 그 결과 만주국의 정치적 기반은 한층 취약해졌다.

## 출판 통제의 일원화

이미 지적한 것처럼, 1939년 이래 만주국은 종이 부족이 심각해졌다. 만주국은 인쇄 종이와 잉크는 일본에서 수입한 것에 의존하고 있었기 때문에 일본의 자원 부족이 즉각 만주국 내에도 영향을 미쳤다. 이런 상황 속에서 국가가 요구하는 예술작품과 뉴스를 '생산'할 수 있는 조직과 단체만이 필요하게 되었고 '생산'할 수 없는 조직은 도태되지 않을 수 없게 되었다. 다만 관청, 특수단체, 교과서 통제를 위해 1937년에 설립한 만주도서주식회사, 만주사정안내

〈표 6〉 3대 도시에서 연 3회 이상 발행된 정기간행물

| | 구분 | 종류 | 월간발행부수 (단위 천부) |
|---|---|---|---|
| 관 | 관청 · 외곽단체 | 160(45%) | 2,680(57%) |
| | 특수회사 · 준특수회사 | 103(29%) | 1,520(33%) |
| | 계 | 263(74%) | 4,200(90%) |
| 민 | 민간 | 93(26%) | 470(10%) |
| 총계 | | 356(100%) | 4,670(100%) |

출전 : 堀正武, 「出版物統制について」(『宣撫月報』 제50호, 1940)에 의거.
3대 도시는 신징, 펑톈, 하얼빈.

소 등의 특수회사는 규제 대상이 아닌, 이른바 빠져나갈 구멍이었다. 관청 계통의 출판물 발행 부수는 명확히 후한 대접을 받고 있었기 때문이다.

〈표 6〉에서 보듯이 만주국의 경우 관제 출판물이 민간 출판물의 질과 양을 압도적으로 능가하였다. 이 표에 따르면 관청, 군인후원회軍人後援會와 공무협회空務協會 등의 외곽단체가 발행한 정기간행물의 종류가 절반에 가깝고(부수는 6할에 가깝다), 다음으로 특수회사와 준특수회사 순이다. 민간 간행물의 종류는 관제 정기간행물의 4분의 1 정도, 부수로 계산하면 전체 정기간행물의 1할에 지나지 않았다. 게다가 관청 발행의 정기간행물은 '출판법' 공포 당시부터 적용 대상에서 제외되었다. 더욱이 만주국의 주요 출판물의 과반수가 만주국 인구의 2%도 되지 않는 일본인을 위한 것이었고 현지 주민을 위한 출판물에는 무관심하여 중국어 소설 등은 여전히 상하이 등으로부터 반입되던 실정이었다.

그래서 1940년 9월부터 이런 관공청 계열의 출판물에 대해서도 치안부 경무사와 홍보처의 승인이 필요하게 되었고 게다가 다음 해 41년부터는 홍보처의 승인만 받는 것으로 정해졌다. 이해 설립된 만주출판협회滿洲出版協會도 출

판물의 내용에 관한 예비적 심사, 유료 출판물의 장려와 감리, 요컨대 서적에 관한 모든 것에 대한 통제를 시작했다. 그 결과 관청, 외곽단체의 17종, 특수회사의 24종이 폐간될 처지에 놓였다. 만주서적배급주식회사의 운영에도 제한이 가해졌다. 홍보처는 거듭 출판용지의 배급을 규제하기 위해 통제협의회를 조직하고 국내 배급할당을 홍보처의 전관사항으로 했다(자료② 강덕 10년, 자료⑥ 50).

잡지의 경우는 1941년 3월 관동군 보도반장, 홍보처장, 협화회 홍보과장, 치안부 검열과장, 민정부 교육사장教育司長, 홍보협회 이사장을 고문으로 발족한 만주잡지편집자협회가 통제하게 되었다(자료② 강덕 8, 9년).

이런 출판물의 통제는 당연히 신문에도 미쳤다. 1941년 8월 아사히신문사 전무 하라다 조지原田讓二는 『아사히신문』 주필인 오가타 다케토라緒方竹虎(1888~1956)의 편지를 지참하고 무토 도미오 홍보처장을 방문했다. 오가타의 '청탁'은 신징에서 만주아사히신문사라는 이름으로 신문사를 창립할 계획을 승인해 달라는 것이었다. 아사히신문사는 오지제지王子製紙의 만주신공장 준공과 아울러 만주에 본격적으로 인쇄소를 설립하고 편집국도 설치하려고 했다.

만주국 내 신문을 몇 개의 회사로 통합할 계획을 진행 중이던 무토 처장과 다케베 로쿠조 총무장관 등은 이 계획에 속으로는 찬성했지만 관동군은 여기에 난색을 표했다. 당시 일본 내지 군부의 전국지통합안全國紙統合案이 요미우리讀賣신문사장인 쇼리키 마쓰타로正力松太郎(1885~1969)와 오사카 마이니치신문사장인 다카이시 신고로高石眞五郎(1878~1967) 등의 반대로 무산될 상황이 되자, 전국지 통합이라는 목적을 달성하기 위해서는 만주국에서 아사히신문만을 특별 대우하는 자극적인 행위는 피하고 싶었기 때문이다. 다케베 총무장관은 관동군의 '내면지도內面指導'를 받고 하라다 전무에게 아사히신문사의 만주 진출을 승인할 수 없다고 답변했다. 이리하여 아사히신문사의 본격적인 만주국 진출은 좌절되었다(武藤, 1986). 다음 해 1942년 12월 신설된 만주신문협회는 신문과 함께 만주잡지편집자협회가 담당하던 잡지도 통제하였다.

## 태평양전쟁의 발발

1941년 12월 태평양전쟁이 일어나자 홍보처는 처장 이하 전원이 3주 동안, 선전 인쇄물의 원안 작성, 인쇄 의뢰, 교정, 배포 등으로 매우 바빠졌다. 또 인쇄창, 만주미술가협회, 만주사정안내소 등의 홍보직원도 각각 기관이 독자적으로 선전포스터와 삐라를 아주 급하게 작성하였다. 이후 미술가협회와 안내소 등이 공동으로 33점의 만화를 작성했다.

그후 〈그림 76〉 만화 〈홍콩 함락, 동아 침략의 근거지 완전 궤멸〉은 1941년 12월 25일에 홍콩이 일본군에 점령된 것이 영국에서 '해방된' 것임을 호소하기 위해 그려진 것이다.

마찬가지로 〈그림 77〉의 만화 〈마닐라공략 미국 동아 침략의 거점 궤멸! 동양의 영토는 마침내 동아인의 손에 귀환!〉은 1942년 1월 2일의 마닐라 함락이 필리핀을 미국으로부터 '해방'시킨 일이라고 평가하고 건너편 주민들도 이 일을 축복하고 있다는 도안이다.

홍보처도 태평양전쟁 직후 정력적으로 프로파간다 미디어를 만들었다. 〈표 7〉은 그 목록이다. 대전의 개시를 전하는 1, 2번을 제외하면, 1942년 2월

〈그림 76〉 홍콩 함락을 호소하는 만화 〈홍콩 함락, 동아 침략의 근거지 완전 궤멸〉

〈그림 77〉 바닐라 함락을 호소하는 만화 〈마닐라 공략, 미국 동아 침략의 근거지 궤멸! 동아의 영토는 마침내 동아인의 손에 귀환!〉

〈표 7〉 태평양전쟁 발발 직후 홍보처 작성 인쇄물

| 연번 | 명칭 | 판별 | 쇄색 | 매수(천) | 발주처 | 배포처 |
|---|---|---|---|---|---|---|
| 1 | 훈유(訓諭) | 4・6 전지 2매 연속 | 흑 | 10 | 만주신문사 | 각 성공서 |
| 2 | 포고(布告) | 4・6 전지 | 흑・주 2도쇄 | 20 | 인쇄창 | 각 성공서 |
| 3 | 포스터 〈타도영미, 광휘동아도(打倒米英, 光輝東亞之圖)〉 | 4・6 전지 2매 연속 | 석판 컬러 | 10 | 만주신문사 | 상점, 이발점, 요리점, 가두 등 |
| 4 | 동아공영권 백지도 | 4・6 전지 | 흑 | 2, 6 | 인쇄창 | 초등학교 |
| 5 | 순간(旬刊) 『대동아전쟁승리보』 | 4・6 4절 | 흑 | 30 | 강덕신문사 | |
| 6 | 순간 『국통사진특보』 | 〃 | 흑 | 10 | 만주국통신사 | |
| 7 | 선전용 캘린더 | 〃 | 오프셋 컬러 | 100 | 만주국통신사 | 만철애로단, 민생부, 협화회 |
| 8 | 싱가포르섬전도 | 〃 | 녹 | 20 | 세계당인쇄소 | 학교, 지방정부, 협화회 |
| 9 | 대동아전쟁승리도 | 4・6 전지 2매 연속 | 석판 컬러 | 10 | 만주신문사 | 성, 시, 현공서 |
| 10 | 선전포스터 〈싱가포르 지금 이미 함락, 대동아 이로부터 광명을(新嘉坡今已陷落, 大東亞從此光明)〉 | 4・6 2절 | 석판 컬러 | 20 | 만주신문사 | |
| 11 | 『청기사진순보(靑旗寫眞旬報)』(몽골어) | 4・6 4절 | 흑 | 2 | 청기보사(靑旗報社) | 싱안(興安)4성, 진저우, 러허 지구 등 |
| 12 | 선전포스터 〈싱가포르 함락 기념 설탕 특별 배급(新嘉坡陷落記念砂糖特配)〉 | 4・6 2절 | 오프셋 컬러 | 10 | 협화오프셋 | 안둥 외 4성 |
| 13 | 선전포스터 〈싱가포르 함락 기념 고무신 특별 배급(新嘉坡陷落記念護謨靴特配)〉 | 4・6 2절 | 오프셋 컬러 | 10 | 협화오프셋 | 만주생활필수품주식회사(滿洲生活必需品株式會社) 지점 |

출전 : 『선무월보』 제60호(1942)에 의거.

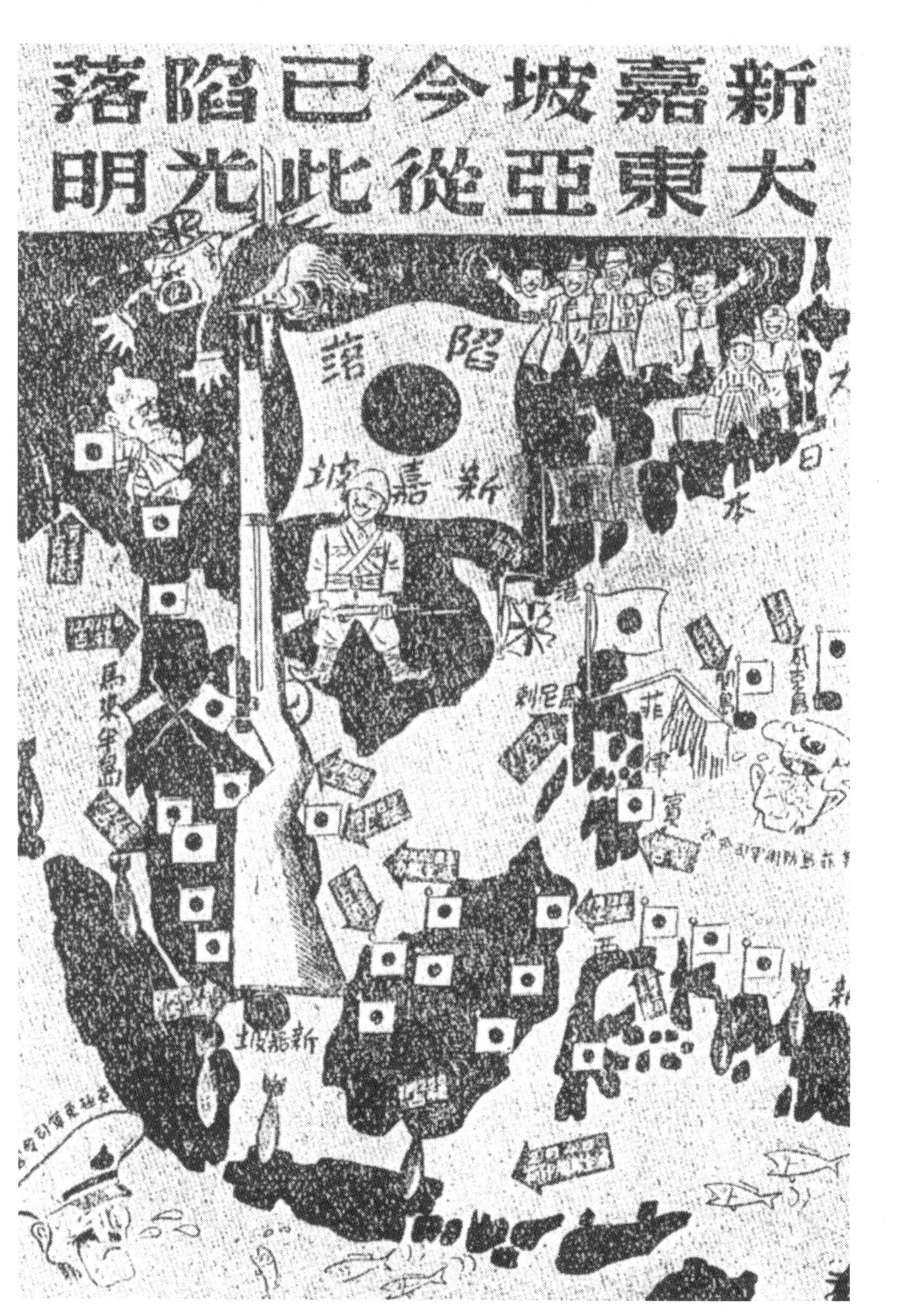


〈그림 78〉 싱가포르 함락 포스터 〈싱가포르 지금 이미 함락, 대동아는 이로부터 광명을〉

15일 싱가포르 함락 등, 동남아시아의 평화와 안정을 나타내는 것을 목적으로 작성된 것이었다. 대형 인쇄물로 통지문 2점, 포스터 4점, 지도 3점, 잡지 2점에 지나지 않았으나 인쇄 부수와 배포처의 문제도 있어 눈코 뜰 새가 없었다. 1, 2번은 대전 개시의 포고이며 3, 5, 6, 11번은 남중국해의 일본 해군의 전투 모습을 전하고 있다.

10번 포스터(〈그림 78〉)는 홍보처가 만주신문사에 발주한 것으로, 2만 매가 인쇄되었다. 제목은 "싱가포르 지금 이미 함락, 대동아는 이로부터 광명을"이라고 되어 있다. 일본군이 중국 남부, 말레이반도, 필리핀, 네덜란드령 동인도로 침공한 날짜가 화살표로 명기되고 점령지에는 많은 일장기가 내걸리고 현지주민이 이를 환영하는 모습을 그리고 있다. 한편 미국인이 총검에 찔리고 극동군사령관인 듯한 영국인이 난처해하고 있고 또 장제스인 듯한 인물이 도망을 가려 하고 있다. 12번과 13번 포스터는 일본 점령 이후, 설탕과 고무신이 배급되고 물질적으로 풍요로워졌다는 것을 나타내고 있다.

모든 것이 제국주의 열강으로부터 아시아를 해방시키는 리더로서 일본을 묘사하고 있고 그 모티브는 극히 단순한 것이었다. 그러나 전투와 살육 뒤에, 일본군이 표방하는 '평화주의'를 현지주민이 쉽게 받아들일 리가 없었다.

# 제9장
# 건국 10년의 '성과'와 '과제'

## '만주다움'으로 회귀

태평양전쟁 발발 다음 해인 1942년 만주 독자의 문화양식을 추구하기 위해 조직된 만주예문연맹滿洲藝文聯盟은 결전체제에 대응하는 홍보와 선전의 제일선에 섰다. 무토 도미오 홍보처장에 따르면 이 양식은 예문藝文이 기교상 뛰어난 것일 뿐 아니라 '예문봉공藝文奉公'을 체현하는 것이며 게다가 '만주다움'을 호소할 만한 것이었다. 1942년은 만주국이 건국된 지 10주년이 되는 해이기도 하여 여러 가지 활동, 정책이 전쟁과 축하를 명분으로 총동원체제의 확립을 목표로 추진되었다.

이해 1월 문예가협회文藝家協會는 문예가 애국대회를 개최하고 재빨리 대전大戰으로의 결의와 각오를 선언했다. 문화계 각 협회도 각각 시국결전체제를 향한 '예문봉공'의 지침을 명확히 했다. 그 방침에 기초해서 미술가협회美術家

協會와 사진가협회寫眞家協會는 관동군동계보도연습關東軍冬季報道演習과 전차대연습견학戰車隊演習見學에 참가했다(貴志, 2010).

확실히 '만주다움'으로의 회귀를 목표로 하는 것으로, 당시까지 없었던 방법, 현지의 문화인을 등용하게 되었다. 그것도 일종의 동원정책이며 전시 징용으로 고갈되어 가는 일본인을 보충하기 위한 것이기도 했다. 결코 만주국이 내재하는 다양한 민족문화의 가치를 깨달았던 것은 아니었다는 점에 유의하지 않으면 안 된다.

## 건국 10주년 기념

1941년 신징에서는 다음 해 제전祭典을 위해 건국10주년축전사무국, 건국10주년축전위원회 중앙위원회를 발족시키고 다른 도시에서도 같은 지방위원회가 설립되었다(자료⑥ 51).

기념식 개최를 위한 홍보처의 주요 활동은 경축가 제정, 국민무도 창작, 경축 기념 우표 발행, 기념 마크 현상모집, 〈만주건국사滿洲建國史〉 등의 기록영화와 극영화 제작, 강연자료 작성 등과 더불어 〈표 8〉과 같이 수많은 미디어 이벤트를 기획하는 것이었다. 특히 8월과 9월에 행사가 집중되었는데, 행사내용을 보면 만주국 건국 후 나아간 성과의 대부분을 담았다는 것을 알 수 있다.

건국 기념일인 3월 1일, 푸이는 「건국십주년조서建國十周年詔書」를 발표하고 만주국 신민臣民에 대해 개전을 선언하여 "대동아성전大東亞聖戰에 헌신하

〈표 8〉 만주국 건국 10주년 기념 행사 일람

| 행사명 | 기일 | 지역 |
|---|---|---|
| 일만교환방송 | 1월 1일 | 만주국, 일본 |
| 경축가 방송 | 1월 1일~2일 | 전국 |
| 기념 마크 발표 | 2월 1일 | |
| 건국정신작흥주간 | 2월 26일~3월 4일 | 전국 |
| 선조(宣詔) 기념 강연회 | 5월 2일 | 20여 개 도시 |
| 작고 건국공로자합동위령회 | 5월 16일 | 신징(대동공원) |
| 흥아국민동원대회 | 5월 18일~23일 | 신징(대동공원) |
| 빛나는 만주전 | 수시 | 주요 도시 |
| 사은강연대 파견 | 5월~7월 | 일본 전국 |
| 일만약학대회 | 7월 17일~21일 | 신징(군인회관, 만철후생회관) |
| 동아교육위원회 | 2월 22일~29일 | 신징(만철후생회) |
| 동아경기·일만무도(武道)대회 | 8월 8일~11일 | 신징, 지린 |
| 대동아문필가대회 | 8월 5일~8일 | 신징 |
| 대동아건설박람회 | 8월 12일~9월 말 | 신징(대동공원 등) |
| 기념 마사(馬事)대회 | 8월 8일~10일 | 신징 |
| 동아후생대회 | 8월 18일~20일 | 펑텐 |
| 동아불교대회 | 9월 1일~3일 | 신징(협화회관) |
| 철도애호단중앙훈련대회 | 9월 8일~11일 | 신징(순천공원, 아옥공원) |
| 만주국파견신도(神道)대회 | 9월 9일~10일 | 신징(만철후생회관) |
| 방일비행 | 9월 11일~23일 | |
| 대동아도시대회 | 9월 12일~13일 | 신징(야마토호텔) |
| 건국충령묘임시봉고회 | 9월 13일 | 신징 |
| 흥아개척대공진회 | 9월 13일~19일 | 신징 |
| 건국공로자표창식 | 9월 15일 | 신징(국무원) |
| 경축관병식 | 9월 16일 | 신징(난링) |
| 동아적십자대회 | 9월 16일부터 | 신징 |
| 국민경축주간 | 9월 13일~17일 | 전국 |
| 경축대연주회 | 9월 21일~24일 | 신징(기념공회당) |
| 협화회전국연합협의회 | 10월 1일~9일 | 신징(협화회관) |
| 경축예문제 | 10월 17일~18일 | 신징(기념공회당) |
| 오곡 헌상 | 10월 17일 | 신징 |

출전 : 滿洲國史編纂刊行會 編, 『滿洲國史(各論)』(滿蒙同胞援護會, 1971)에 의거.

고 친방親邦의 천업天業을 도울 것"을 호소하였다. 이리하여 결전체제하의 미디어 이벤트는 유례없이 대규모로 열광적인 것이 되었다.

그해 5월 18일부터 5일간, 신징 대동광장을 대회장으로 건국 10주년 축전 국민동원대회가 개최되었다. 음악대, 고적대를 비롯하여 6만 5천 명의 청년 부대가 행진했다. 야영훈련과 협화회의 동원연습 등, 개전을 위한 실천훈련도 실시되었다. 이때 한해 전 2월에 선정된 이타가키 모리마사板垣守正 작사, 류성위안劉盛源 중국어 역, 시마구치 고마오島口駒夫 작곡의 〈흥아興亞의 노래〉와 만주 무용학원장 나카야마 요시오中山義夫가 창작한 국민무도도 일반인에게 공개되었다. 이 춤은 〈그림 79〉, 교통부가 발행한 그림엽서에 그려져 있다. 다음 날은 대회의 마지막을 장식하는 청년교류회가 개최되고 각국의 청년대표와 아시아의 청년이 교류하였다. 이 외에 국방전람회國防展覽會 등의 이벤트도 실시되었다(자료⑧ 10-8).

우편총국도 여기에 보조를 맞추기 위해, 개최 당일부터 22일까지 〈그림 80〉과 같은 특별 소인을 사용하기로 결정했다. 소인은 건국 10주년을 나타내는 서운십자장瑞雲十字章(10년을 의미하는 십자의 중앙에 길상을 나타내는 구름을 배치)을 중심으로 그 바깥 측에 건국주년과 경축, 신경新京이라는 두 가지 로고로 십자를 표현한 공들인 디자인이 되었다(『切手文化』 26-1).

같은 시기, 일본에서도 '만주국 건국 10주년 경축 기념사업'이 진행되었다. 경축회 사무국 회장인 도조 히데키東條英機(1884~1948)[1]에 따르면 한 해 전 기

1 일본 육군 군인, 정치가. 관동군 헌병대 사령관, 관동군 참모장, 육군 차관 등의 요직을 두루 거쳐 1940년 제2차 고노에 내각에서 육군 대신에 임명되고 제3차 고노에 내각에서도 연임되었다. 1941년에는 현역 군인으로서 내각 총리 대신에 취임하면서 군부와 내각의 중심에 서게 되었다. 도조는 아시아 태평양전쟁을 입안하여 진주만 기습을 감행하였으나, 1943년 이후 전황은 계속 악화되었다. 1944년 일본이 절대 국방권으로 설정했던 마

〈그림 79〉 건국 10주년 기념 그림엽서 〈건국 10주년 축하회에서 근공신람(謹供宸覽)의 경축 무도〉의 부분(1941)

〈그림 80〉 흥아국민동원대회 기념 특별 우편소인(1942)

리아나 제도를 미군에게 점령당한 책임을 지고 내각 총리 대신 자리에서 물러났다. 1945년 8월 종전 후 도쿄재판에서 A급 전범으로 기소되어 1948년 사형 선고를 받아 교수형에 처해졌다.

원 2600년에 즈음해서 만주국에서 성대한 축전을 개최해 주었기 때문에, 그 '후의'에 대한 보답으로서 만주국의 경축기념에 대해 일본에서도 사업을 해야 한다는 취지의 설명을 하고 있다(滿洲國建國十周年慶祝會事務局, 1942).

여기서 말하는 사업은 일본에서도 만주국의 기념식과 같이, 3월 1일 만주 건국절 축전, 9월 만주국 건국 10주년 경축식, 건국 공로자 합동위령제를 개최한다는 계획의 추진을 의미했다. 이들 경축행사에 관련된 사업을 널리 알리기 위해, 일본 정부는 3월과 9월에 발행되는 일반 잡지는 건국 10주년 경축 특집호로 만들게 하고 각 신문사와 출판사에도 동일한 지침을 내렸다. 그 외에 포스터, 표어, 팸플릿, 방송, 레코드, 영화, 연극, 그림 연극, 애드벌룬, 입간판, 백화점의 장식 등, 모든 수단을 이용해서 일본 내지인들에게 만주국에 대한 인식을 높이고 일체감을 구축하고자 했다. 이런 모든 것이 일본과 만주국 기념 이벤트를 둘러싼 공시성共時性을 의식한 기획이었다. 또 한 해 전 일본의 기원 2600년을 축하하기 위해 개최된 동아경기대회가 1942년 8월, 제2회 대회로 신징 난링 종합운동장에서 개최된 것도 이 공시성을 말하고 있다. 기념 이벤트도 스포츠대회도 일본과 만주국 양국 관계를 동기화시키기 위해 이용된 미디어 이벤트였다.

## 기념 우표의 동시 발행

교통부는 건국 10주년을 축하하기 위해 일본과 만주국 양국에서 기념 우표를 발행하기로 결정했다. 1942년 2월 우선 만주국에서 4종 1세트의 기념 우표가 발매되었다. 2분과 4분짜리 우표는 우정총국 촉탁 요시다 유타카가 도안을 그린 충령묘, 1각짜리 우표는 총무청 관수국의 디자이너 오야 히로조가 왕王 자를 본뜬 틀 안에 만주국 지도를 그린 것, 2각짜리 우표는 만철 총재실 사사키 준佐々木順이 디자인한 만주국 국기가 각각 그려져 있었다.

우표 디자인으로 아마테라스 오미카미天照大神를 제사지내기 위해 1940년 제궁帝宮 내에 세운 건국신묘建國神廟를 채택하자는 안도 나왔지만, 정치적인 판단에서 만주국 건국 즈음에 목숨을 잃은 일만 양국 사망자들을 제사하기 위해 같은 해에 세운 〈그림 81〉의 건국충령묘建國忠靈廟를 채용하기로 결정했다. 인쇄는 오야가 속한 관수국의 인쇄소에서 맡았다. 동시에 두 종류 이상의 기념 우표를 발행하는 것은 1937년 치외법권 철폐 기념 우표 이후의 일이었다.

더욱이 건국신사에 모신 신은 아마테라스 오미카미로, 1940년 푸이가 일본을 두 번째 방문했을 때 모셔온 것이다. 이것은 신도를 신봉하는 것을 의미하는 것 이외에 어떤 것도 아니었다. 일본 황실은 이 일에 관해서는 냉담했는데 푸이가 강하게 희망해서 실현되었다. 귀국 후 푸이는 즉각 「국체존정國體尊定의 조서」를 발표하고 건국신묘를 건립해서 아마테라스 오미카미를 국가제신國家祭神으로 삼는 것을 공표하였다. 푸이는 관동군을 견제하기 위해 아마테라스 오미카미의 숭배를 통해 일본 천황가와 관계를 강조하려는 생각을 가지고 있었다. 전후 극동국제군사재판에서 푸이의 신도에 대한 태도는 본서 서

〈그림 81〉 **건국 10주년 기념 우표**(4분짜리 우표, 1942)

〈그림 82〉 **건국 10주년 기념 우표**(2전짜리 우표, 1942)

두에서 언급한 것처럼 중국에서의 사법재판을 두려워한 것이며 그의 전략가로서의 측면를 잊어서는 안 된다.

만주국 교통부는 일본 체신성에 대해서도 마찬가지로 기념 우표를 발행하도록 요청했다. 그래서 체신성은 1942년 10월 봄에 2전과 10전짜리, 가을에 4전과 20전짜리를 동일한 도안으로 동시에 발행하기로 결정했다. 판식은 오목판, 형식은 기원 2600년 기념 우표와 동일하였다. 다음달, 우무국장郵務局長과 도안을 담당하는 체신박물관의 가소리 데이조 등이 모여 디자인안을 검토한 바, 인쇄국 등에서 빌려온 자료를 바탕으로 신징 제궁 내정內庭에 자리잡은 건국신사를 채택하기로 결정해 원도가 그려졌다. 일본 측에서는 만주국의 경우와 달리, 건국신사를 채택하는 것을 주저하지 않았지만 우표의 도안에 신사를 채용하는 것에 대해 내무성 신지원神祇院 총무국장의 승인을 얻는 것이 필요했다.

이렇듯 인쇄소로 건국신묘의 원도와 쇄색 견본을 넘겨 〈그림 82〉와 같은 구도로 인쇄되었다(『切手文化』 25-4). 두 나라가 함께 신사를 기념 우표의 디자인으로 채택한 것으로, 신도를 통해 일만 양국의 일체성을 강조한 이미지가 만들어졌던 것이다.

이리해서 만주국과 일본에서 각각 건국 10주년을 축하하는 기념 우표가 마련되었다. 그러나 현실에서는 다른 나라의 신을 숭배하는 것에, 만주국의 주민은 저항감이 없을 수 없었고 당국이 의식한 것 같은 이미지의 공유화가 실현될 수는 없었다. 푸이도 종교적인 의미에서 신도를 숭배한 것이 아니라 천황, 황후의 인품에 끌렸으며, 아마테라스 오미카미와 천황가의 의향을 빌어서 관동군을 견제한다는 정치 목적을 위해 신도를 유치하는 것에 지나지 않았다(波多野, 2007). 그런 의식을 공유할 수 없는 주민이 자신들의 종교관으로 이해할 수 없는 신도와 팔굉일우八紘一宇 등 독선적 이데올로기를 간단히 받아들일 리도 없었다.

건국신묘의 설치도 이때 일본과 만주국 양국의 기념 우표 발행도 오히려 정권에 대한 불신감만 높이고 일만일체日滿一體와는 역으로 괴리와 이반이라는 벡터가 작용하게 되었다. 고마고메 다케시駒込武가 지적하듯이, "'현인신現人神'으로서 천황신앙에 대한 고착은 이데올로기의 내부 모순을 심각하게 하고 지배의 기반을 스스로 붕괴시켜 가는 역할을 했던" 것이다(駒込, 1996).

## 매스 이벤트와 '국민체력법'

1942년 4월 하순부터 각지에서는 건국 기념을 위한 운동회도 개최되었다(자료① 쇼와 18년). 관동군 참모부 선전과가 작성한 '건국기념연합대운동회개최계획'에 따르면, 운동회는 만주국의 건국정신인 제 민족의 융합을 도모하는 것을 목적으로 했다. 막 설치된 만주국 체육협회滿洲國體育協會가 주최자가 되고 그 준비위원에는 만주국 문교사文教司, 관동청 학무과學務課, 만철 학무과, 펑톈성 교육청, 펑톈시 내 고등교육기관의 관계자가 참여했다. 이 계획에는 중등학교의 학생과 전문학교 이상의 학생이 참가하고 전국 29개소에서 매스 게임과 각종 운동경기가 계획되었다.

운동회 개최를 위한 선전은 중앙에서는 관동군 참모부 선전과가 담당하고 신징, 펑톈 등 주요 도시의 상공에서는 전단이 뿌려졌다. 또 라디오 방송, 영화 촬영, 연설 등도 진행되었다. 지방에서는 불꽃놀이, 음악대 편성, 구호반의 조직화, 국기게양식의 개최도 계획되었다고 한다(JACAR : C01002996200).

당시 만주국에서는 1936년 베를린올림픽과 개최될 수 없었던 1940년 도쿄올림픽의 경험을 통해 스포츠대회와 같은 매스 이벤트도 중요한 홍보수단의 하나라는 의식이 있었다. 건국 기념 연합 대운동회의 전후로 개최된 두 대회, 즉 1941년 7월 베이안北安에서 개최된 제1회 북만체육대회北滿體育大會, 1942년 8월 난링 종합운동장에서 거행된 동아경기대회, 일만교환무도대회日滿交換武道大會는 만주국 정부도 기념할 가치가 있는 스포츠대회였다. 교통부는 이들 대회를 축하하여 우편국에서 특별 소인을 사용할 것을 결정하였다(吉林省 集郵協會, 2005).

또 1942년 7월 주민 체력검사를 실시하여 국민 체력 향상을 목표로 하는 '국민체력법國民體力法'이 공포되었다. 선제沈潔가 지적한 것처럼, 이 법률은 1940년 4월 일본에서 공포된 '국민체력법'을 손질해서 미성년자의 심신 육성을 친권자의 책임이 아니라 국가의 역할로 명시하는 내용이었다(沈, 1996).

## 건국 10주년 경축식

국도 신징에서 개최된 건국 10주년 경축식은 건국신묘와 건국충령사建國忠靈司의 제사 다음날, 즉 1942년 9월 15일에 난링 종합운동장에서 개최되었다. 그날 오전 10시, 황제 푸이는 육군 군복을 입고 일만日滿 최고 훈장을 가슴에 달고 마차로 입장하여 칙어勅語를 내렸다. 그후 국무원 총리 장징훠의 신호로 만세삼창과 함께 축포, 만주국 공군의 봉축 비행이 이어졌고, 정오 전 황제가 퇴장함으로써 기념식은 종료되었다.

이 기념식에는 많은 일본인이 참가했다. 당시 효고兵庫현립 아카시明石중학 교장이던 야마우치 사타로山內佐太郞도 그 한 사람이었다. 실제로 만주국 측의 의뢰로, 문부성의 이시마루 게이지石丸敬次가 전국 중학교장협회 주사主事 이와이즈미 젠타로岩泉善太郞에게 기념식에 파견할 중학교장 한 사람에 대해 상의했고, 야마우치가 추천받게 되었다.

야마우치는 이때의 참가기록을 남겼다. 그것에 따르면, 그는 9월 10일 고베항을 출발해서 시모노세키를 경유, 부산에 도착한 후 조선철도, 만철을 이어서 타고 처음 국도 신징을 방문했다. 야마우치는 외국 참석자 중 한 사람으로 기념식에 참가했는데 대일본흥아동맹大日本興亞同盟 주사 이토 센이치伊藤專一와 조선금융조합회朝鮮金融組合會 마쓰모토 마코토松本誠 등, 일본 내지는 물론 조선에서도 초빙된 사람들이 있었음을 확인할 수 있다. 야마우치는 난링의 광대한 기념식장과 일반 참가자 1만 명이라는 규모에 놀라고 "그 식장의 설비 장식 등은 작년 우리(일본) 기원 2600년 경축식 때의 그것과 거의 같아서 당시의 일도 떠올라 한층 더 감개가 깊었다"고 기록하였다.

기념식에서는 우선 일본국가가 먼저 제창되고 그후에 만주국가가 연주되었다는 것에서 야마우치와 같은 외국 참석자뿐 아니라, 기념식 자체에 다양한 형태로 일본인이 깊이 관여하였다는 것이 명확하다. 국가 제창에 이어 장징훠 총리의 축사, 황제 푸이의 칙어가 내려졌다. 그후 건국 10주년 경축가 제창, 건국가 봉창, 황제에 대한 만세삼창이 이어지고 축포, 경축 비행이 있고 식전이 종료되었다(山內, 1942).

그날 오후에는 국무원 강당에서 건국 공로자 3만 명의 표창식이 실시되었다. 다음 16일은 건국 10주년 축하회가 정오 이전부터 시작되어 장징휘 총리 등의 경축사, 황제 푸이의 칙어가 이어지고 황제를 알현하는 것으로 의식이 종료되자, 곧 축하연이 시작되었다. 경축무악단이 무악, 경축음악, 건국 10주년 경축가, 건국가 등 일곱 곡을 연주한 것에 이어서 관동군음악대의 연주가 있었다. 마지막에 장징휘 총리의 신호로 황제에 대한 만세삼창을 한 후, 정부 요인은 퇴장하고 겨우 한 시간 정도로 축전은 종료되었다(자료⑤ 1942년 9월 16, 17일).

아래 건국 10주년 경축가의 가사(1절)는 〈그림 6 아래〉(36쪽)의 리플릿에도 쓰여 있는 것처럼 다음과 같은 가사였다.

> 온 세상을 한 집으로 삼으시어 큰 하늘 밑 두루두루, 황제의 은덕 높고 크시니 만 백성이 우러러 본다 八紘一宇泰鈞天 帝德巍巍民具瞻
>
> 은혜와 혜택이 온 사방에 미치니 仁澤恩光被四表
>
> 우리 다함께 왕도평평(王道平平)함을 노래하네 我儕同頌王道平平
>
> 우리 다함께 왕도평평함을 노래하네 我儕同頌王道平平
>
> 우리 만주국이 건국한 지 이제 10주년임을 축하하세 祝我滿洲國建國 於玆10周年

태평양전쟁 중이었다는 점도 있어 러허작전 중의 건국 1주년의 축전과 비교해도 이번 기념식은 극히 간소화되었다고 할 수 있다. 어찌됐든 9월 13일부터 한 주간이 '건국 10주년 경축 주간'으로 설정되었다.

## 〈민족협화도〉와 기념 우표

경축 기념식에 맞추어 9월 15일 교통부는 우표 2종과 그림엽서 2종 1세트를 발행하고 특별 소인을 사용할 것을 결정했다.

우표 디자인은 서양화가 오카다 사부로스케岡田三郎助(1869~1939) 작품으로 국무원에 장식되어 있던 벽화 〈민족협화도民族協和圖〉가 모델이었다. 오카다는 도쿄미술학교 교수이고 부인 야시요八千代는 여류작가로 오사나이 가오루小山內薫(1881~1928)의 여동생이었다. 오사나이의 사촌으로 많은 전쟁화를 남긴 후지타 쓰구하루藤田嗣治(1886~1968)가 있다. 〈민족협화도〉는 오카다가 문화훈장을 받기 전 해인 1936년에 그린 작품이었다. 〈민족협화도〉는 〈그림 83〉과 같이 그림엽서에도 이용되었는데 벽화를 모사해서 교통부가 발행한 다른 판의 그림엽서도 확인된다. 이 벽화는 1936년 1월, 국무원 청사를 준공했을 때에 2층으로 가는 계단참의 벽면에 걸렸는데 가로 폭 259센티미터 200호 사이즈의 상당히 큰 것이었다.

오카다의 〈민족협화도〉는 잘 알려져 있듯이, 좌측의 여성 다섯 명, 즉 몽골인, 조선인, 일본인, 만주인, 중국인을 그린 것으로 '오족협화'를 나타내는 한편, 우측의 농민, 어부의 남성이 가진 풍부한 수확물을 통해 '왕도낙토'를 표현한 것이다. 사실화가 아니기 때문에 정확함이 요구되지 않는다고 해도, 이 몽골인 여성이 입은 후림hurim이라는 상의는 소매가 길지 않고 머리의 둥근 모자와 어우르면 마치 위구르인처럼 보인다. 남성의 상의도 점퍼처럼 이상하다. 이상하다고 하면 왼쪽 구석 수수도 불가사의한 군락을 이루고 있고 왼쪽 끝의 원경에 그려진 근대적인 건물이 국도 신징을 나타내는 것이라면 가까이 쑹화

華助郎三田岡 (畫壁院務國) 和 協 族 五

〈그림 83〉 벽화 〈민족협화도〉를 이용한 그림엽서 〈오족협화〉

〈그림 84〉 **건국 10주년 기념 우표**(3분짜리 우표, 1942)

〈그림 85〉 **건국 10주년 기념 우표**(6분짜리 우표, 1942)

강松花江인 듯한 강은 있을 수 없다. 결국 전혀 만주 경험이 없는 오카다가 상상 속에서 '만주국'을 그렸다는 말인데, 그것이 나라의 중추기관인 만주국 국무원의 건물 내에 국가 상징의 하나로 장식돼 있었기 때문에 여기에 출입하는 많은 일본인의 감각도 오카다와 다르지 않았다는 것이 틀림없다.

이것은 추측에 지나지 않으나, 오카다의 작품은 1933년 2월의 러허작전 때 사용된 포스터를 참조한 것일지도 모른다고 생각한다. 그것은 〈그림 86〉에 있는 '대만주국'이라는 거대한 포스터로, '오족'이 옆으로 나란히 서서 마치 '한 돈의 꽃花一匁'[2] 놀이를 하는 듯한 구도는 오카다의 작품 그대로이다.

〈그림 87〉의 흑백 전단은 〈그림 86〉을 모델로 제작된 것이 명확하고 나란히 서 있는 것이 아이들이라는 것 이외에, 민족 구성도 옆으로 나란히 선 순서도 완전히 동일하다. 그러나 오카다의 〈그림 83〉의 작품은 〈그림 86, 87〉과 비교하면 '오족'의 민족 구성도 다르고 옆으로 늘어선 순서도 다르다. 〈그림 86, 87〉에는 오른쪽에서 두 번째에 이주자가 들어가 있고 중앙이 몽골인이고 일본인이 오른쪽 끝에 있는 것에서, 혹은 디자이너가 일본인이 아니었을지도 모르고 디자인의 전용轉用도 추측에 지나지 않을지도 모른다.

이렇듯 나란히 일렬로 늘어서 우애를 나타내는 디자인은 다른 것에도 있다. 1937년 9월 4일 관동군 점령하에 장자커우張家口를 중심으로 차난자치정부察南自治政府[3]가 성립되고 최고위원에 위핀칭于品卿(1886~?)이 임명되었다. 이것을 기념해서 제작된 〈민족협화〉라는 〈그림 88〉의 포스터는 분명히 오카다의 작품이 모델이 된 것이다. 다만 일본인이 중앙에 위치하고 있는 것 말고는 나란히 선 순서가 다를 뿐이다. 이렇듯 홍보와 선전을 위해 제작된 미디어

2 아이들 놀이의 하나. 양 편으로 나누어 노래를 부르며 걸으면서 멤버를 주고받는다.
3 일본이 중국 치하르성 남부를 점령하고 세운 괴뢰정권(1937~1939)이다.

〈그림 86〉 **러허작전 포스터**(성인판, 1933)

〈그림 87〉 **러허작전 전단**(아동판)

〈그림 88〉 차난자치정부 성립 기념 포스터 〈민족협화〉(1937)

의 디자인이 유용되는 것은 가끔 보이는 일이며 국경을 초월한 홍보와 선전의 전파라는 문제와 관련된 것이다. 금후 추적해야 할 과제라고 생각한다.

여하튼 오카다의 〈민족협화도〉를 모델로 〈그림 84〉, 〈그림 85〉와 같이 두 종류의 기념 우표가 제작되었다. 우편엽서의 기본료에 사용하는 3분짜리 우표는 오른쪽 남성 3명, 일본과 중화민국으로 보내는 서신에 사용하는 6분짜리 우표 역시 왼쪽의 여성 5명을 모델로 디자인되었다. 디자이너가 다르기 때문에, 두 종류의 우표는 아주 인상이 다르다. 3분짜리 우표의 디자이너는 경축 일본 기원 2600년 때에 4분짜리 우표의 용등을 디자인한 중국인 서양화가 리핑허이며 6분짜리 우표의 디자이너는 만주국 적십자 창립 기념 우표를 도안한 우정총국의 야마시타 다케오였다(『切手文化』26-4).

야마시타는 이 우표를 디자인할 당시의 경위를 간단하게 남기고 있다. 그것에 따르면 그는 도쿄미술학교 시절에 오카다 사부로스케에게 전후 7년에 걸쳐 지도를 받았기 때문에 오카다의 벽화를 기념 우표의 디자인으로 이용했다고 한다. 또 야마시타는 국무원의 벽화를 직접 보면서 그릴 수 없었기 때문에 어쩔 수 없이 신징 중앙로의 하야시다林田사진관에 남겨진 〈민족협화도〉의 사진에 착안하여 디자인안을 구상했다고 한다. 그리고 누구나 문제로 생각했던 인물의 의상에 대해서는 민생부 촉탁인 오타 요우아이, 몽골계 우표 수집가 바이쯔셴白子憲, 중국인 서양화가 리핑허 등의 협력을 얻어 조사 연구를 진행하였다. 그 결과는 〈그림 83〉과 〈그림 85〉를 비교하면 알 수 있는데, 몽골인 여성의 옷은 델deel이라는 원피스풍의 옷에 부스bus라는 띠를 한 의상으로 고치고 말가이malgai(모자)도 위구르식과 같은 것이 아니라 몽골식으로 바꾸었다. 남성도 오른쪽의 인물에 신을 신기고 입고 있는 옷에도 단추가 아니라 앞섶을 끝까지 채운 중국풍의 상의로 바꾸었다.

이리하여 오카다의 그림을 수정한 우표의 원화가 인쇄창으로 보내졌는데, 공교롭게 인쇄 잉크가 운반 도중 사고로 부족하게 되었다. 그 때문에 당초 두 종류 모두 504만 매, 합계 1,008만 매를 인쇄할 계획이었으나, 3분짜리 우표는 4,333,000매, 6분짜리 우표는 3,619,000매밖에 인쇄할 수 없어(그 중 약 115만 매는 통신 판매), 당초 계획보다 210만여 매가 부족하게 되었다(『切手文化』27-2).

마찬가지로 9월 15일, 일본 내지에서도 만주국 건국 10주년 경축 기념 우표가 발매되었다. 5월 체신박물관 도안부의 여섯 사람이 각자 구상하여 9매의 도안을 제작하여 그중 2매를 도안부의 가소리 데이조가 우표의 원화로 가다듬었다. 5전짜리 우표는 일본과 만주국 양국을 나타내는 지도를 배경으로 일본인, 만주인 소년이 팔짱을 끼고 활보하는 도상圖像으로, 이 디자인은 일본과 만주국 제휴의 10년을 빛나는 것으로 여기고 장래에도 꿈이 넘친다는 것을 상징하는 의도가 담겼다.

20전짜리 우표에는 태양을 배경으로 중앙에 배치한 난꽃 문장은 '팔굉(일우)'으로 빛을 받고, 좌우에 일본을 나타내는 국화와 만주국을 상징하는 난꽃을 배치하여 '일만일덕일심', '공존공영'의 이상을 표현했다. 이들 원도는 6월 인쇄국으로 돌려보내 그곳에서 약간 원화를 수정하여 원판조각을 하였고 오목판 단색으로 인쇄하였다.

만주국에서는 기념 그림엽서도 같은 9월 15일에 발매하였다. 하나는 건축가 하라 히데오原英夫의 도안으로 건국 10주년 기념식 개최 무대인 신징 난링 종합운동장이 그려져 있고 또 하나는 국전에도 출품한 서양화가 이케베 사다하루池邊貞喜의 디자인으로, 푸이 앞에 연출된 경축 무대를 묘사하고 있다. 두 종류 모두 프로세스 인쇄 9도쇄라는 공을 들인 기법이 사용되었다. 또 같은 날 오야 히로조가 디자인한 8각형의 틀 속에 서운십자장瑞雲十字章을 배치한 경축 특별 소인이 사용되었다(『切手文化』26-4).

## 「결전예문지도요강」의 제정

1942년 12월 8일 태평양전쟁이 발발한 지 꼭 1년 후, 만주국에서는 처음으로 정책 전반의 지침이라 할 수 있는 「만주국기본국책대강滿洲國基本國策大綱」이 제정되었다. 「대강」의 서두에서는 "일만 공동방위의 본 뜻에 따라 국방국가체제를 확립함과 동시에 국력을 대동아전쟁 완수에 결집하고 나아가 대동아공영권을 반드시 완성하는 데에 기여할 것", "문교文敎를 진흥하고 산업의 획기적 개발을 도모함과 동시에 근로흥국勤勞興國의 민풍民風을 작흥作興함으로써 민정民政을 향상시키고 국력을 배양 충실할 것" 등이 근본 방침으로 채택되었다.

이해 당시까지 정부의 외곽단체로 활동했던 협화회의 각 지부장이 성, 시, 현 행정기구의 장을 겸임하게 되는 '이위일체제二位一體制'로 변경, 협화회와 행정이 일체화했다. 또 만주국부인회滿洲國婦人會, 만주군인후원회滿洲軍人後援會, 만주공무협회滿洲空務協會, 만주국적십자사 등 정부 외곽단체와 홍만자회紅卍字會, 도덕회道德會 등 교화적 사회단체와의 제휴도 강화되었다(자료① 쇼와 18년).

홍보처를 확대하는 데 진력한 무토 도미오는 1943년 4월로 임기를 끝내고 내각정보국 제2부 부장으로 전임하고, 그를 대신해 이치카와 사토시市川敏가 새로운 처장으로 부임하였다. 그는 1945년 2월 1일 시마자키 요이치島崎庸一

가 그 소임을 대신할 때까지 자신의 역할을 다하였다.

「대강」이 제정된 지 거의 1년 후, 1943년 11월 새로운 처장 이치카와 아래에서 예문 환경이 악화됨을 감안해 「결전예문지도요강決戰藝文指導要綱」이 제정되었다. 우선 예문연맹 아래 9개의 협회를 모두 해산시키고 사단법인 만주예문협회滿洲藝文協會를 설립했다. 이로써 예문의 지도기관은 홍보처, 실시기관은 협회가 담당하였다. 협회의 역할은 예문 동원에 필요한 재원, 자재 확보 그리고 명확한 지도방침의 일원적 관리를 강화하여 예문의 총전력화를 꾀하는 것으로 했다(자료① 쇼와 19년). 협회의 회장에 취임한 아마카스 마사히코는 협회 발족 때 다음과 같은 인사를 했다(자료⑨ 新年).

> 예문에는 본질적으로 국경, 민족을 초월한 성격이 있는 것은 확실하고 그 때문이야말로 모든 예문이 사상전의 무기로서 중요시되는 것이며 민족협화의 정신도 예문에 의해서야말로 배양되는 것입니다. 하지만 이 예문의 특질은 자칫하면 비국가적, 비국민적인 것과 혼동되기 쉬운 위험이 있습니다. 제가 이미 말씀드린 대로 예문정신을 존중하고 비평정신의 앙양을 기대한다고 해도 국가의 융창 없이는 예문의 융창도 없다는 것은 말하지 않아도 명확한 것입니다. 이런 의미에서 예문은 모두 애국의 예문이 되어야 하는 것이고, 이것은 엄숙한 사실입니다.

아마카스 회장은 "애국의 예문"이라는 개념을 제시하여 모든 예문은 국가에 봉사해야 한다는 기치를 내걸었다. 협회의 이사장과 국장도 모두 아마카스가 직접 임명하였다. 선전 = 예문활동의 일원적 관리체제를 강화한다는 연출을 하면서도 실제는 전쟁의 상황이 악화되고 있음을 반영하는 것이었다.

협회 설립 다음 해 12월 4일부터 이틀 간, '결전 예문가대회 전국 예문가회의'가 신징기념공회당에서 개최되었다. 회의 참가자는 만주예문협회를 비롯하여 개조 혹은 신설된 미술가협회, 극단협회, 공예가협회, 사진가협회, 악단협회, 작곡가협회, 서도가협회, 무도가협회의 예문단체 그리고 만주가인협회滿洲歌人協會, 만주배구협회滿洲俳句協會의 우호단체로 전체 인원은 300명에 이르렀다. 다음 날 긴급동의로 채택된 회의선언은 다음과 같다(자료① 쇼와 20년).

> 우리는 예문가로서 신문화 건설의 일부분을 짊어진 자, 뜻을 모으고 친분을 돈독히 하여 안으로는 건국정신을 기조로 한 예술문화를 창조하고, 밖으로는 공영하는 각국과 제휴하여 문화 교류를 도모하고 이로써 대동아문화 건설에 기여하지 않으면 안 된다. 그러나 잇따르는 결전의 양상이 날로 참담해지고 전국(戰局)의 중대함이 참으로 금일과 같음이 없다. 우리는 깊이 시국을 살피고 또 깊이 공사(公私)의 생활을 반성하고 사상전사(思想戰士)로서의 대사명에 투철하여 대동아전쟁 완수에 앞장 설 것을 기대한다.

이러한 결전하에서 예문가 역할의 중대함을 호소하면서도 실제로는 예문협회의 지도력 문제, 예문가 활동의 보증, 예문가의 연성 등 많은 과제를 남겼다. 예를 들면, 만주국 미술가의 대부분이 미술 이외의 직장을 가져, 전문가로서의 동원력을 갖출 수가 없었다. 이러한 예는 미술가에 그치는 것이 아니었다.

또 전황이 격해짐에 따라 예술 자재의 부족도 문제가 되었다. 이러한 상황은 출판계의 종이 부족도 마찬가지여서 5월 1일 일본어 신문의 경영 일원화를 위해 만주일일신문사와 만주신문사를 합병해서 만주일보사滿洲日報社가 설립되었다. 영화도 8월 21일 만영 창립 7주년을 계기로 상영의 결전체제를 정비하고 통제를 한층 강화하였다.

협회의 방침에도 불구하고 "애국의 예문"은 여러 가지 한계로 인해 정치적 선전의 효과적 운용이라는 말에는 걸맞지 않았다. 예문 = 홍보정책의 추진은 통제의 강화라는 명목이 있었지만 전쟁이 격화됨에 따라 한계를 노정했다 (貴志, 2010).

## '국민근로봉공법'의 실시

1940년부터 만주건설근로봉사대는 노동력이 부족한 개척지 대책이었다. 〈그림 89 ①, ②〉는 봉사대 실천본부가 제작한 포스터 2점이다. 1942년 11월, 전시총동원체제 확립을 위해 '국병법'과 아울러 '국민근로봉공법國民勤勞奉公法', '국민근로봉공대편성령國民勤勞奉公隊編成令'이 공포되었다. 히라타 도시하루平田敏治는 근로봉공국 국장 겸 근로봉공대 중앙 간부 훈련소장에 취임하여 만 19세가 되지 않은 청소년에게 무상으로 노동봉사를 강제하였다. '봉공법'의 제1조는 다음과 같다.

> 본법은 제국 청년으로 하여금 고도 국방국가 건설 사업에 투신하게 하고 근로로써 이들을 연성하여 진정한 근로관을 함양시킴과 동시에 국가에 대한 봉공관념을 왕성하게 함으로써 건국 이상의 달성을 위해 매진하게 함을 목적으로 한다.

〈그림 89 ①〉 만주건설근로봉사대 포스터 〈의지다 힘이다 건설이다〉(복사본)

〈그림 89 ②〉 만주건설근로봉사대 포스터 〈의지다 힘이다 건설이다〉(복사본)

근로 봉공 의무자는 병역 연령에 달하지 않은 18세 미만의 남자를 대상으로, 그들이 21세에서 23세가 되는 기간에 12개월 이상 근로 봉사에 복무하지 않으면 안 되도록 했다. 젊은이들도 근로에 동원하여 다가올 병역의무에 호응하기 위해 심신을 단련시켜 실제로 강건한 국민으로서 의식을 확립시키고자 했다. 근로봉공대는 주거 구분을 기초로 군대식으로 편성되고 근로봉공대로서의 동원은 다음 해 1943년 4월부터 시작되었다. 최초 2년 간은 매년 20만 명을 동원하고 3년 후에는 매년 60만 명을 동원할 계획이었다. 근로대원은 오른쪽 팔 윗부분에 식별완장을 차는 것을 의무로 하였다.

봉공법의 의의를 선양하고 그 실시를 기념하기 위해 3분짜리 우표와 6분짜리 우표에 오프셋 인쇄로 "근로봉공"이라는 문자 아래 삽과 곡괭이를 배치한 근로봉공대원의 식별표를 가쇄할(기존 우표 위에 인쇄) 계획이었다. 이 문자는 국민개로봉공대 총사령國民皆勞奉公隊總司令인 민생부 대신 위징위안于靜遠(1898~1969)이 쓴 것으로, 이것을 오야 히로조가 그렸고 3분짜리 우표는 212만 매, 6분짜리 우표는 210만 매로 합계 422만 매의 가쇄우표가 출시되었다(『切手文化』27-5). 〈그림 90〉은 1943년 5월 1일, 3분과 4분짜리 우표로 "근로봉공"이라고 가쇄한 우표를 첨부해서 만주우표학회滿洲郵票學會가 발행한 기념봉투이다.

〈그림 90〉 국민근로봉공법 시행 기념 봉투, 우표(1943)

## 꿈의 우표

이 무렵 자원 부족이 심각해져 홍보 목적의 비주얼 미디어는 작은 우표 속에서만 표현될 수밖에 없었다.

1941년 10월 〈회란훈민조서 발행 10주년 기념〉 우표가 발행되었다. 10분과 40분짜리의 4매 1세트로 국무총리 장징휘가 쓴 "일본의 홍성은 바로 만주의 홍성日本之興卽滿洲之興"과 총무장관 다케베 로쿠조가 쓴 "일본의 홍성은 만주의 홍성"을 바탕으로, 오야 히로조가 그린 것이었다. 인쇄는 총무청 관수국 인쇄처에서 했다. 이 기념 우표를 붙인 특별 우편카드가 그해 10월과 다음 해 5월에 발행되었다.

〈그림 91〉은 '대동아전쟁' 발발 1주년을 기념해서 가쇄우표가 붙여진 봉투이다. 3분과 6분짜리 우표에 가쇄된 것은 "홍아興亞는 이 날로부터 강덕 8년 12월 8일興亞自斯日 八・十二・八"이라는 글자로 12월 8일을 '아시아를 일어나게 하는 날'로서 위치지웠음을 알 수 있다. 다음 해 12월 만주국은 일반 국민에게 일본의 전쟁 수행에 공헌하도록 선전하기 위해 서신용 6분짜리 기념 우표를 발행하였다. 이때 디자인은 증산에 매진하고 있는 산업전사를 그리고 거기에 노력증산努力增産, 협조성전協助聖戰 등의 표어를 덧붙였다. 인쇄는 그라비어로 하고 400만 매가 판매되었다(『切手文化』28-6).

1945년 5월 같은 취지로 10각짜리 기념 우표가 발행되었다. 오야 히로조의 디자인에는 원의 가운데 전서체로 "일덕일심", 원의 주변에 10각이라는 문자가 배치되어 있다. 인쇄는 총무청 관수국 인쇄창에서 했다. 이것이 만주국의 마지막 우표가 되었다. 〈그림 92 ①, ②〉에서 밝힌 〈훈련용 비행기와 교관

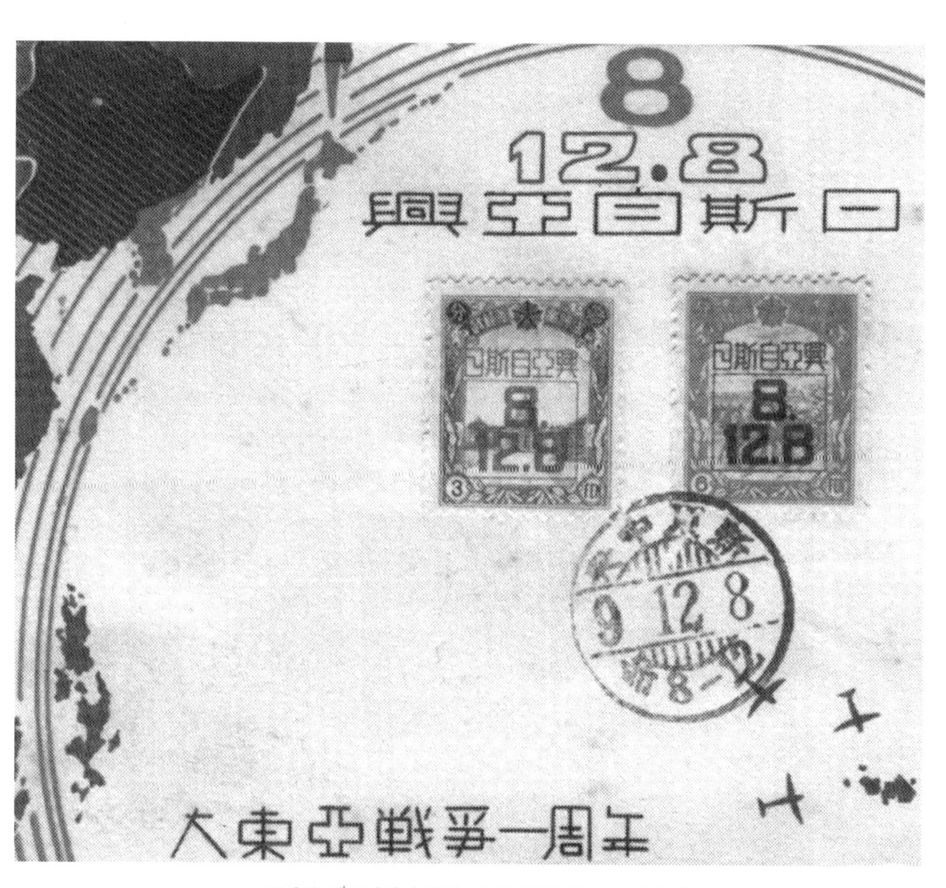


〈그림 91〉 대동아전쟁 발발 1주년 기념 봉투, 우표(1942)

〈그림 92 ①〉 발행되지 않은 대동아전쟁 발발 1주년 기념 우표(3분짜리 우표)

〈그림 92 ②〉 발행되지 않은 대동아전쟁 발발 1주년 기념 우표(6분짜리 우표)

과 생도〉, 〈전투기 하야부사隼를 전송하는 어머니와 아들〉 두 종류의 우표는 디자인은 고안되었으나 결국 발행되지 못하고 꿈의 우표로 끝났다(吉林省集郵協會, 2005).

## 여행과 관광의 종언

1941년 5월 재팬 투어리스트 뷰로는 시국에 호응해서 동아여행사東亞旅行社로 이름을 바꾸었다(43년에는 동아교통공사東亞交通公社로 개칭). 본 여행사는 연말에 발발한 태평양전쟁으로 외국 여행객의 발길이 끊겼기 때문에 다음 해 일본과 중국 대륙, 남방과 여러 지역의 교류에 종사하게 되었다. 그러나 차츰 민간기업체로 존속하기가 곤란해지자 국책사업체로 철도성鐵道省 산하로 들어가 재단법인으로 개편되었다(日本交通公社, 1981).

1944년 2월에는 전황의 영향으로 여객, 화물의 수송이 제한되었다. 철도성이 게시한 포스터에는 중앙에 "끝까지 이기기 위한 수송이다!", 그 양편에 "멈춰라 급하지 않은 여행", "아낌없이 바쳐라! 우리의 협력"이란 표어가 인쇄되었다. 수송 에너지인 석탄을 절약하기 위해서도 필요 없는 여행은 중지하도록 한 지시였다.

실제로는 중일전쟁 후에도 철도 이용객은 증가할지언정 감소하지는 않았다. 예를 들면 1937년을 100으로 보면 1944년 여행객은 401, 화물은 180으로 증가하였다. 열차 승차율도 많을 때는 펑산선奉山線 130%, 안펑선安奉線 150%,

징투선京圖線 110%나 되어 열차 안이 콩나물시루 같은 상태가 되거나 그 한도를 넘고 있었다.

그러나 1944년 3월 30일에는 결전 능력을 높이기 위해 중요 물자의 수송을 최우선으로 함을 재확인하였다. 그러한 목적 달성을 위해 만철과 조선철도의 운행표가 개정되고 이틀 후에는 일본, 만주국, 중화민국을 연결하는 운수에 전시전략戰時戰略 조치가 취해졌다(자료④ 1944년 2월 1일, 3월 18일, 3월 30일). 이때 여객열차는 대폭 삭감되고 일본 국내에서는 100킬로 이상의 여행에는 경찰서의 증명이 필요했다. 세상은 전시 일색으로 모든 것에 대해 전쟁 수행을 최우선으로 하였다.

용지와 잉크의 부족으로 고심하던 신문도 각지 일본군의 전투상황을 알리는 것 이외에는 '보국공채報國公債'의 구입을 권하든지 저축을 증대하는 정도의 기사밖에 쓰지 않아 실제로 공허한 내용이 되었다. 모든 홍보 미디어가 전할 수 있는 정보는 전쟁 추진을 위한 프로파간다 외에 어떤 것도 아니었던 것이다.

# 에필로그
# 사람들은 만주 미디어를 어떻게 보았는가

## 만주 이미지가 남긴 것

1923년 중국에서 반일운동이 고조되고 있을 때 만주에 있던 중국인 유력자가 만철 지방학무과地方學務課 관계자에게 다음과 같이 말하였다(滿鐵 地方學務課, 1923).

> 당신들은 경박하고 피상적으로 관찰하면서도 어떻게든 통찰을 다한 것처럼 말하기를 좋아하기 때문에 세계 도처에서 배척하는 소리를 듣는 것이고 (…중략…) 일본인은 서양인의 논리를 숭배함에도 불구하고 우리 중국인에게는 서양보다 일본을 한층 더 높이 보라고 하기 때문에 가소롭다.

그의 가식 없는 말에는 여러 가지 의견이 있을 것인데, 필자에게 이 말은 당시 그리고 현재도 만주국을 대하는 일본인의 시선에 대한 경고로서 여전히 의미를 가지고 있을 것으로 생각한다.

전후 만주국에 대한 역사적 평가가 '괴뢰국가'와 '이상국가'를 양 극단으로 한 벡터를 표류하고 있었다고 지적되지만, 본서가 다루었던 홍보를 둘러싼 사회 실태를 보면 일본과 만주국 사이의 '일덕일심'을 둘러싼 지배 도식은 명확히 일본 정부 혹은 일본인에 중심을 두었고, 이상으로 내세운 '오족공화五族共和'와는 거리가 먼 것을 간파할 수 있을 것이다. 홍보정책의 담당자와 홍보미디어의 제작자, 게다가 모델까지도 그 대부분이 일본인이었기 때문에 만주국이라는 국가 선전을 위해 현지 사람들이 개입할 여지는 거의 없고, 있었다고 해도 부차적인 역할밖에 할 수가 없었다.

홍보의 목표는 만주국 주민에 대한 선전 혹은 선무이고, 일본인에 대해서는 만주국에 대한 인식 향상, 나아가 해외에 대해서는 만주국의 승인에 있었다. 그러나 전황이 긴박해지고 전시총동원체제로 기울어 가면서 만주국에서 일본인을 제외한 98% 이상의 현지주민은 피지배자로서만이 아니라, 때로는 통치의 대상이라는 위치에서도 떨어져 나가 버렸다. 당시 일본인이 사용했던 '만인滿人'이라 함은 어디까지나 일본인 이미지 속의 허상에 지나지 않았고 '만인'의 사회적 문화적 배경에 대한 고찰은 필요한 것으로 여기지 않았다. 이 점을 보여주는 흥미로운 사례가 있다.

1932년 국민정부의 지시를 받은 우정직원들이 우편국을 폐쇄하고 관내關內(만리장성 남쪽)로 철수하는 긴장된 상태 속에서 우정 책임자 후지와라 야스아키藤原保明가 현지 직원들을 다음과 같이 설득하려 했다(回想の滿洲郵政刊行會, 1964).

> 여러분은 대부분 만주인일 것이다. 만주가 독립해서 만족스럽지 않은가. 그런데도 여러분은 언어와 풍속도 다른 중국에 가면 어떻게든 된다고 생각한다. 고향에는 부모와 형제도 살고 있을 것인데 혼자 그들과 헤어져 가도 좋단 말인가. 만약 현직에 머물러 준다면 신분 대우를 보장할 뿐 아니라 적어도 한 등급 정도는 봉급을 인상시키겠지만 그러나 철수 후에는 복직을 희망해도 그것은 받아들일 수 없다라고 입에 신물이 나도록 설득했지만 어떤 반응도 없었다.

당시 일본인이 '만인'이라고 부른 사람들 대부분은 실제로는 중국인이었다. 후지와라의 머리로는 만주인과 중국인이 모두 중국어를 말하고 모두 중화문화의 담당자라는 것을 이해할 수가 없었고 만주에 있는 주민들이기 때문에 '만인'이 틀림없다고 처음부터 생각하고 있었을 것이다. 아니, 오히려 '만인'이라는 단어에 만주인과 중국인을 혼재시켜 사용하는 쪽이 만주국의 정통성을 호소하는 데에는 편리했을 것이다.

후지와라와 같이, 일본인이 대륙 만주를 그리는 이미지를 검증하면 그것은 어디까지나 일본인의 관점에서 나온 것에 지나지 않았다. 현지 실정과 주민의 사회문화를 이해하지 않고 혹은 알고 있다고 해도 어떻게 할 수가 없는 상황이 일본과 만주국의 상호이해를 저해했다는 점이 뚜렷이 드러난다.

일본과 만주국과 식민지 조선을 삼각형으로 볼 경우, '일만일덕일심', '내선일체內鮮一體', '만선일여滿鮮一如'라는 슬로건이 발표돼도 일본인과 중국인, 일본인과 조선인 사이에는 '의사 소통 불능'이라는 문제가 시종 따라다녔다. 만주국과 식민지 조선 사이에는 아마테라스 오미카미를 적극 제사지내는가 소극적으로 수용하는가의 차이는 있다고 해도 전시체제 속에서 동원체제가 강화되자 대동아공영권이라는 이데올로기 속에서 '일본'과의 일체화가 꾀해졌다. 따라서 조상숭배와 전통적 관습이 사상되고 단일한 종교적, 군사적 이데올로기에 의해 삼국 간 통합을 꾀한다는 메카니즘이 작동했던 것이다.

홍보라는 선전력 이상으로 무력했던 것은 정보력이었을 것이다. 정부 중추부뿐 아니라 행정기관과 말단의 군사조직에서도 기획을 하고 전략을 총괄하는 일부 지도자는 수집된 정보를 독해하지 못하거나 이해할 필요성도 느끼지 못하고 오로지 자신이 생각한 계획과 전략에 구속되어 사태를 악화시켜 갔다는 것은 역사가 증명한다.

또 자신을 이해시키기 위해서는 상대에 대해 가능한 한 호소한다는 홍보 본래의 기능을 중시하기보다도, 무력과 경찰력 혹은 정치적 공갈로 상대의 입을 막으면서 상대의 묵인을 기다렸다가 동의를 얻었다고 결말을 짓는 방식이 효과적이라고 생각하였던 것이다. 어떤 의미에서는 이 방법은 '민주주의 국가'가 된 현재 일본에서도 버젓이 통용되고 있을지도 모른다. 그런 상황하에서는 상호 인식과 이해를 전제로 한 대등한 국제교류 등은 생길 리가 없고, 자국에 유리한 책략으로써 상대국에서 이익을 얻는 일방적인 방식밖에 보이지 않는다.

당시 만주국에서 전개된 정치가 중국인과 조선인이 조상에 대해 가지는 정체성을 버리게 함으로써 일본적 통합의 형태를 강요하고자 했던 것이 틀림없다. 그리고 푸이와 같이, 그런 일본의 독선성獨善性을 이용하면서까지 자신의 보신을 꾀하고자 한 현지 주민이 있었다는 것도 부정할 수 없는 사실이다. 만주국은 다민족국가였음에도 불구하고, 각각의 민족성, 혹은 거기에 내재된 정통성에 대해 일본인은 너무나도 둔감했다고 하지 않을 수 없다.

그러나 그 일에 관심을 가진 일본인도 있었다는 것은 확실하다. 예를 들면, 홍보처 선화반 가마다 다다시鎌田正는 「우편우표의 국가홍보의 사명」 속에서 다음과 같이 서술하고 있다(자료⑥ 52호) .

> 특히 만주국은 국민의 대다수가 소위 만계(滿系)로 불리는 한민족이며 그 외에 백계(白系) 러시아인 등 다른 민족도 섞여 있어 각각 그 자신의 독특한 문화를 가지고 있다. 그리고 우표의 기획, 제작, 발행은 대부분 일본인이 지도적 지위에 있기 때문에, 신중한 주의가 필요하다. 일본인의 생각만으로 독선적인 태도를 가지고 제작하는 것은 허용되지 않는다. 끊임없이 각 민족이 가진 문화를 연구하고 건국정신에 따라서 그것을 비판, 조성하여 교양 있는 계급에도 또 무학의 농부, 노동자 등에게도 한 장의 우표로써 만주국의 발전을 흠모하게 하고 만주국민의 한 사람으로서 이 땅에 안주낙거(安住樂居)할 수 있는 기쁨을 맛보게 하도록 하지 않으면 안 된다.

일본인이 판에 박힌 만주 이미지에 속박되어 간과했던 것이 있다. 즉 대륙 중국의 도시와 농촌, 산촌과의 격차에 대한 이해는 그때에도 그리고 지금도 일부 일본인의 힘만으로는 도달하기 어려운 것이 있었다. 그것은 일본인이 만철 연선의 도시만을 따라서 증가했던 것도 원인으로 작용하였다.

만철 연선의 주요 대도시에는 홍보정책이 대단한 활동 실적과 더불어 기록되어 있지만 비도시권역에서는 그 유효성조차 의문시되고 있었다. 그것은 실제 『선무월보』에 실린, 최전선에서 홍보활동과 선무공작, 특무공작에 관계했던 사람들이 보내온 글에 잘 나타나 있다. 예를 들면, 1940년대 홍보처 참사관이었던 다카하시 겐이치에 따르면 현縣홍보활동이 '동면가사상태冬眠假死狀態'이며 선무관들 사이에서조차 일본인의 "말없이 실행한다不言實行", "웅변은 은, 침묵은 금"이라는 속담을 금과옥조로 삼아 홍보 선전을 경시하는 경향은 상당히 뿌리 깊다고 지적하며 다음과 같이 서술하고 있다(자료⑥ 48호).

아무리 중앙이 큰 수레바퀴가 되어 광보(廣報)활동을 행한다고 해도 결국 헛돈다는 느낌을 면할 수 없을 것이다. 신문, 영화, 라디오 등이 널리 미치는 범위는 한정되어 있고 선전하지 않으면 안 되는 대상은 오히려 이들 (선전)망으로부터 벗어나 있는 일반 국민인 생산자층이기 때문이다.

이 말은 지극히 당연한 것이며 다카하시 등 지역에 밀착해서 홍보활동을 하는 사람이 끊임없이 무력감에 시달리던 모습을 엿볼 수 있는 발언이다.

## 포스터의 효과?

그러면 포스터 쪽은 당시 어떻게 보였을까. 그 효과를 솔직히 서술한 귀중한 기록이 있다. 1941년 10월에 실시된 제1차 홍보직원 훈련에는 만주국 정부의 직원과 협화회 직원이 참가하여 신징 시내 가두 선전의 실정을 조사해 그 감상을 남기고 있다(자료⑥ 59호). 이것들은 이른바 홍보담당자 내부로부터의 '고발'이었다.

협화회 중앙본부 지도부의 오무라 쓰구노리大村次則(35세)에 따르면 포스터를 붙이는 장소는 "대개 부착할 장소에는 세심한 주의를 기울이지 않는 모습을 본다", 또 포스터의 그림은 "일반적으로 통행인의 주의를 환기하는 모양의 포스터가 적다. 게다가 색채 포스터 중에는 사색, 오색의 것이 있어도 그 색채의 효과를 거둘 만한 것은 적어, 단순히 경비를 낭비하는 데에 지나지 않는다고 여겨지는 것도 있고, 사용 문자는 일목요연이라는 포스터의 효과를 거둘 만한 글자의 크기를 바란다"는 쓴소리를 하고 있다.

싱난興南현 정부 지방직원훈련소 주사인 오비쓰 시게오帶津繁雄(30세)의 감상에서는 "가두에 포스터가 다수 눈에 띄어도 게시 장소, 방법이 반드시 적절하다고 말하기는 어렵고 그중에서도 미나카이三中井백화점 앞 담장에는 3척 간격으로 한 장 씩 붙어 있어도 거의 돌아보는 사람이 없어 수량이 많아도 효과는 적은 것 같다"라고 하여 앞의 오무라와 마찬가지로 게시 장소 등의 문제로 포스터를 돌아다보는 사람이 없다는 것을 지적하였다.

싱베이興北현 정부 총무과 속관인 모리 데쓰로森徹郎(36세)는 공들여 제작한 광고탑이 이용되지 않아 뉴스 광고판도 더러워져 기가 찬 상태이며 "바오산寶山까지만도 여러 가지 포스터가 이용되고 있었는데 주목되는 것은 두세 개의 영화광고뿐, 이것도 조금 취향을 바꾸면 효과적일 것이라고 생각한다"라고 서술하고 있다.

쓰핑四平현 정부 총무과 속관으로 홍보주임인 안도 도시유키安藤敏之(30세)는 "〈애국항공채권 판매 시작愛國航空債券賣出し〉, 건강선전 〈결핵 환자가 한 사람도 없는 동네結核の一人も居ない隣組〉 등 이상의 두 가지 예를 들면 어떤 매력도 감격도 없다. 겉치레로 정말 어쩔 수 없이 내놓은 것처럼 보인다. 결핵예방도 좋지만 일본어뿐이고 중국어로 된 것은 눈에 띄지 않는다. 기획방면도 실시방면도 좀 더 적극적이고 친절하며 진지한 것을 바란다"라고 언어 문제를 지적한다. 이상은 일본인의 감상이다.

한편 현지 주민의 입장에서 볼 경우, 포스터의 감상은 어떤 것이었을까. 러허성 정부 총무과 고시考試 쟝상원姜尚文(25세)은 안도安藤의 감상과 같이, "신징에서 시내를 둘러 보면 중국어로 번역된 듯한 선전물은 보입니다. 언뜻 본 바로는 다소 중국어로 이해되지 않는 점이 많습니다"라고 하고 "일본어 문장과 중국어 문장은 쓰는 방식이 다르기 때문에 번역할 경우는 일본어의 고유명사에 영향을 받지 않도록 중국어 문장방식을 쓸 것" 등을 제안하였다. 아마 일본인의 중국어 번역에 문제가 있기 때문에 포스터 선전의 의미가 이해되지 않는 것을, 정말 깊이 헤아려 지적하고 있다. 필자조차도 만주국의 전단을 조사했을 때 때로는 심한 일본어 투의 중국어 삐라를 마주하게 되어 쓴웃음을 지은 경우가 적지 않았다.

또 한 사람, 룽장龍江성 협화회 본부 직원 허톄화賀鐵華(28세)도 포스터의 내용에 대해 "너무나 지나치게 추상적이고 구체성이 결여되어 있기 때문에 어떤 행사의 명칭과 그 개념을 나타내는 데에 지나지 않아 보는 사람에게 강한 인상을 줄 수가 없다. 그 때문에 보는 사람의 반응을 불러일으키는 것이 극히 어려웠다"라고 하여 디자인과 구성의 문제를 지적하고 있다.

그러면 포스터와 전단을 대신해서 중시된 라디오와 영화에 대해 홍보 담당자는 그 효과를 어떻게 파악하고 있었을까.

홍보처 참사관 기시모토 슌지岸本俊治는 태평양전쟁 발발 직후 홍보처의 상황에 대해서 다음과 같이 서술하고 있다.

> 우리 홍보기관의 현상은 그 중핵인 신문, 라디오, 영화에서조차 극히 빈약한 상태에 있다. 즉 신문 발행 부수 약 60만, 라디오 청취자 약 45만, 영화관 180개소라는 상황으로, 이 속에 신문 독자층과 라디오 청취자층은 거의 중복되고 게다가 그 수의 2분의 1 내지 3분의 1은 일본인(日系)이 점하고 있는 실로 한심한 실정이다. 여전히 민의 수준이 극히 낮고 게다가 복잡한 민족을 포함하고 있는 우리 국정(國情)에서는 신문, 라디오, 영화 등에만 의지해서는 홍보의 목적은 결코 완수될 수 없다.

많은 인재와 막대한 경비를 들여 시행한 홍보정책을 포함한 미디어 전략의 효과는 그 담당자조차 회의적으로 받아들이고 있었던 것이다.

우리가 만주국을 통해 얻을 수 있는 교훈은 국가 간이라기 보다는 오히려 민족 간 혹은 집단 간의 상호 이해도를 높이면서 교류를 촉진해 간다는 점에 있을 것이다. 그런 점에서 말하면 상대방에게 자신들을 이해시킨다는 홍보라는 전술은 결코 나쁜 것이라고 말할 수 없다. 홍보처 참사관 다카하시도 언급한 것처럼, 일본인의 방식인 "말없이 실행한다", "웅변은 은, 침묵은 금"이라는 자세는 오늘날 국제사회에서도 통할 리가 없다. 만주국이라는 과거의 거울에 비춰 보면 현재 일본 정부가 나아갈 공공외교public diplomacy 전략이 다른 나라에 비교해 너무나도 형식적이고 내실이 없는 것이 되고 있는 현상을 걱정하고 두려워하는 것은 필자만이 아닐 것이다.

## 묘사되지 않은 이미지

당시 그림엽서와 포스터는 그 실제 수를 파악할 수 없을 정도의 방대한 수량이 지금도 헌책시장이나 옥션에 나돌고 있다. 그것들을 통해 마치 당시의 경관과 사회 풍속이 재현될 수 있는 것처럼, 표상론적으로 이해하는 경향도 있다. 그러나 당시 어떤 것은 그릴 수 있고 어떤 것은 그리는 것이 허용되지 않았는가 하는 것은 검토해야 할 과제로서 남아 있지 않을까. 마지막으로 그 점에 대해 언급하고 끝내고 싶다.

일본이 관동주를 조차지로 삼아 지배한 이후 항만, 철도 등에 많은 군사시설이 설치되었다. 이런 군사시설 중 몇 개인가는 군의 기밀에 관련된 것이기도 했기 때문에, 1908년 3월 '관동주방어영조물지대령關東州防御營造物地帶令'이 공포되고 뤼순의 특정 지역에 대한 출입과 몇몇 시설의 촬영은 요새사령관要塞司令官이든 뤼순요항사령관旅順要港司令官의 허가가 필요하다는 것이 공표되었다. 동시에 '요새지대법要塞地帶法'에서도 동일한 내용이 규정되어 그림엽서든 사진이든 요새사령관, 진수부사령관鎮守府司令官, 요새부사령관축성 본부장의 인허가가 필요하게 된 장소, 사상事象이 존재했다. 그 때문에 당시 체신성과 관동청이 발행한 기념 그림엽서와 군사우편에도 이들 법령이 적용되어 많은 그림엽서와 사진에는 "뤼순요새사령부의 검열을 마침旅順要塞司令部檢閱濟"이라는 문구가 인쇄되어 있다. 이것은 관동주만의 사정이 아니다. 일본 내지에도 "시모노세키요새사령부의 허가를 마침下關要塞司令部許可濟"이라는 문구가 인쇄되어 있는 그림엽서가 있었다.

중일전쟁이 일어난 1937년, 총무청차장회의에서 '군기보호법軍機保護法'이 채택되고, 다음 해 2월에는 '군기보호법시행규칙軍機保護法施行規則'이 제정되었다. 그 결과 군용 역, 항만, 비행장, 군수자원산출지, 통신시설, 군수품공장, 군수품저장소 등은 기본적으로 촬영이 금지되었다.

관동주와 만철부속지, 군용시설에 관련된 풍경, 그리고 뤼순 거리町 전체를 그린 것에는 대부분 "뤼순요새사령부의 검열을 마침"이라는 문구가 찍혀 있는 것을 쉽게 확인할 수 있을 것이다(東亞旅行社 滿洲支部, 1941). 푸순 노천광산의 풍경, 번시후와 안산 광산을 찍은 그림엽서에 "뤼순요새사령부의 검열을 마침"의 문구가 인쇄돼 있었던 것도 이런 이유에서였다. 아실 것으로 생각하지만, 일본 국내에도 1940년 이후는 철도와 터널 등도 군사시설과 마찬가지로 취급되었기 때문에 이들을 피사체로 한 사진이 적어서, 철도 마니아에게는 공백의 시기로 되어 있다. 이상은 관동주와 만철부속지, 일본 내지의 사례인데, 치외법권 철폐 이전에는 만철부속지 외의 만주에서 동일한 피사체를 취급할 경우, 역시 관동군의 허가가 필요했다.

또 아사히신문 후지창고 사진 중에는 산, 지평선, 도로, 무기, 군인에 대해 수정 지시가 들어가 있는 것도 보이는데, 이들 모두가 군 기밀의 취급 대상으로 관동군에게 검열을 받기 전 신문사 스스로의 자기검열로 수정한 사례이다.

이런 사례는 1937년 5월 19일 아사히신문 만주지국에서 본사 오구라小倉 사회부장에게 보낸 편지에도 언급되었다. 이 편지에는 만주국 국무원 총무청 정보처의 사진반이 촬영한 사진에도 '요새지대법' 등이 적용되었다고 기록되어 있다. 검열문제에 관한 한, 관동군은 만주국 정부보다 상위의 감독 관리기관이었기 때문에 홍보기관이 검열기관에게 검열을 받아야만 하는 일도 당연히 있었던 것이다. 그 이상으로 이 편지에서 놀랐던 것은 싱안베이성興安北省(현재 내몽고 후룬베이얼맹盟)에 있는 코작낙원이라 불리던 싼허三河지방의 '백계러시아인'의 생활 상황에 관한 사진도 관동군의 검열이 필요했다고 기록되어 있던 점이다. 검열대상은 군사시설뿐 아니라 경관, 인프라, 사람과 집단에까지 미치고 있었던 것이다.

이렇듯 당시의 그림엽서와 사진이라고 하더라도, 그릴 수 없는 / 그려져서는 안 되는 이미지가 존재했다. 세상에는 검열제도를 통과한 것만이 인쇄 미디어로 등장했던 것이다. 이페머럴 미디어에 대한 우리들의 시각도, 인쇄된 포스터, 그림엽서, 우표를 향수에 잠겨 감상하지만 말고 세상에 등장할 수 없었던 피사체와 이미지에도 주의를 기울일 필요가 있을 것이다. 그런 의미에서 아사히신문 후지창고 사진은 일급 검토 자료라고 할 수 있다.

## 저자 후기

요코하마에서 교토로 거주지를 옮긴 후 벌써 두 달이 지났다. 5년 넘어 걸린 연구를 교토에서 결실을 맺게 되리라고는 생각지도 못했다.

본서에서 참고한 포스터와 전단(선전 삐라)의 대부분은 돗토리현 사이하쿠西伯군 난부쵸南部町에 있는 유세이 만남의 집과 하코다테函館시 중앙도서관에서 소장한 수집품을 이용하게 해 준 것이다. 또 그림엽서와 우표는 필자가 고서점을 돌고 옥션에 참가해서 수집해 온 것이다.

그 중에서도 유세이 만남의 집이 소장한 만주 포스터와 전단을 만난 것은 충격적인 것이었다. 2004년의 일이었던가, 친구 도미자와 요시아富澤芳亞(시마네島根대학) 씨의 한 마디가 계기가 되어 만남의 집 이나다 세쓰코稲田セツ子 씨, 요나고米子시에 있는 다롄을 말하는 모임[1] 여러분의 협력을 얻어 조사에 들어갔다. 이러한 조사 모습을 NHK의 카마타 도모코鎌田智子 기자가 2005년 8월 15일 방영한 〈종전 60년 특집〉 등에서 다루어 주었다.

이 포스터와 전단을 만난 것을 계기로 하코다테시 중앙도서관이 소장한 만철 관계 포스터와 제2차 세계대전 이전의 그림엽서에 관한 조사도 진행하였는데 이것들에 대해서는 오쿠노 스스무奧野進 씨가 열심히 협력한 덕분에 성

1 돗토리현 요나고시에 있는 다롄 경험자, 관계자의 모임.

과를 올릴 수 있었다. 게다가 아사히신문 오사카 본사 소장의 후지창고 사진으로부터는 나가이 야스지永井靖二 씨 등의 협조를 얻어 만주국 성립 전후의 홍보, 선전활동의 실태를 찍은 사진을 찾아낼 수가 있었다.

그후에도 근근이 그림엽서를 수집함과 동시에, 일본 전국에 소장된 홍보 미디어를 조사해 왔다. 예를 들면, 도쿄대학 대학원 정보학환·학제정보학부 소장 내각정보부 자료, 재단법인 토요분코東洋文庫 그림과 사진자료, 철도사가 나카무라 슌이치로中村俊一郎 씨의 철도 수집품 등인데, 이로써 일본에는 아직 조사되지 않은 자료군, 공개되지 않은 수집품이 적지 않게 있다는 것을 알게 되었다.

각지에서의 이런 조사가 계기가 되었는지, 2007년 1월 『토쇼신문圖書新聞』으로부터, 나이토 요스케內藤陽介 씨의 『만주 우표滿洲切手』에 대한 서평 의뢰가 왔고, 그것이 계기가 되어 제2차 세계대전 이전의 우표와 깃테슈미샤切手趣味社가 발행한 출판물에 대해서도 조사하기 시작하였다. 그 밖에 유튜브 등에 공개된 제2차 세계대전 전의 동영상과 SP판에 기록된 유행가와 야담講談, 만담漫才도 연구대상으로 삼게 되었다. 이들 남겨진 그림과 사진, 영상 그리고 음악 자료군은 이페머럴 미디어이면서 전쟁의 화를 피하여 남겨진 것으로, 지금도 우리에게 무엇인가를 말하려고 한다.

또 본서를 집필하는 이 5년여의 기간에 귀중한 자료가 차차로 복간되었던 것도 행운이었다고 생각한다. 상세한 것은 목차 말미의 '번호가 달린 자료'에 든 리스트를 보기 바라는데, 이들 복각된 자료는 본서를 집필하는 데에 없어서는 안 될 중요한 자료였다. 복간사업에 진력한 편자 분들과 출판사의 노고에 경의를 표하고 싶다.

그런데 필자가 만주사 연구에 착수하게 된 것은 은사이신 니시무라 시게오

西村成雄 선생님(오사카대학 명예교수)과 대학원 시절 지도해주신 나카미 다테오中見立夫 선생님(도쿄외국어대학 아시아·아프리카연구소)의 영향이 컸다. 특히 만주국의 홍보기관에 관심을 가지는 계기가 되었던 것은 2004년 이무라 데쓰오井村哲郎 씨(당시 니가타대학), 가와시마 신川島真 씨(도쿄대학)과 함께, NHK의 시오타 쥰塩田純 씨의 하이비전 스페셜 〈남겨진 소리—라디오가 전하는 태평양전쟁〉의 제작에 협력했을 때였다. 이 무렵, 중국 지린성당안관에서 처음으로 일본방송협회日本放送協會와 만주전신전화주식회사滿洲電信電話株式會社가 시행한 전전의 라디오방송 녹음판 2,200매가 공개되었다. 취재에 협력하는 과정에서 NHK로부터 만주국 시대의 라디오방송에 대해 여러 가지 질문을 받았으나, 만주국 국무원 총무청 홍보처(구 정보처)의 역할에 대해 충분한 해설을 할 수 없었던 것이 아쉬웠다. 비교적 알려져 있던 관동군 특무기관이나 만철 조사부와 달리, 홍보처의 역할에 대해서는 수수께끼였다. 이것이 계기가 되어, 그후 홍보처에 대해 연구를 계속하게 되었다.

다만, 당초 그림과 사진자료의 조사활동에 시종일관하여 수집된 자료에 눈과 귀를 기울이고 차분히 사색할 여유가 없었다. 그런데 2006년부터 히라노 겐이치로平野健一郎 씨(도쿄대학, 와세다대학 명예교수)를 중심으로 한 도요분코 현대중국연구반 공동연구에 참가하여 2008년부터 류젠후이劉建輝 씨를 중심으로 한 국제일본문화연구센터의 '만주'학의 정리와 재편 프로젝트에 참가한 것이 계기가 되어 겨우 본서를 정리할 수 있었다.

이번 집필의 기회를 준 요시카와코분칸吉川弘文館 편집부와 더불어 두 분의 선생님께 진심으로 감사드리고 싶다.

마지막으로 개인적인 것이지만 필자가 포스터에 열중하고 있는 사이에도, 사랑하는 어머니는 말기암과 싸우고 계셨다. 2008년 7월 어머니는 힘이 다하여 세상을 떠났다. 그 어머니 묘 앞에 이 책을 바치고 싶다. 어떤 일에도 열중하는 필자에게 "건강이 제일이다!"라고 늘 말씀해 주신 어머니. 그 한 마디를 새기면서 새로운 연구의 거점인 교토에서 연구생활에 정진하고 싶다.

2010년 5월

교토 연구실에서 기시 도시히코

## | 참고문헌 |


### 일어 문헌

朝日新聞社,「寫眞が語る戰爭」取材班,『朝日新聞の秘藏寫眞が語る戰爭』, 2009.

天野博之,『滿鐵を知るための十二章－歷史と組織・活動』, 吉川弘文館, 2009.

磯村幸男,「滿鐵調査關係者に聞く24－滿鐵の情報・弘報活動」,『アジア經濟』 29-4, 1988.

井村哲郎,「滿洲事變後滿鐵海外弘報・情報活動の一齣－へんり・W・キニー覺書」,『アジア經濟』34-10, 1993.

大阪商船株式會社,『大阪商船株式會社五十年史』(大阪商船), 大阪商船, 1934.

大谷幸太郎,「『邊界』から『大富源』へ－日露戰爭前夜の滿洲ビィジョン」,『比較文學』38, 1995.

回想の滿洲郵政刊行會,『回想の滿洲郵政』, 1964.

川瀨千春,『戰爭と年畵－「十五年戰爭」期の日中兩國の視覺的プロパガンダ』, 梓出版社, 2000.

貴志俊彦,「滿洲國の情報宣傳政策と記念行事」, 平野健一郎編,『日中戰爭期の中國における社會・文化變容』(東洋文庫論叢 69), 東洋文庫, 2007.

貴志俊彦,「戰爭と歷史メディアをめぐる畫像デジタル化の試み－滿洲國ポスター&傳單データベース」,『アジア遊學』113, 勉誠出版, 2008.

貴志俊彦,「日中戰爭期, 滿洲國の宣傳と藝文－甘粕正彦と武藤富男」, エズラ・ヴォーゲル, 平野健一郎 編,『日中戰爭期中國の社會と文化』, 慶應義塾大學出版會, 2010.

久保田覺己,『滿洲帝國建國八周年記念祝典報告書』(社團法人日滿中央協會), 社團法人日滿中央協會(三康圖書館所藏), 1940.

小林英夫・張志强,『検閲された手紙が語る滿洲國の實態』, 小學館, 2006.
駒込武,『植民地帝國日本の文化統合』, 岩波書店, 1996.
高媛,「觀光の政治學－戰前・戰後における日本人の『滿洲』觀光」, 東京大學博士論文(甲第19795號), 2005.
高媛,「戰地から觀光地へ－日露戰爭前後の『滿洲』旅行」,『中國21』29, 2008.
國務院總務廳情報處,『卽位大典記念寫眞冊』, 1934.
國務院總務廳情報處,『滿洲國仮節日』(三康圖書館所藏), 1935.
佐野眞一,『阿片王－滿洲の夜と霧』, 新潮社, 2005.
島田健造・友岡正孝,『日本記念繪葉書總圖鑑』, 日本郵趣出版, 2009.
ジャパン・ツーリスト・ビューロー, 『回顧錄』, ジャパン・ツーリスト・ビューロー, 1937.
ジャパン・ツーリスト・ビューロー, 『奉天から北京へ』, ジャパン・ツーリスト・ビューロー, 1938.
上甲昇,『日本航空輸送史・輸送機編一』(自費出版), 1992.
沈潔,『「滿洲國」社會事業史』, ミネルヴァ書房, 1996.
鈴木邦夫,『滿洲企業史研究』, 日本經濟評論社, 2007.
大連市役所,『大連市催滿洲大博覽會誌』, 大連市, 1934.
立川增吉,『滿洲資源館要覽』(改訂版), 南滿洲鐵道株式會社滿洲資源館, 1939.
田中總一郎,『滿洲の新聞と通信』, 滿洲弘報協會, 1940.
中央委員會,『慶祝承認大會』, 新京交進社印刷工廠印刷(國會圖書館所藏), 1932.
中央委員會,『建國周年紀念(日譯)』(國會圖書館所藏), 1933.
塚瀨進,『滿洲國－「民族協和」の實像』, 吉川弘文館, 1998.
津金澤聰廣・有山輝雄,『戰時期日本のメディア・イベント』,世界思想社, 1998.
土屋禮子,「エフェメラとしての戰時宣傳ビラ舵手－FELO資料の場合」,『アジア遊學』111, 勉誠出版, 2008.
東亞事局研究會,『大滿洲國』上・下, 1933.
東亞旅行社滿洲支部,『東亞旅行年鑑』, 1941.
內藤陽介,『滿洲切手』(角川選書 400), 角川書店, 2006.
成田弘,「滿洲國・中國への航空郵便と軍事航空郵便」,『郵趣研究』1998秋號, 1998.
西原和海,「滿洲における弘報メディア－滿鐵弘報課と『滿洲グラフ』のことなど」,『國文學－解釋と教材の研究』51-5, 2006.

西原征夫,『全記錄ハルビン特務機關－關東軍情報部の軌跡』, 毎日新聞社, 1980.
日本交通公社社史編纂室(日交),『日本交通公社七十年社』, 日本交通公社, 1982.
日本郵趣協會,『(復刻)關東遞信三十年史』, 日本交通公社, 1977.
波多野勝,『昭和天皇とラストエンペラー－溥儀と滿洲國の眞實』, 草思社, 2007.
平山昇,「『日鮮滿』を結んだ鐵路と航路－關釜連絡船・朝鮮鐵道・滿鐵」,『地理と歷史』592, 2006.
檜山幸夫,『日清戰爭－秘藏寫眞が明かす眞實』, 講談社, 1997.
滿洲國協和會中央事務局,『滿洲國協和會』(祐生出會いの館所藏), 1935.
滿洲建國十周年慶祝會事務局,『滿洲建國十周年慶祝會要覽』(三康圖書館所藏), 1942.
滿洲國國務院總務廳情報處,『慶祝承認周念紀念大會(日譯付)』(國會圖書館所藏), 1933.
滿洲國史編纂刊行會,『「滿洲國史」各論』, 滿蒙同胞援護會, 1971.
滿洲國政府,『國都建設記念式典に就て』(祐生出會いの館所藏), 1937.
滿洲國民政部,『滿洲國體育行政槪要』(國會圖書館所藏), 1939.
滿洲帝國臨時國都建設局,『國都建設紀念式典誌』(函館市中央圖書館所藏), 1938.
滿蒙資料協會,『滿洲紳士錄』第三版(1989, 日本圖書センター復刻本『滿洲人名辭典』), 1940.
南滿洲鐵道株式會社(滿鐵),『南滿洲鐵道株式會社三十年略史』, 南滿洲鐵道, 1937.
南滿洲鐵道株式會社(滿鐵),『滿洲と滿鐵』(昭和30年版), 南滿洲鐵道, 1938.
南滿洲鐵道株式會社(滿鐵),『南滿洲鐵道株式會社第二次十年史』上・下(1974, 原書房 復刻本), 1974.
南滿洲鐵道株式會社(滿鐵) 總務部 資料課,『滿洲事變と滿鐵』(原書房 復刻本, 1974), 1934.
南滿洲鐵道株式會社(滿鐵) 地方學務課,『華人ノ観タル日本人』(三康圖書館所藏), 1923.
宮川善造,『人口統計より見たる滿洲國の緣族複合狀態』(國會圖書館所藏), 滿洲建國大學研究院, 1940.
武藤富男,『私と滿洲國』, 文藝春秋, 1988.
山內佐太郎,『滿洲國建國十周年慶典に參加して』私家版(國會圖書館所藏), 1942.
山口淑子・藤原作彌,『李香蘭私の半生』, 新潮社, 1987.
山室信一,『キメラ－滿洲國の肖像』增補版, 中央公論新社, 2004.
ヤング・ルイーズ,『總動員帝國－滿洲と戰時帝國主義の文化』, 岩波書店, 2001.
山口猛,『滿洲の記錄－滿映フィルムに映された滿洲』集英社, 1995.

## 중국어 문헌

愛新覺羅溥儀, 『我的前半生』, 群衆出版社, 1962(일역은 新島淳良・丸山昇 譯, 『わが半生』, 大安, 1965; 小野忍他 譯, 『わが半生』, 筑摩書房, 1977).

愛新覺羅溥儀, 『我的前半生』 全本, 群衆出版社, 2009.

解學詩, 『僞滿洲國史新編』 修訂版, 人民出版社, 2008.

吉林省集郵協會, 『毋忘國恥ー從僞滿洲國郵票看日本侵華罪行』, 人民郵電出版社, 2005.

孫邦, 『僞滿文化』, 吉林人民出版社, 1993.

## 영어 문헌

Tamanoi, *M. A., Crossed Histories : Manchuria in the Age of Empire*, AAS and Univ. of Hawaii, 2005.

# | 도표 일람 |

소장기관 · 출전을 나타내는 기호는 다음과 같다.

【A】 돗토리현 유세이 만남의 집 소장

【B】 하코다테시 중앙도서관 소장

【C】 아사히신문 후지창고 사진에서

【D】 만주 DVD에서

【E】 필자 소장

【F】 도쿄대학 요시미 슌야吉見俊哉연구실 소장

【G】『毋忘國恥』(人民郵電出版社, 2005)에 의거

【H】『아사히신문』 외지판(만주판)에 의거

### 프롤로그 만주국의 미디어 전략과 홍보弘報

## 제1장 '오족협화五族協和'와 국가의 상징

〈그림 4〉 〈현기시청별연족별인구분포도〉. 【宮川 1940】

〈그림 5〉 그림엽서 세트 〈하얼빈구경〉 중 한 장. 大正寫眞工藝所(和歌山) 발행. 【E】

〈그림 6 ①〉 대일본독립수비대 사령부가 제작한 리플릿에 실린 〈만주국 국가國歌〉. 【A】

〈그림 6 ②〉 만주국 건국 10주년 기념식 당시 배포한 리플릿에 실린 〈만주국 국가國歌〉, 〈건국 10주년 경축가〉(1942). 【A】

〈그림 7〉 만주국 국기를 어필하는 포스터 〈이것이 우리 만주국의 국기다! 이것을 목표로 왕도낙토를 건설합시다!〉(1933). 【A】

## 제2장 '커다란 부의 원천'과 '관광 만주'의 틈새에서

〈그림 8〉 만철 그림엽서 〈만철의 시설〉. 【E】

〈그림 9〉 만주자원관의 팸플릿 『만주자원관요람滿洲資源館要覽』 표지. 【E】

〈그림 10〉 만주대박람회 기념 포스터 〈만주대박람회 다롄시 개최〉. 다니구치 야스히로 디자인, 고토 화백 가필, 고바야시 마타시치상점 다롄지점 인쇄(1933). 【B】

〈그림 11〉 오사카상선의 만주항로 이용 여객 수, 하물수송료 연차별 변화. 오사카상선주식회사 편, 『오사카상선주식회사오십년사大阪商船株式會社五十年史』(1934)에 의거.

〈그림 12〉 그림엽서 〈(펑톈)역전광장에서 랑쑤퉁浪速通을 바라보다〉. 【E】

〈그림 13〉 만철, 선만안내소의 모습. 만철 제작 소개 필름 〈만주여행—내지편〉에 의거. 【D】

〈그림 14〉 선만안내소 포스터 〈보라! 낙토 신만주〉. 고지마 마쓰노스케, 원화 돗판인쇄주식회사(도쿄) 인쇄(1937). 【B】

〈그림 15〉 만철, 선만지안내소 포스터 〈선만지흥아鮮滿支興亞의 여행〉. 【B】

### 제3장 '건국'과 '승인'을 둘러싼 미디어 · 이벤트

를 만들도록 노력하자. 자신의 잘못을 깨닫지 못하는 악당은 마땅히 천벌로 토벌당해 피와 살이 이리저리 흩어져 죽어도 몸조차 누일 수 없다〉. 【A】

〈그림 32〉 『만주그래프』 광고 포스터 〈만주그래프 알아라 만주의 실상을!〉(1936). 【B】

〈그림 33〉 만주사변을 기념하는 전단 〈9·18, 2주년 기념가(독선품 제20호)〉(1933.9.18). 【A】

〈그림 34〉 만주사변 기념 포스터 〈9월 18일－만주사변 발발 만 1년〉(1932). 쓰루다 고로 원화(1932.9.18). 【A】

〈표 3〉 대일본독립수비대 사령부大日本獨立守備隊司令部가 작성한 전단(1932~1933)

## 제4장 '건국 1주년'을 둘러싼 공방

〈그림 35〉 〈미스 만주〉 포스터 〈신흥 대만주국〉. 만주국 국무원 총무청 정보처 제작. 【A】

〈그림 36〉 〈미스 만주〉 포스터의 모델 소녀. 아사히신문 후지창고 사진에 의거. 【C】

〈그림 37〉 발행되지 않았던 만주국 건국 기념 그림엽서 〈만주 건국 1주년〉. 만주국 교통부 우정사 제작(1933.3.1). 【G】

〈그림 38〉 만주국 승인 1주년 기념 포스터 〈만주국 승인 1주년 기념〉. 대일본독립수비대 사령부 제작(1933.9.15). 【A】

〈그림 39〉 보갑법 공포 기념 포스터 〈보갑 부락방위 비적〉. 치안부 경무사 제작, 만주도서주식회사 인쇄(1933.12). 【A】

〈그림 40〉 '천국과 지옥'의 차이를 드러내려 한 전단 〈천국과 지옥(독선품 제11호)〉. 대일본독립수비대 사령부 제작(1933.9.15). 【A】

〈그림 41〉 '천국과 지옥'의 차이를 드러내려 한 전단. 【A】

### 제5장 제정帝政 체제로의 전환과 일본과 만주국의 관계

〈그림 42〉 하얼빈에서의 즉위대전 축하회(1934.3.1). 【국무원 총무청 정보처 1934년】

〈그림 43〉 즉위대전 기념 포스터 〈제토호진帝土乎震〉. 즉위대전중앙위원회 제작(1934). 【A】

〈그림 44〉 즉위대전 기념 연화 〈복자동래만수무강福自東來萬壽無疆 대동 3년〉. 만주국 국무원 총무청 정보처 제작, 신징세계당 인쇄(1934). 【A】

〈그림 45〉 즉위대전 기념 포스터 〈만주제국 민족협화 왕도정치 왕도낙토〉. 즉위대전중앙위원회 제작, 가와구치인쇄소 신징공창 인쇄(1934.3.1). 【A】

〈그림 46〉 즉위대전 기념 포스터(화보 5)와 전단을 보는 중국인(만철 제작 기록필름 〈만주국광대전滿洲國曠大典〉에 의거). 【D】

〈그림 47〉 즉위대전 기념 그림엽서 세트 중 한 장 〈탄부문덕誕敷文德〉. 정샤오쉬 휘호 만주국 교통부 우정사 발행(1934.1). 【E】

〈그림 48〉 낭랑묘회 포스터 〈낭랑묘회 탄탄왕도坦坦王道 호호황은浩浩皇恩〉(1934). 【A】

〈그림 49〉 일만우편조약체결 기념 그림엽서 세트 〈일만우편조약체결기념〉 중 한 장. 이토 준조 디자인, 관동국 발행(1936). 【G】

〈그림 50 ①〉 '만일우편조약' 체결 기념을 위해 제작했으나 발행이 중지된 그림엽서 중 한 장

〈그림 50 ②〉 초상사진을 교체해서 발행한 그림엽서(1936.1). 【G】

〈그림 51〉 방일선조 기념 그림엽서 중 한 장(갑의 수정판, 1935). 만주국 교통부 우정사 입안, 오야 히로조 디자인, 만주국 교통부 우정사 발행(1935). 【G】

〈그림 52〉 1940년 당시 만주국통신사의 정보네트워크. 【田中 1940】

〈그림 53〉 만영, 쇼치쿠 합작영화 〈영춘화〉(1942) DVD 세트 【D】

〈그림 54〉 만주국 건국 5주년 기념 포스터 〈건국 5주년 기념〉. 고야마 소스케 디자인, 만주국 국무원 총무청 정보처 제작, 홍아인쇄국 인쇄(1937.3.1). 【B】

〈그림 55〉 만주국 건국 5주년 기념 그림엽서 세트 중 한 장. 만주국 교통부 우정사 발행(1937.3.1). 【E】

〈표 4〉 만주홍보협회를 통한 신문, 통신의 통폐합 상황. 田中總一郎, 『滿洲の新聞と通信』, 滿洲弘報協會, 1940에 의거.

## 제6장 중일전쟁과 홍보일원화

〈그림 56〉 국도 건설 기념 포스터 〈국도건설기념〉 사루타 도시오 원화, 만주제국 정부 제작(1937). 【B】

〈그림 57〉 국도 건설 기념 우표의 원화. 이시카와 고스케 그림. 【G】

〈그림 58〉 국도 건설 기념 그림엽서 세트의 한 장(1937.9). 【E】

〈그림 59〉 국도 건설 기념식전 배포 팸플릿에 게재된 〈국도건설기념가〉(1937). 【A】

〈그림 60〉 치외법권 철폐 기념 포스터 〈경축철폐치외법권 촉진일만일덕일심慶祝撤廢治外法權 促進日滿一德一心〉. 만주제국 정부 제작(1937.8.1). 【A】

〈그림 61〉 치외법권 철폐 기념 그림엽서 세트의 한 장(1937.12). 【G】

〈그림 62〉 (좌) 만철 철도 1만 킬로 달성 기념 우표 〈철로1만킬로돌파기념〉의 원화. 사사키 준 그림.

〈그림 62〉 (우) 만철 제공 사진.

## 제7장 국방체제의 강화와 '건강 만주'

〈그림 63〉 국민정신 진흥 건국체조회 포스터 〈국민정신진흥건국체조회〉(『아사히신문』 게재 복사본, 1939.7.1). 【H】

〈그림 64〉 기원 2600년 경축 만주체조대회 포스터 〈기원2600년경축만주체조대회 하얼빈시대회〉(복사본, 1940). 【H】

〈그림 65〉 경축 기원 2600년 흥아 국민동원대회 기념 그림엽서. 만주국협화회 중앙본부 발행(1940). 【E】

〈그림 66〉 경축 기원 2600년 흥아대운동회 기념 그림엽서. 만주체신협회 발행(1940). 【E】

〈그림 67〉 만주국적십자 창립 기념 포스터 〈만주국적십자창립〉(『아사히신문』 게재 복사본, 1938.10.1). 【H】

〈그림 68〉 만적의 활동을 호소하는 리플릿 〈만적 찬조는 나의 일, 구호 대업은 만인의 일(贊助滿赤須有我, 救護大業萬人作)〉. 【A】

〈그림 69〉 만적 창립 기념 우표의 원화. 야마시타 다케오 그림. 【G】

〈그림 70〉 황제 푸이 방일 환영 기념 그림엽서. 만주체신협회 발행. 【E】

〈그림 71〉 임시국세조사 보급 포스터 〈임시국세조사 국세조사사명중대 번영아국전도광화〉(『아사히신문』 게재 복사본). 만주국 국무원 총무청 정보처

## 제8장 결전체제決戰體制에서의 홍보독점주의

## 제9장 건국 10년의 '성과'와 '과제'

〈그림 79〉 건국 10주년 기념 그림엽서 〈건국 10주년 축하회에서 근공신람謹供宸覽의 경축 무도〉. 만주국 교통부 발행 돗판인쇄주식회사(만주) 인쇄(1941). 【E】

〈그림 80〉 흥아국민동원대회 기념 특별 우편소인. 만주국 우편총국(1942.9.5). 【E】

〈그림 81〉 건국 10주년 기념 우표(4분짜리 우표) 〈건국충령묘〉. 요시다 유타카 디자인, 만주국 교통부 발행(1942.2). 【E】

〈그림 82〉 건국 10주년 기념 우표(2전짜리 우표) 〈건국신묘〉. 가소리 데이조 디자인, 체신성 발행(1942.10). 【E】

〈그림 83〉 오카다 사부로스케의 벽화 〈민족협화도〉를 이용한 그림엽서 〈오족협화〉(1936). 【B】

〈그림 84〉 건국 10주년 기념 우표(3분짜리 우표). 리핑허 디자인, 만주국 교통부 발행(1942.1). 【E】

〈그림 85〉 건국 10주년 기념 우표(6분짜리 우표). 야마시타 다케오 디자인, 만주국 교통부 발행(1942.1). 【E】

〈그림 86〉 러허작전 포스터(성인판, 1933). 【A】

〈그림 87〉 러허작전 전단(아동판). 【C】

〈그림 88〉 치난자치정부 성립 기념 포스터 〈민족협화〉(1937).

〈그림 89 ①〉 만주건설근로봉사대 포스터 〈의지다 힘이다 건설이다〉(『아사히신문』 게재 복사본). 만주건설근로봉사대 실천본부 제작. 【H】

〈그림 89 ②〉 만주건설근로봉사대 포스터 〈의지다 힘이다 건설이다〉(『아사히신문』 게재 복사본). 만주건설근로봉사대 실천본부 제작. 【H】

〈그림 90〉 국민근로봉공법 시행 기념 봉투, 우표 만주우표학회 발행(1943.5.1). 【E】

〈그림 91〉 대동아전쟁 발발 1주년 기념 봉투, 우표(1942). 【E】

〈그림 92 ①〉 발행되지 않은 대동아전쟁 발발 1주년 기념 우표(3분짜리 우표). 【G】

〈그림 92 ②〉 발행되지 않은 대동아전쟁 발발 1주년 기념 우표(6분짜리 우표). 【G】

〈표 8〉 만주국 건국 10주년 기념행사 일람. 만주국사편찬간행회 편, 『만주국사(각론)』, 만몽동포원호회, 1971에 의거.

| 인명 찾아보기 |

1932년 3월 일본 관동군에 의해 탄생했고 1945년 일본의 패전과 함께 소멸된 만주국은 '선전국가'였다. 만주국 정부는 건국과 동시에 안으로 재만 각 민족들에게는 만주국이야말로 '왕도낙토', '오족협화'의 땅임을, 밖으로 세계 각국에는 '독립국 만주국'으로 인정받기 위해 대내외 선전공작에 총력을 기울였다. 건국 초 만주국 건국과 존재의 정당성을 어필하는 데 중점을 두던 선전공작은 중일전면전, 태평양전쟁 발발과 함께 전시동원체제를 구축해가는 과정에서는 국병법, 민적법, 근로봉공법 등의 국책에 대중을 동원하는 방향으로 나아갔다. 이러한 '선전국가' 만주국의 실상을 적나라하게 보여 주는 것이 바로 본서가 주목하는 포스터, 그림엽서, 기념 우표 등의 비주얼 미디어이다.

만주국에서는 건국 기념일(3월 1일) 등 해마다 돌아오는 기념일은 물론 국가의 중요 행사, 정책의 시행에 즈음해서 대량의 포스터, 그림엽서, 기념 우표, 전단 등을 제작하여 각지에 배포하였다. 이 때문에 만주국 시기에 제작된 수많은 비주얼 미디어 자료가 일본 돗토리현 '유세이 만남의 집'을 비롯한 곳곳에 현존하고 있는 것이다. 본서에서 다루는 자료는 그중 일부에 불과하다.

널리 알려진 바와 같이 만주국 인구의 절대 다수는 일본어를 독해하지 못하는 중국인이었다. 따라서 만주국 정부는 이들 중국인에게 '왕도낙토', '오족협화'로 대표되는 만주국의 건국 이념, 일본과 만주국의 우호관계, 중화민국을 겨

냥한 역선전, 전시동원을 위한 여러 국책을 선전하는 데 언어 독해와 무관하게 시각만으로도 정부의 메시지를 효과적으로 전달할 수 있는 매체를 적극 활용하였다. 이에 맞추어 만주국 정부조직인 국무원 홍보처(이전 정보처), 군정부는 물론 만철, 협화회 등에서도 수많은 시각 매체를 제작하였던 것이다.

그러나 본서에서 지적한 바와 같이 이들 시각 매체를 활용한 선전의 효과에 대해서는 의문을 가질 수밖에 없을 것이다. 그 단적인 예가 만주국 수도 신징(현 장춘) 국무원 청사 내에 걸렸던 〈민족협화도〉(오카다 사부로스케 작)인데, 이 그림이야말로 만주국이 내세우는 '오족협화', '민족협화'의 지향점을 집약적으로 보여주려 한 것이다. 그럼에도 그림 속 인물과 배경이 실제와 동떨어져 있다는 사실은 만주국 선전정책의 한계를 여실히 드러낸 것이라 하겠다. 현실에 기반하지 않고 상상으로 그려낸 〈민족협화도〉가 얼마나 대중들의 공감을 끌어낼 수 있었을지는 짐작하기 어렵지 않다. 또 이는 만주국이 시종일관 내건 '오족협화', '민족협화'이라는 것이 공허한 슬로건에 불과했다는 것을 말한다. 나아가 만주국 자체의 한계를 보여주는 상징과 같은 것이라 할 수도 있다.

본서는 만주국에서 제작, 배포한 비주얼 미디어를 소재로 13여 년간 만주국의 역사를 정리한 연구서이다. 또한 일본 연구자들의 끊임없는 물음, "만주(국)은 무엇이었던가"에 대한 자아성찰서로서의 성격을 지니는 연구라고도 볼 수 있다. 역자가 생각하는 역사 연구의 기본은 사료(혹은 자료)의 수집과 분석이다. 본서는 그 기본에 충실한 연구서라 할 수 있다. 필자의 자료 수집에 대한 열정과 노고가 없었다면 우리는 본서 각 장에 등장하는 비주얼 미디어와 마주할 기회를 가질 수 없었지도 모른다. 본문 속 비주얼 미디어를 보게 된다면 혹자는 학창시절 '반공' 포스터 그리기, 표어 짓기 등의 숙제를 해갔던 경험을 떠올리게 될지도 모르겠다. 어쨌든, 다양한 시각에서 만주국에 접근하고자 하는 독자들에게 꼭 추천할 만한 책이다.

역자가 본서를 처음 접한 것은 박사논문인 「전시체제하 만주국의 선전정책」을 한창 준비하던 2011년 무렵이었다. 당시까지 이런 시각 자료를 소재로 한 전문적인 연구는 흔하지 않았다. 역자 역시도 『선무월보』(만주국 홍보처 발행)만을 들여다보고 있던 때이라 본서는 신선한 충격으로 다가왔다. 그리고 본서를 한국어판으로 출간하고 싶은 마음이 굴뚝같았으나 학위논문을 앞둔 상황에서 역자의 능력으로는 실현 불가능한 일이었다.

학위논문을 마무리하고도 한동안 잊고 있던 본서의 한국어판 출간을 상기시킨 계기는 뜻하지 않게 2014년 만주학회의 하계답사였다. 김재용 선생님(원광대)과 김창호 선생님(강원대)의 진두지휘하에 4박 5일간 중국 동북의 주요 도시(다롄, 선양, 창춘, 하얼빈)를 숨가쁘게 찍고 돌아다녔던 그때의 기억과 감동은 아직도 잊을 수가 없다. 당시 역자에게 본서의 번역을 제안해 주셨던 서재길 선생님(국민대)의 지지와 답사에 동행했던 소명출판 박성모 사장님의 배려 덕분에 어렵지 않게 번역 작업을 시작할 수 있었다.

하지만 번역본이 완성되기까지는 이러저러한 사정으로 예상 밖에 너무나 많은 시간이 흘러야 했다. 특히 곳곳에서 수없이 등장하는 낯선 일본인 인명, 전문 인쇄 용어, 디자인 용어는 역자를 곤혹스럽게 하여 번역 작업을 지지부진하게 만들었다. 때문에 무엇보다 한국어판 출간을 애타게 기다리고 계신 필자 기시 선생님께 죄송한 마음을 말로 다 할 수가 없다.

본 역서가 출간되기까지 많은 분들의 도움을 받았다. 내 오랜 친구 조은하 작가는 거칠기 짝이 없는 번역 초고를 꼼꼼히 읽고 가감 없는 비판을 가해줬다. 외사촌오빠 홍철순 교수(경남정보대)는 역자가 인쇄, 디자인 용어를 이해하도록 하는 데 수고를 아끼지 않았다. 특히 만주학회 만주국 문화사 연구모임의 선생님들은 지난 여름 찜통 같은 더위에도 바쁜 시간을 할애해서 초보 번역자인 역자에게 귀중한 조언을 주셨다. 지면을 통해서나마 감사의 말씀을 드리고 싶다.

그리고 본 역서의 편집과 교정을 담당해주신 소명출판 장혜정 선생님께도 감사드린다. 마지막으로 번역기간 내내 옆에서 힘이 돼준 민경준 선생께도 고마움을 전한다.

미리내골이 내려다보이는 강사연구실에서

전경선